Funster
500+ Word Search Puzzles for Adults

Charles Timmerman
Founder of Funster.com

This book includes free bonus puzzles
that are available here:

funster.com/bonus23

You can also join the *Funster VIP Newsletter*
and be the first to find out about our new books.

A Funster Series Book.
Funster™ and Funster.com™ are trademarks of
Charles Timmerman.

Book cover design by Emma Thompson at www.electricthought.co.uk

ISBN: 978-1-953561-00-8

A Special Request

Your brief Amazon review could really help us. This link will take you to the Amazon.com review page for this book:

funster.com/review23

Introduction

How to Solve

These puzzles are in the classic word search format. Words are hidden in the grids in straight, unbroken lines: forward, backward, up, down, or diagonal. Words can overlap and cross each other. When you find a word, circle it in the grid and mark it off the list.

Cut It Out!

This book has wider inner margins. This means that you can easily cut or rip out the pages. Some people find this makes it more convenient to solve the puzzles.

Springtime

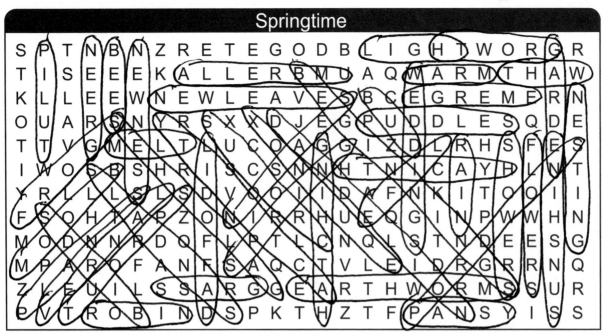

ACTIVITY	EARTHWORMS	GROWTH	PANSY	SPRING
BEES	EMERGE	HATCHING	PLANTS	SPROUT
BEGINNINGS	EQUINOX	HYACINTH	PUDDLES	SUNSHINE
BIRDS	FLOWERS	LIFE	RAIN	THAW
BLOOM	FROGS	LIGHT	ROBIN	TULIP
BUD	GALOSHES	MELT	SANDALS	UMBRELLA
CROCUS	GARDEN	NESTING	SEASON	VERNAL
DAFFODIL	GRASS	NEW LEAVES	SHOWERS	WARM
DANDELION	GREEN	NEWNESS	SNOWDROP	WEDDINGS

Prehistoric

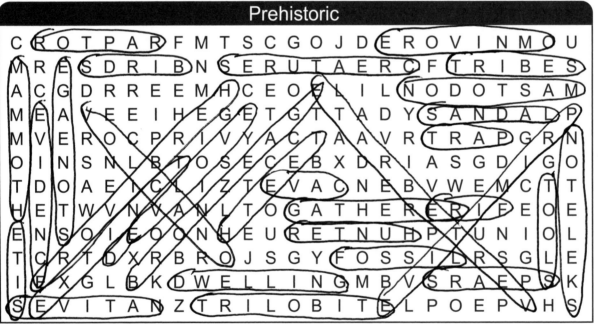

ANCIENT	DRAWINGS	HUNTER	PREDATORS	STONE AGE
BIRDS	DWELLING	ICE	PREHISTORY	SURVIVAL
BONES	EVIDENCE	IRON AGE	PRIMITIVE	TEETH
BRONZE AGE	EVOLVED	LIFESTYLE	RAPTOR	TOOLS
CARNIVORE	EXTINCT	MAMMOTH	REPTILES	TRAP
CAVE	FIRE	MASTODON	SANDAL	TRIBES
CREATURES	FOSSIL	NATIVES	SITE	TRILOBITE
CRETACEOUS	GATHERER	OMNIVORE	SKELETON	VERTEBRATE
DIG	HERBIVORE	PEOPLE	SPEARS	VOLCANO

Coupons

```
V O U C H E R E T A U T H E N T I C L A I C E P S
E C E N T S A S X Q G N I P P O H S L A G U R F Y
T E R M S I I D A C M A R K E T I N G Q C O N Q L
E V A S C M L D V L L R E P A P S W E N M I P N P
X E Z I M O N O C E E U L A V H S A C O A U F M P
P L T Y S R L L M E R A S E L P I R T G R R E Y A
I B O N K P I L T R E T A I L E R I R C K E C L Y
R U N P A P L A E D R S I K O O O A H U D W U K E
E O L R P R B R W C O E B S U N B A K E O A D E N
S D I I Z E A S X I T R J L E T S R R D W R E E O
A D N C R T N U O C S I D Y R E C O R G N D R W M
R G E E O W T E G D U B O N U S B R A N D A N X B
```

ADVERTISE	CLIPPING	FRUGAL	PROMISE	SALE
APPLY	COLLECT	GROCERY	PROMOTION	SAVE
AUTHENTIC	DEAL	GUARANTEE	PURCHASE	SHOPPING
BARGAIN	DISCOUNT	MARKDOWN	REBATE	SPECIAL
BONUS	DOLLARS	MARKETING	REDEEM	STORE
BRAND	DOUBLE	MONEY	REDUCE	TERMS
BUDGET	ECONOMIZE	NEWSPAPER	RESTAURANT	TRIPLE
CASH VALUE	EXCLUSIONS	ONLINE	RETAILER	VOUCHER
CENTS	EXPIRE	PRICE	REWARD	WEEKLY

Literature

```
T C R O M A N T I C H M A G N I L L E P S D E S K
O H J M V F A E O M H C U C B L A K E R Y C D H L
L A U E O F R A Y Y S S R H A C Z D C E T O L E E
P U J M C G R C E A T O I A I D Y R Y T I M A L V
Z C G O A E A H L W S O N L E P E A O P S P R L O
T E C R B N T E T G E S B K G S L M J A R A E E N
W R L I U R I R I N T I E B U N E A I H E R G Y R
I P A Z L E V T T I B S K O O B E R Y C V I Z R E
L R S E A A E Y I M C V Y A N T A G O N I S T T D
D O S C R D V S R E T C A R A H C W I S N O I E O
E S I S Y L A N A H S O M D R O H T U A U N F O M
M E C S R E T T E L O O H C S K E A T S C R I P T
```

ACADEMIC	CHARACTERS	GENRE	NOVEL	SCRIPT
ANALYSIS	CHAUCER	HEMINGWAY	PLAY	SHELLEY
ANTAGONIST	CLASSIC	HUMANITIES	PLOT	SPELLING
AUTHOR	COMPARISON	JOYCE	POETRY	TEACHER
BIBLICAL	DESK	KEATS	PROSE	TESTS
BLAKE	DRAMA	LETTERS	READ	TITLE
BOOKS	ENGLISH	MEMORIZE	RESEARCH	UNIVERSITY
CHALKBOARD	ESSAY	MODERN	ROMANTIC	VOCABULARY
CHAPTER	FITZGERALD	NARRATIVE	SCHOOL	WILDE

Weather Forecast

```
A C C U R A C Y E S S T M D L C N E W S Y L I A D
I O H A R F R R G T L H H O C D R A L E R T D U N
F T Z C L O U D S O B I C U D A A S N L A V E V I
P O R O A T L N T R L A G T N E T N W H I T O H W
C S O A U O R A X N L O R H A D L M A S I H H U T
A D B F C E S T S A O N N O T W E Q O L S S C E V
L N Y Q T K C I J D G R N H M N I R L S Y R D R R
Y V A T A D I O D O G O F R C E I E U S P S K Y I
G Z A T K W E N O I S I V E L E T N T F T H I C H
K P A M U H N A G A M W O N S A T E G O T B E S T
O S K B O R C L E K Y U R C S B M C R X N W A R M
W C K B D D E S C L I A H E G S Q M V E Z G K Y E
```

ACCURACY	DAILY	HUMID	PATTERNS	TECHNOLOGY
ADVISORIES	DATA	ICE	SATELLITE	TELEVISION
ALERT	DRY	LIGHTNING	SCIENCE	THUNDER
ANALYSIS	FLOOD	LOCAL	SEASON	TORNADO
ATMOSPHERE	FOG	MAP	SKY	TRACKING
BAROMETER	FRONT	MODEL	SNOW	WARM
CHILL	FUTURE	NATIONAL	STORM	WATCH
CLOUDS	HAIL	NATURE	SUN	WEATHER
COLD	HOT	NEWS	SYSTEMS	WIND

Animal Friends

```
M F G J R Q K A K X Y T T X B T Z O O A V P S Z K
S F K S Y E K N O M V Y S R N Y D O N F Y G L O H
K U N E T T I K A L A M B A K R R P R F A O A A W
C O W Z P U P P Y D W Z H O I A K A V E Y A M B Y
U R H I G R O O M E R P A B G S N C U C T T M Z Z
D R U N S Q U I R R E L F N D K U I H T U S A M W
B R E E D E R I A L A E A U R R M H N I C D M N C
D P N E L E O D E Q R K V R A E P B T O C N D A A
L D A Q R E N I A R T Z A T Z G I E E N I K A L H
I I M T X A Y G E R B I L U I I H L F A E L E S E
W D U A P T Y T F A R M E R L T C E T O R P G N V
P Z H C N A R S N U G G L E V O L N K D P E E H S
```

ADMIRER	CRUEL	GROOMER	LOVE	RANCH
AFFECTION	CUDDLE	HAMSTER	MAMMALS	SANCTUARY
BEAR	DUCK	HUMANE	MONKEY	SHEEP
BIRD	ELEPHANT	KANGAROO	NURTURE	SNUGGLE
BREEDER	ENTHUSIAST	KITTEN	PANDA	SQUIRREL
CAT	FARMER	KOALA	PENGUIN	TIGER
CHICKENS	FERRET	LAMB	PLAY	TRAINER
CHIPMUNK	GERBIL	LION	PROTECT	WILD
COW	GOATS	LIZARD	PUPPY	ZOO

Sons

```
Y A R Y W W O L L O F P C X Q G N I M R A H C G J
U Q T D J C A K Q F U N S H R I S W T Q Y S U T T
L S E U U M X Q A F O U X E I R I B R O T H E R S
Z D A O P Q A P G S P O L S E L E K F N I M A I M
U V C R G L G R A P O A T K D F D L E P P M B U I
W E H P E N L S O R T Q O S E R Y C T E S L N M L
N F A M I L Y R G I E J G H T I S S R S I E C D I
L G L R S D T O V N N N C I T E G R E N E A I V N
I O A C T I V E B G O U T B L N P K G T R R B R G
T D V M A L E B E R U K J O A D G S X E T N W O I
B V I E A E I H T O K I D X Q G N U O Y S S E M E
Z G R O W Q V S G W L A U G H T E R E H T O M P P
```

ACTIVE	ENERGETIC	JUNIOR	OFFSPRING	SMILING
ADOLESCENT	FAMILY	KID	PARENT	STRONG
BOY	FOLLOW	LAUGHTER	PROUD	SUPPORT
BROTHER	FOOTSTEPS	LEARN	REBEL	TEACH
CARE	FUN	LOVE	RELATIVE	TEEN
CHARMING	GIRLFRIEND	MALE	RIVAL	TEMPER
CHILD	GROW	MESSY	ROMP	WILD
DARING	HUG	MOTHER	SIBLING	WRESTLE
DIRTY	JOKER	NEPHEW	SMART	YOUNG

At the Mall

```
K J S K R E L C I F F A R T S G S S G A B U V O Q
I D L S C I N E M A P E S I O N N E R A F F S V T
D O P R R S E C M P L X Y T I R U C E S R R E P C
S O R E D I C X L U A I Y A U X A E K I E R U A O
W R E G I F A I C E F T G T E D A N E M O R P E O
A S S A R S A T T H A R E M E M I N O T C M R S K
L E E N E N M S S E A R E R R R D T S H X T I W I
K N N E C O T P H B M N A P D S S E A S R A C O E
I I T E T P M O V I E S G N T U O S H O P P E R S
N L S T O U E E F F O C O E C H E L P O E P F B S
G S S T R O L L E R S N D C S E V I T N E C N I L
T I Z J Y C V H A N G O U T O Y S T O R E T A I L
```

APPLIANCES	CLERKS	EXCHANGES	NOISE	SECURITY
ARCADE	COFFEE	EXIT	PEOPLE	SHOE STORE
ATM	COOKIES	FASHION	PERFUME	SHOPPERS
BAGS	COSMETICS	FRIENDS	PRESENTS	STAIRS
BARGAINS	COUPONS	HANGOUT	PRICE	STROLLERS
BROWSE	CUSTOMERS	INCENTIVES	PROMENADE	TEENAGERS
CARS	DIRECTORY	KIDS	PURCHASE	TOY STORE
CINEMA	DOORS	LINES	RETAIL	TRAFFIC
CLEARANCES	DRINKS	MOVIES	RETURNS	WALKING

Fireplace

```
G X M S O K O L E R K Y L R E L Q L P P X J M T E
N N C S S I K B U X G Z P E E W S K M E E R O A K
I V I A P Z C G L O W O J A Y E F O A Q A R Q E G
L H T L O T R O F M O C J E H L I U N W I N D H A
D M S G K B E L L O W S N C A B G S T E L U Y C N
N E U U E C L B R O O M T M X T T L L S E S I T K
I S R K R F A U B S I A E E D A M P E R A R G I Y
K S O F U B X R U H M S N B R I G H T V E O C W F
D M D E T M I N C W F O D T N E V P I T O T T S L
S V L O F B N I K M T N E Y W R C O A L Z H N C S
C O O K I N G N E S M R E D N I T R A S H E S I Y
W S C K D Q R G T V F Y I C V S G O L B E S H D W
```

ASHES	COLD	GLASS	POKER	SWEEP
BELLOWS	COMFORT	GLOW	RELAXING	SWITCH
BRIGHT	COOKING	GRATE	RUSTIC	TINDER
BROOM	COZY	HEAT	SCREEN	TOAST
BRUSH	CRACKLING	KINDLING	SHOVEL	UNWIND
BUCKET	DAMPER	LOGS	SMOKE	VENT
BURNING	FLAMES	MANTLE	SOOT	WARM
CHIMNEY	FLUE	MASONRY	STARTER	WINTER
COAL	FUEL	MATCHES	STONE	YULE

Academic Writing

```
S C H O O L Y T D E E Y C E V I S A U S R E P E G
B T W E I V E R N S I N S I G H T N I R P X S T R
B S S G J R A I O M S F N H P A R G A R A P N I A
P T T E M F L P A P E R O Y R A T N E M M O C R M
U R H L T T M O T S E F I N A M K F E A I S C W M
B U O L U O O L E U Q I T I R C E F X S P I S K A
L C U O C E V I T A R R A N V R O E U E M T T J R
I T G C F P W T R E S I T A E R T L L E R O U L O
S U H Q M R I I M A R G I N M O C L D O Y R D A H
H R T M R D E C S S A L C A P N I A P N H Y E N T
E E S R E S E A R C H E T I O N C E T N E D N I U
D E D A R G N L D D S P C C G A R G U M E N T F A
```

ACADEMIC	CRITIQUE	INDENT	POLITICAL	SPELLING
ARGUMENT	DRAFT	INSIGHT	PRINT	STRUCTURE
AUTHOR	EDIT	MANIFESTO	PROOFREAD	STUDENT
CITATIONS	EXAM	MARGIN	PUBLISHED	TERM
CLASS	EXPOSITORY	NARRATIVE	REFERENCES	TEST
COLLEGE	FINAL	OUTLINE	REPORT	THOUGHTS
COMMENTARY	FORMAT	PAPER	RESEARCH	TOPIC
COMPOSE	GRADED	PARAGRAPH	REVIEW	TREATISE
CONCLUSION	GRAMMAR	PERSUASIVE	SCHOOL	WRITE

Newborn

```
G J M X R L P P R E W O H S N C T G H X M L Z A U
R D L I H C B A B M O G T W I N S R O T I S I V O
D D M C O W E K L O F C I G A R N U R S E K E S S
H O E E S M K E A C F R W K C A R D S R Z F Z T S
B C M L P L A O N L S Y B R P P I K U M I S E F O
Y T O E I O C T K E P I D U R A L T E W P U L I L
U O R B T V A T E W R N E W P I C A D E L O D G E
M R I R A E E I T R I G F E M I S I C B W K D M U
L N E A L N F R S T N E R A P U M I F E N V A L X
N O S T D C B O Y H G I E W R J A M R I N N W M N
Q J O E X C I T E M E N T E O L T S P E E T S N T
G I R L Z V B I R T H D A Y F B R N A T U R A L O
```

BIRTHDAY	CRYING	HOSPITAL	NATURAL	SHOWER
BLANKETS	DELIVERY	JOY	NEW	SON
BLUE	DIAPER	LOVE	NURSE	SPECIAL
BOY	DOCTOR	MATERNITY	OFFSPRING	SWADDLE
CAKE	EPIDURAL	MEASURE	PACIFIER	TENDER
CARDS	EXCITEMENT	MEMORIES	PARENTS	TWINS
CELEBRATE	FLOWERS	MIDWIFE	PICTURES	VISITORS
CHILD	GIFTS	MILK	PINK	WEIGH
CIGAR	GIRL	NAME	PLACENTA	WELCOME

Moonlight

```
Q K M W B K Y H M Z P L Q S Q W O E J Z F W W V T
U R E F L E C T I O N L Y Z E E R B B A O R B S I
I A T S U C O L J G V I G E E R I E R W N T O C B
E D A I E G B R I G H T C A E G E L P U O C W G K
T L N K M N S W B N L S R K Z N G N I X A W L P S
W O I W O I D S G I J D I M C I T N A M O R A P U
I G M A O N R K C R E S C E N T N X N D X L H R M
N L U T N A I L L I R B K V H N F G A H E E M M M
K Y L L T W B A L P Y I E O Q U A R T E R B L H E
L I L S Y W O W W S P K T L U A T A U E C A A H R
E V I S N A P X E N V Z S X Q H P F R A E L C Y F
G U E Y K N V S N I G K R D M Z Q R E H A L F H K
```

BALL	CRESCENT	HAUNTING	ORB	SKY
BIRDS	CRICKETS	HIGH	OWL	SPHERE
BLUE MOON	DARK	ILLUMINATE	PALE	STARS
BREEZY	DIM	INSPIRING	PATH	STILL
BRIGHT	EERIE	LOCUST	QUARTER	SUMMER
BRILLIANT	EXPANSIVE	LOVE	QUIET	TWINKLE
CALM	FROGS	NATURE	REFLECTION	WALK
CLEAR	GAZING	NEW	ROMANTIC	WANING
COUPLE	HALF	OLD	SERENADE	WAXING

Grains

```
Z X G O S W G R F A I T N A L P G K Y F U M Z S I
R K V L W L C A L C I U M T A E H W F V I P U P F
G T J I B P L T O R T I L L A S N P Z L R K T L D
Y E E S T U M O U A P Q R A M T G R O W O M T O M
O A B X S A L I R C S U W N A N Q O E S N V O W J
H U L L E D M G N K D I R I R E Y T P K A F B S J
W S R Q V Y B I U E N N Y L A I N E O G R R L S W
D D E L R A E P N R R O B O N R L I L E B T K A S
C E R E A L O I O S Y A A M T T Z N B R L L W R X
Z E E D H G F C K M E T L E H U T I E M A O T G F
W S X K D E K O O C Z S Z S B N F A E T O B H A D
R F D U R U M O V Z V B Q M P I D A S R I C E W S
```

AMARANTH	CORN	GROW	PEARLED	SEED
BARLEY	CRACKERS	HARVEST	PLANT	SEMOLINA
BRAN	DURUM	HULLED	PLOW	SILO
BREAD	FIBER	IRON	PROTEIN	SPELT
BULGUR	FLAX	KERNEL	QUINOA	STALKS
CALCIUM	FLOUR	MILO	REFINED	TORTILLAS
CEREAL	FOOD	MINERALS	RICE	VITAMINS
COMBINE	GERM	NUTRIENTS	ROLLS	WHEAT
COOKED	GRASS	OATS	RYE	WHOLE

Mexican Food

```
A J A L A P E N O C F R E S H S I N A P S I M W Z
J F G D T Q U D O L N M Z C S O T I R R U B R J N
C A E A V M U R K I A G I T E Q M H H S O T O H G
R I C E A N N A M F T C A O P T V A A T N D O O F
O O U Y E L C O C E I I M S I D Z T L A E K R O P
V F A M T L L U Q E V L D T C N I A R L G D C O R
L N S E T E A U L B E A E A E N H U C H I L I D W
V W P X O I I M N T B N I D R E A S G T D T L A A
E D I I M L I R A E U T L A A T A S A M N T R C R
C K C C A R N A A T G R C S S H R S I U I W A O I
U Y Y O T A B N Z V W O E E S E E H C S Q X G V T
A O N I O N S P E P P E R O V A L F I W A S L A S
```

AVOCADO	CORN	JALAPENO	PEPPER	SQUASH
AZTEC	CULTURE	MAIZE	PORK	TACO
BEANS	FLAVOR	MASA	RECIPES	TAMALE
BEEF	FOOD	MAYAN	RESTAURANT	TEQUILA
BURRITO	FRESH	MENUDO	RICE	TOMATO
CARNITAS	GARLIC	MEXICO	SALSA	TORTILLA
CHEESE	GORDITAS	MOLE	SAUCE	TOSTADAS
CHILI	HOT	NATIVE	SPANISH	TRADITION
CILANTRO	INDIGENOUS	ONION	SPICY	VARIETY

Deep Thinking

```
Q M E T S Y S S K D I L A V B L H C R A E S E R E
I S V O P T E S T U A R W W L O A S E N S E A S L
N O I S U L C N O C I P W I S D O M E U R T U S E
F N T F U T A S I S E H T O P Y H L R D I A K N C
E T C R A I C T T F C I E C H T A M E O C B E O N
R O U Z Z C Y O O O Y L L J E C J D N A F E E I E
E L D N K L T O M D T O B Y I L U A R K N D R S I
N O N K A L R P U E P S A R H C L O B M Y S G I C
C G I N E P L T K Y S O I O T Y S E M A N T I C S
E Y A O H E S I M E R P L E P R A C T I C A L E R
K Y D W X D O H T E M H E H S O U N D N E S S D A
L O M Y W N O S A E R Y R T E L P I C N I R P Q F
```

ANALYTICAL	EMPIRICAL	MATH	PROOF	SOUNDNESS
ARISTOTLE	FACT	METHOD	RATIONAL	STUDY
BOOLEAN	FORMAL	ONTOLOGY	REASON	SYMBOL
CAUSE	GREEK	OUTCOMES	RELIABLE	SYSTEM
COMPLEX	HYPOTHESIS	PHILOSOPHY	RESEARCH	TEST
CONCLUSION	INDUCTIVE	PLATO	RULES	THEORY
DEBATE	INFERENCE	PRACTICAL	SCIENCE	TRUE
DECISION	INTELLECT	PREMISE	SEMANTICS	VALID
DEDUCT	KNOW	PRINCIPLE	SENSE	WISDOM

Spain

```
S S E V I L L E N A L A T A C S V O D E L O T J X
Y L E S O R R U H C E R V A N T E S E E N E R Y P
P H A G Y A D A N A R G S I S L L I M D N I W W P
A A C S N A A A B N S T D O Z I A S N O E L L A G
L I M R A A H L U O E T Q C B S Z Z N O R F F A S
M C V P A C R O L L A M U E O E Q O G A L I C I A
A N O O L N C O L E W I R R Z H U J M I N O R C A
D E L Q G O O A F C B I E G I C E A Z I D A C P R
R L I A R E N M I R A A N L R A Z D O O F A E S M
I A V T J O S A G A B P S E O E S A I S E L G I A
D V E J E R E Z H B D A L I H B F B A S Q U E S D
W S S H E R R Y T U O S S A C I P I Z A R R O C A
```

ARMADA	CASTELLANO	GALICIA	MINORCA	SEAFOOD
ASTURIAS	CATALAN	GALLEONS	MONARCHY	SEGOVIA
BADAJOZ	CERVANTES	GRANADA	OLIVES	SEVILLE
BARCELONA	CHORIZO	IBERIA	ORANGES	SHERRY
BASQUES	CHURROS	IGLESIAS	PAMPLONA	TOLEDO
BEACHES	COLONIES	ISABELLA	PICASSO	VALENCIA
BULLFIGHT	CORTES	JEREZ	PIZARRO	VELAZQUEZ
CADIZ	DALI	MADRID	PYRENEES	WINDMILLS
CASALS	EL GRECO	MALLORCA	SAFFRON	WINE

Culinary Industry

```
J N T D C B D X O K O C J R L M Y V I S U A L R S
A X O G L O C V O M I G N O R P A E S C I E N C E
H Q P R O F E S S I O N D E A A G C H H O T E L L
E E N F R N Y C G F S I S N D D T O O L S C J D B
E G Y G O L O N H C E T C T E U C Q N G I S E D A
F O R M A L I S H P A A Y L I O C R O V A L F G T
I U F T L N I O I U T R W S L T M A R G O R P Y E
N R I E I N O C R E O O E A E L U E T E P F S X I
K M G D R L E A R V N C T A E H S T S I E E E Q D
G E E A A R N I A K J E A S N O S S E L O R K H E
R T G N P T N S V P H D L N O I T I R T U N A A C
G W S J U G A K Q K G I P X Q T C Z D R G E C C B
```

APRON	DESIGN	FRY	MENU	RESTAURANT
BAKE	DIET	GARNISH	NUTRITION	SAVORY
CAKES	DINING	GOURMET	OVEN	SCHOOL
CAREER	DISHES	HOTEL	PAN	SCIENCE
CATERING	EAT	INSTITUTE	PLATE	SERVICE
CHEF	EDUCATION	ITALY	POT	TABLES
CHOCOLATE	FLAVOR	KNIFE	PROFESSION	TECHNOLOGY
COLLEGE	FOOD	KNOWLEDGE	PROGRAM	TOOLS
DECORATING	FORMAL	LESSONS	RECIPE	VISUAL

Country Life

```
C I L L Y D I F L X D O G S D O O W B E N A D C D
C P G V I A W A I M O O R S U C L I A N W O T I Y
X Y A I R V R R F B Y Q E E O S F L S I E T S R Y
M O R L I U E M E D U R E U W S E D B H T T I O B
R C D L T U R S S X C C N X O A F L L S A E M T O
V N E A E T S H T A P T O O F R E I A N V G P S F
P Y N G L E S I Y O R A T L O G N F C U I D L I O
H O M E M T C L L Y C H N U I J C E K S R O E H F
H L L I A R T L E Y I K G S S C E R T X P L Q C M
Z I H C H S E R E N E H U D I R T R O A D U B N F
O S X F E E L T G A E M I Z U V P O P P C D N A L
P X H B I O U J Z S N K Z M O D E E R F S B A R N
```

ACRES	DISTANCE	GRASS	LIFESTYLE	SILO
BARN	DOGS	GREEN	LIVESTOCK	SIMPLE
BLACKTOP	EXPANSIVE	HAMLET	LODGE	SOOTHING
BUCOLIC	FARM	HILL	NATURAL	SUNSHINE
CATS	FENCE	HISTORIC	PRIVATE	TOWN
CLEAN	FIELD	HOME	RANCH	TRAIL
COUNTRY	FOOTPATHS	IDYLLIC	ROOM	VILLAGE
CROPS	FREEDOM	KIDS	ROUGH	WILDLIFE
DIRT ROAD	GARDEN	LAND	SERENE	WOODS

Certificates

```
R E P O R T G V E M A N R G A N D P S U P P O R T
E C I F F O U W A T T C O C O R F O R M X B E J P
C O K A V S A R K E O V O I X I C Q S I U X U H I
O D K I E R R P D T E N T U S C X H E S N S O P R
R R S L R I A E N R F P N P R S D E I F I T R E C
D A I A A S N A N I O O M E M T I N J V O E E S S
S F N G S G T M R D I V O R C E E M E G E C R D N
D T E P I R E M A T E R I A L S F P R T M S A L A
E D O S O N E V I D E N C E S O V A R E T T E L R
A R X P T O A T D N O B K C O M P A N Y P I L E T
T I M L A G E L J U R E T R A H C R P A P E R S Q
H I F D I P L O M A Q S P M A T S D E L A E S W D
```

ADOPTION	DEATH	GUARANTEE	ORIGINAL	REPORT
ARCHIVES	DIPLOMA	IMPORTANT	PAPERS	SEALED
BOND	DIVORCE	LEGAL	PASSPORT	SIGNED
BUSINESS	DOSSIER	LETTER	PERMISSION	STAMP
CERTIFIED	DRAFT	MARRIAGE	PETITION	SUPPORT
CHARTER	EVIDENCE	MATERIAL	PHOTOGRAPH	TRANSCRIPT
COMPANY	FILES	MEMO	PRINTED	VISA
CONFIRM	FORM	NOTE	PROOF	WARRANT
COURT	GOVERNMENT	OFFICE	RECORDS	WRITTEN

Arts and Crafts

```
Z Y Z S T I K H Y W Q U P O P I H O L I D A Y P N
X D O E S K I L L S C O L L A G E N W P B Q R E C
C R C F M A O F R A T H A X I A K O Y M U S E N V
E A L A S B L O I T T N A T N B O K R I I D D C V
W W O B E A S G E K O E E N T D O W L C L A I I S
R E T R L S W R E S N H M M D G B T E E D E O L R
C A H I I K Y R A T C I T G A M P R W U I B R I I
X V E C T E Y E E O A R T U C N A O E L N O B F A
Z I S D X T S A R A A E A T P M R D J G G B M Q F
Q N U F E L T C L D T R R Y I K C O E M O D E L S
Y G L I T T E R E R T H F C O N S C T N E L A T G
Q F K O G X B F E G P F S Y E N G N Z E R Q M U I
```

ART	CROCHET	GLASS	MODELS	SCRAPBOOK
BASKET	CUT	GLITTER	NEEDLEWORK	SEASONAL
BEADS	DRAW	GLUE	ORNAMENTS	SKILLS
BUILDING	EMBROIDERY	HANDMADE	PAINT	TALENT
CERAMICS	FABRIC	HOLIDAY	PENCIL	TEXTILES
CLOTHES	FAIRS	JEWELRY	POTTERY	TRADE
COLLAGE	FELT	KITS	QUILT	WEAVING
CRAYON	FOAM	KNITTING	RIBBON	WOOD
CREATE	FUN	METAL	SCISSORS	WREATHS

Types of People

```
V H J Y U D R M E V I T C A K G D P Y R G N A P Y
J E Q G M E N T J L U F H S A B N S E E L A Z Y L
A L C N Y P Z M P O S F L O O G I I T L E U R C S
K P L I S R P R C H E E R F U L K A R R O G A N T
C F W T T E L I T S O H D L C G N N N A S H B D R
U U A S E S U O R O M A L G E O H U O N C T Y R O
S L R D R S I B K F M I T E I U Q T U B O Y T I N
N W M I I E B M U J B R E S P E C T F U L Y T V G
E T A A O D O S I L O M S H U M O R O U S E I E T
A Z Y R U U S E E T H A P P Y D O O M O L H W N M
K H Q F S Y S W E E P Y D A E M D U O L O V I N G
Y N I A R B Y G L U M O T I V A T E D U O R P X H
```

ACTIVE	CHEERFUL	HAPPY	MOODY	RESPECTFUL
AFRAID	CRUEL	HELPFUL	MOTIVATED	SLY
ANGRY	CURIOUS	HOSTILE	MYSTERIOUS	SNEAKY
ANNOYING	DEPRESSED	HUMOROUS	NAUGHTY	STINGY
ARROGANT	DRIVEN	KIND	NOBLE	STRONG
BASHFUL	FUSSY	LAZY	OPTIMISTIC	THOUGHTFUL
BOSSY	GLAMOROUS	LOUD	PASSIONATE	WARM
BRAINY	GLUM	LOVING	PROUD	WEEPY
CARING	GULLIBLE	MAD	QUIET	WITTY

Boat Shows

```
Q V J L J B Q R S J D K A Y A K I T Z J G A O L S
G R E W O P K A W T S E P W S H I P S O N A R N A
M O T S U C I W O R V O R O R T S C I S S A L C B
A B I I E L Y U A S N X P U E V A M M E Y K N Y O
R R C D B A R N E T A D M I S S I O N L A F E A A
I A K S C I I I O P E Q M T I I T D B D W E D N T
N H E H S M H O H E A R C X U O E E C D A N O C L
E A T M E G N X R C Q U C V R B O L A A E D O H I
T S S S N A U N E N D U T R C R E S N P V E W O F
C G D I S P L A Y O C O M P A S S D O N I R P R T
B E D D I N G A R C E D A R T F I B E R G L A S S
I T U K H I R P X O A R S T S E T N O C O V E R S
```

ADMISSION	COVERS	FIBERGLASS	MOTOR	SHIPS
ANCHORS	CRUISERS	GIVEAWAYS	OARS	SONAR
BEDDING	CUSTOM	HARBOR	PADDLES	SPEED BOAT
BOAT LIFTS	DEBUT	JET	PONTOON	TICKETS
CANOE	DECK	KAYAK	POWER	TOURISM
CLASSICS	DINGHIES	KIT	PRODUCTS	TRADE
COMPASS	DISPLAY	LEISURE	SAIL	WATERCRAFT
CONCEPTS	EXHIBIT	MARINE	SEAT	WOODEN
CONTESTS	FENDER	MODELS	SEMINARS	YACHTS

Metalwork

```
Y F U T W R G V W V I I R F T U R N I N G Y X A B
X E Y K H K G X W B E N D E S I G N O R I I T O H
R J H S S T N E M P I U Q E G S D F I R E Z C E L
H E N A G N I D A E R H T G E U E N A C T D A D E
U S D M M P B M O L D H S V S R D R W W K T S H U
T O O L V M A X S T R U C T U R E C P G R G T S E
U T P R O C E S S K I L R R A B S C N I N A H O M
C R H Q H S C R A P C Y S R E M H I V I L I V N A
D A C I Z I M A L L E A B L E A P E N D P L L B L
K D N K I M W Y M E T A L L Q A T I L S I B I I F
V E U I D G E V N L X R T B H S O E N I G N E K F
U E P R T O D U V E X Z A S Z J W R H G L E E T S
```

ANVIL	EQUIPMENT	IRON	PROCESS	STAMPING
ART	FILING	JOINING	PUNCH	STEEL
BEND	FIRE	LATHE	RIVETS	STRUCTURE
BLACKSMITH	FLAME	MACHINE	SCRAP	THREADING
CAST	GRIND	MALLEABLE	SHAPING	TIN
CREATE	HAMMER	MASK	SHIPS	TOOL
CUT	HEAT	METAL	SKILL	TRADE
DESIGN	HOT	MOLD	SMELT	TURNING
ENGINE	INDUSTRY	PRESS	SOLDER	WELD

Monster Trucks

```
L T H C C S R Y C B F D Q S R E T O M O R P Z Y O
E Z L R H I D B T T T V E C N E I D U A J Y P S W
D V Z O S Z G Y E M S L N I T H D P M U J E M C H
Q O W W A E P P V O C O A I F B D U R F S A U A E
E X Q D R I V E R A I A R R R I I J M R S S M N E
K V K A C E L Y T S E E R F G D D G U H T E G E L
G E E K F C M S N H S H D S A E E O D O U I Q R N
O R U N I F B E A R F O O T P M C T M U N U R A N
Z P Q H T O P O W E R T S N J M R W F E O J R L G
K U E B E S I O N J A X N U E O A E U I D L L L L
T V T R U C K B Z A C C A T P V K R N H L O X Y W
G P R S R H T T I N E V F S J B E C V G R S I J S
```

ARENA	CUSTOM	JUMP	PICKUP	SMASH
AUDIENCE	DONUTS	LARGE	POWER	SPORT
BEAR FOOT	DRIVER	LIFTED	PROMOTERS	STADIUM
BIG	ENGINE	LOUD	RACE	STUNTS
CARS	EVENTS	MEN	RALLY	SUSPENSION
COURSE	FANS	MODIFIED	RAMPS	TIRES
CRASH	FREESTYLE	MUD	ROLL	TRUCK
CREW	FUN	NOISE	SHOW	VEHICLE
CROWD	HEAVY	OBSTACLES	SIZE	WHEEL

Quilting

```
B D T J Y T B E D B A B Y E M B R O I D E R Y M U
Y R E L A U C R Y A N C O M F O R T E R K T T O P
N E E D L E R U X T E X T I L E S C I S S O R S H
L L H C P B A S P T Y R R F B L O C K M N N Q A U
A U S B S P F A O I X U H C I R T E M O E G Y I D
I R F S I A T E K N A L B T A G F Q I O D I R C A
C Z B R D N Q M B G C L O T H A H T P L A S O U O
E H S E O E D E B T Q N I W B C I R I R M E M T W
P A B V E L B I S R E V E R T D O G N I D D E W R
S F L O O S O E N V E E I I A J L L X E N Z M N Y
U P O C M N C C O G Q C T R V K L I S H A P E S D
X V O T H G B W E S L S T U F F I N G V H E O Y F
```

ART	COLORFUL	FABRIC	PANELS	SPECIAL
BABY	COMFORTER	GEOMETRIC	PIN	STITCH
BATTING	COVER	GIFT	REVERSIBLE	STUFFING
BED	CRAFT	HANDMADE	RULER	TEXTILES
BINDING	CUT	HEIRLOOM	SCISSORS	THREAD
BLANKET	DECORATIVE	MEASURE	SEW	TOP
BLOCK	DESIGN	MEMORY	SHAPES	TRADITION
CLOTH	DISPLAY	MOSAIC	SHEET	WEDDING
CLUB	EMBROIDERY	NEEDLE	SILK	WOVEN

Fire Station

```
E J U T Z F L H S J X J Q N X E V I D G E P W B N
G E A R E G O R O X S P X E H P X R K V K B D A I
N Y C W M R C C U S D N A M M O C C V Q A P I T A
J E S L S M K M O A E U G M R R U O U T D T V H T
S H L K X I E F F A B G N O B R L S T N A N I R P
R E N O N M R A L A T N I L T U T A E M E A S O A
B U N O P A S M R O F I N U N E L R L Y N R I O C
B S T O O B T G E V I P A T C I I A A Y I D O M O
V L I G H T S R T P H E E M O S D X N I G Y N M D
J O Q X O P A N A M S E L N X S D R A C N H P F E
J C K S Q D D L W U R L C J X P E C H I E F I R E
S N Q B S E I L P P U S M O K E R K A R O C H Z Q
```

ALARM	CARDS	ENGINE	MEN	SLEEPING
AMBULANCE	CHIEF	FIRE	PHONES	SMOKE
BATHROOM	CLEANING	GEAR	PLATOON	SUPPLIES
BATTALION	COAT	HOSE	POLE	TANK
BEDS	CODE	HOUSE	PUMP	TRAIN
BELL	COMMAND	HYDRANT	ROGER	TRUCK
BOOTS	DALMATIAN	JAWS	ROPE	UNIFORMS
BUNK	DIVISION	LIGHTS	SHIFT	VOLUNTEER
CAPTAIN	DOG	LOCKERS	SIREN	WATER

Island Life

```
T E O D V W C M N D X A M F F E R R Y D L S R N Y
D N H T S I R U O T B X B E X L Q W H W O F E X J
P O A E F A S C T F T A N N I N G Y P D Y I V N F
E I C I W D K C O R E L H A B D E T A L O S I O C
F T C L I P T M B C W E Q A E O T B R W A H R I G
S A H E L Q Y T B L A R R D M C R R G L A N D T T
P M A S W T Y R L Y T Y N I S A O N O N X T L A S
Y R I H E I I O T X E A S W B J S Q E P I A S C A
K O N C T D T S N N R S W I M M I N G O K L R A O
A F B A G A I E D T U N O C O C S I Z E L S I V C
W A V E N L O R S I I O N A R D Z B Z I I A W A H
D L X B F U K B X Y L I C I S A N D K I Y H L E S
```

ATOLL	CHAIN	HAWAII	RELAX	SUN
BAHAMAS	COAST	ISLE	RESORT	SWIMMING
BARBADOS	COCONUT	ISOLATED	RIVER	TANNING
BEACH	COUNTRY	LAKE	ROCK	TIDAL
BOAT	DOCK	LAND	SAILING	TOURIST
BORNEO	FERRY	OCEAN	SAND	VACATION
BRIDGE	FISH	PACIFIC	SICILY	WARM
CASTAWAY	FORMATION	PORT	SIZE	WATER
CAYS	GEOGRAPHY	REEF	STRANDED	WAVE

Cozy Cabins

```
R X M H H F I S H I N G O U I V F P R E T L E H S
O E B G T T A L C G S W S U V U A E P H C R O P E
Y R O E S M A L L R I O R S R N L C O T G E W M C
G L I N Y H U B A L B N L E E A E M A E P U Q A U
R U I M A S W G D R B L T A X N U H N T R N U C R
Q I E M W C N L R F U R N I T U R E C I I I A I E
Q E C S A I I Q N L E R N S M E R E C T M O I X N
W S I K T F D O A A C G E D L A D I D Z I N N F E
X U W N E H L T T K F R H P T E T H Q L T K T I R
M O U E G T N Q U E O B M O B S Q E O R I V E R E
U H L K I E Y K R F P I R T U H P U Q M V W J E S
M M M Z R V U M E Y S M O R D E D U L C E S B I C
```

BATH	FURNITURE	KITCHEN	RENTAL	SERENE
BED	GENERATOR	LAKE	RETREAT	SHELTER
CAMP	GETAWAY	LOG	REUNION	SIMPLE
CANOE	GUEST	NATURE	RICKETY	SMALL
COT	HOME	PORCH	RIVER	TRIP
FAMILY	HOUSE	PRIMITIVE	RURAL	VACATION
FIRE	HUNTING	QUAINT	RUSTIC	VIEWS
FISHING	INTIMATE	QUIET	SECLUDED	WILDERNESS
FOREST	ISOLATED	RELAXING	SECURE	WILDLIFE

Humans

```
R Q H S B H M Y R N M S P I R I T H G U O H T L T
E D T J C A T A E S O U L L P E R S O N C T H Z C
D X R J H E V O L U T I O N A C A L A D E P I B V
N F A M I L Y A I A W L T U Y N R S D N I K N A M
E K E C L A M P G B N K R A I C G E O U N I K S S
G L O Q D M G R I R P A D J T E U U A N B E I N G
N S A S A I Y I O A L V T P O P U L A T I O N W E
I E V M P N I M N I A A B O D Y A M T G I N G D L
V N D R E A Q A S N O I T O M E A D P U E V G W I
I S N A J F V T C A X G I R L Y N H A I R H E U F
L E I S E I C E P S G N A M O W P E O P L E G Z E
W S M R C H D S P E E C H O B M H I J T J M A W O
```

ADAPTATION	CHILD	GIRL	MIND	SKIN
ADVANCED	CREATIVE	HAIR	MORTAL	SOCIETY
ANATOMY	CULTURE	HEAD	PEOPLE	SOUL
ANIMAL	EARTH	LANGUAGE	PERSON	SPECIES
ARMS	EMOTIONS	LEGS	POPULATION	SPEECH
BEING	EVOLUTION	LIFE	PRIMATES	SPIRIT
BIPEDAL	FAMILY	LIVING	REASONING	THINKING
BODY	FEMALE	MAMMALS	RELIGION	THOUGHT
BRAIN	GENDER	MANKIND	SENSES	WOMAN

Pineapples

```
K R I N G S Y I X V D E E W E S E N A G N A M A J
S Y P C W C K A G M O O N A X R F C T I W G D G P
O E L O D O A N F L A V O R J T N R A P P L E S K
U L V J T R R I U A M I C F E U A L C N Y N I P S
R L C A K E I C U H C C E X T T E W I F N G R O W
T O Z N E T R O P I C S N R N M B R R Y R E D I B
E W S C S L C O C K T A I L O P B E A B M E D V G
E P I U E F B K R Z F T P R M S I B T R E S S E D
W L G B R A Z I L F I L B B L W R I S L A N D H X
S A Q U R P P N D O J U I C E T A F O T L H L F S
R N I E N E S G N E S A L A D W C B C R U S H E D
C T B C C G M B B R A N X N H O R W C Q N P Y N E
```

APPLE	CORE	FIBER	LEAVES	SLICE
BRAZIL	COSTA RICA	FLAVOR	MANGANESE	SOUR
BROMELAIN	CROWN	FOOD	MAUI	SPINY
CAKE	CRUSHED	FRESH	NUTRITION	SUGAR
CANNED	DEL MONTE	FRUIT	PINE CONE	SWEET
CARIBBEAN	DESSERT	GROW	PLANT	TART
CHUNKS	DOLE	ISLAND	RINGS	TOP
COCKTAIL	DRIED	JAM	RIPE	TROPICS
COOKING	EDIBLE	JUICE	SALAD	YELLOW

Time to Get Up

```
H M A W A K E N Y R I F R Q K W A S H T J H U A M
L R I P X S S L S S E R D O I D A R N T G A D G K
H C R W T G I J I T E K N A L B R K T O R W P V D
H O G I S M R C O F F E E S U S S O N W O L L I P
P Z R T A O N N R G G Z U W H Z T E W V G Z E C N
L H A F F O U E O P A N P U C O V E R S G Q E R Y
O R O N K R S V U L S L I U T I F X E O Y Q J P P
T Z M N A H N E T H M Z E N E M F Y H H H Z C I E
J U I C E T H G I L N U S R R K O F T U S C S N E
S S Z D R A B N N C Q M K A T O A E A R L Y L C L
V C O M B B E T E K C O L C S I M M E R E W O H S
B L I L X E D I B N W A Y L F Z L E W O T U W N A
```

ALARM	COFFEE	JUICE	ROUTINE	SUNLIGHT
ALERT	COMB	MAKEUP	SHEETS	SUNRISE
AWAKEN	COVERS	MORNING	SHOWER	SUNSHINE
BATHROOM	DRESS	NAP	SLEEPY	SWIM
BED	DROWSY	PHONE	SLOW	TOWEL
BLANKET	EARLY	PILLOW	SNOOZE	TRAFFIC
BREAKFAST	FAMILY	PINCH	START	WASH
CHORES	GROGGY	RADIO	STIR	WEATHER
CLOCK	JOG	REFRESHED	STRETCH	YAWN

Recreational Vehicles

```
B Y M A P P Y W H E E L S P S W O D N I W K V E S
M M V I E Z I V E T U O R Q D N N J N A V A R A C
N O R U U G S O A G F U C O O I I O O O C Y A Q B
D T B G N H O Y G F D Q B G U C R A I A W N I N G
H D R I E T Y A W H G I H A D N C E T S T H G I L
F C T A L X G G I L F U N B T O W I C N R R E D F
M U T T V E P E T R A I L E R H O I E T U U A M F
O E R I P E E L S I V R W N T N R R N D I O C A O
R E U O H L L Z O P M A C N B T V O N D R O M X C
K U C W C O M F O R T H G I N R E V O F E I N Q E
P Y K N L S X N J E E R E W O H S C C M L B V S A
T P X A F T O K R A P P J H W D I R B Y H R G E N
```

AWNING	DOOR	HYBRID	OVERNIGHT	TRIP
BATHROOM	DRIVE	LIGHTS	PARK	TRUCK
BED	EXCURSION	LOST	ROAD	UNWIND
CAMP	EXPLORE	LUGGAGE	ROUTE	VACATION
CARAVAN	FAMILY	MAP	SHOWER	VOYAGE
COMFORT	FUN	MOBILE	SLEEP	WATER
CONNECTION	HEATER	MOUNTAINS	TRAILER	WHEELS
DINETTE	HIGHWAY	OCEAN	TRAVEL	WINDOWS
DIRECTIONS	HITCH	OUTING	TREK	WINNEBAGO

Stockbroker

```
Q J H X L W W N T F F U N D S E U L A V Q Q S N M
H Y O S I N C O M E S E C T O R D S E R U T U F N
D L E I Y L Y U H G K X S E D N E D I V I D O I R
F L H N L A I C N A N I F R G C G D R A E B G E Y
L Q E N O I L O F T R O P U U A A U I V W R V N K
O L U L D M O M E N T U M R Y N R M H S A O A J T
O D I O A D V I C E E C I R P A T E A M N P T G S
R S T W T S M N B C Z T C A L L I Y K R M I C N E
I T R A D E R J S R I N D E X Y B N U O K B H I V
S U A Q N O I S S E F O R P Q S R T C B R E I M N
K P E M U L O V S P U O A K N I A G P N J B T I I
S K E Z V L A G I T L I C E N S E D A C H A R T S
```

ADVICE	COMPANY	INDEX	MONEY	SECTOR
ANALYSIS	DIVIDEND	INSIDERS	PERCENTAGE	SECURITIES
ARBITRAGE	FINANCIAL	INVEST	PORTFOLIO	SELL
BEAR	FLOOR	LEVERAGE	PRICE	TIMING
BROKERAGE	FUNDS	LICENSED	PROFESSION	TRADER
BUY	FUTURES	LOSS	PUT	TURNOVER
CALL	GAIN	MARGIN	QUOTE	VALUE
CHART	GOODWILL	MARKET	RISKS	VOLUME
CHIT	INCOME	MOMENTUM	SALE	YIELD

Babysit

```
K T E S B B A A C T I V I T I E S T R O L L E R S
Z J N J D E M E R G E N C Y D P B O T T L E J P A
K R O W N I G H T N P L S L I E A D I A P E R L P
Q W H B A P K S T P C F E M F F T D N R A E P A V
G C P B I R T E D J H S M V F D H L L P L L T Y C
T P A W D O R E I F I C A P I D A E R T S R K N H
O B T X R T B V M C L I G A C S F R T N M E A L S
Y G I Y A E T R K O D D T J U N I A J A R P G L J
S G E I U C O E G C V S I A L N R O C P O P A A Q
S W N K G T R S Z R R I H M T W Y E N O M U S R W
G H C T A W P B X I T W E A B O G U V W O S S R K
T F E J S N I O F B J G P S O I F K K W B V C K B
```

ACTIVITIES	DIFFICULT	KIDS	PARK	STORY
BABY	EARN	MEALS	PATIENCE	STROLLER
BATH	EMERGENCY	MONEY	PHONE	SUPPER
BED	ENTERTAIN	MOVIES	PLAY	TELEVISION
BOTTLE	FIRST AID	NAP	POPCORN	TODDLER
CARE	FUN	NIGHT	PROTECT	TOYS
CHILD	GAMES	OBSERVE	RATTLE	WAGES
CRIB	GUARDIAN	PACIFIER	READ	WATCH
DIAPER	JOB	PAJAMAS	SICK	WORK

Grocery Stores

```
S R E P P O H S A N A N A B C V I L P Y V H P Q X
T Y B Y U S A M P L E S E A F O O D U I C H I P S
E M A E R C E C I M N E I K N I L E D C S K C D A
E I K L K V H L N A P K I N S S R E W O L F K P L
W V E L P R S S B G N I K N A B O W A U D E L R E
S U R N H S E T X A K X E D S S I P B P L C E O I
K M Y H A N I L P Z T L M P S E L D O O N I S D Y
O V O Q R A K D C I S E I R E T T A B N H R E U W
O W G J M C O X A N E C G M M D R A T S U M E C S
B R U B A K O D R E E C R E P A P X A W G E H E H
X J R W C S C A T S A P E W V H J C Q C S A C V B
A S T X Y N J S R E H S E R F J W G S W S T B Y V
```

BAGS	CASHIER	FRESH	PASTA	SHOPPERS
BAKERY	CHEESE	ICE CREAM	PHARMACY	SNACKS
BANANAS	CHIPS	JAM	PICKLES	SOAP
BANKING	CLERK	MAGAZINES	PRODUCE	SPICES
BATTERIES	COOKIES	MEAT	RECEIPT	SWEETS
BEER	COUPONS	MILK	RICE	VEGETABLES
BOOKS	DELI	MUSTARD	SALE	VIDEOS
BULK	DISPLAYS	NAPKINS	SAMPLES	WAX PAPER
CART	FLOWERS	NOODLES	SEAFOOD	YOGURT

Deluxe Accommodations

```
A I L L U F S S I L B B S D N E M O C L E W Y J Y
P I A F F L U E N C E E E O R C Y B E H T C J T H
S H G K L O T O D D X D I G I A Z I R L N G E C T
L A E C M R O E U C L S T R C R T G Z A E W B G L
L R R A O M L B L I I H I G H R I B F Z L G P R A
I D F F Y U N U G V C O N C I E R G E M U H A A E
R W M E X G S T E W E X E C U T I V E U P C L N W
F O N E L I I L N R O O M O R N A T E I O L A D T
C O O E V K E E C R O T A V E L E R K M T A T J W
H D T E J T E R E V I S N A P X E X P E N S I V E
D O E H S I L Y T S K Y L I N E C I V R E S A L I
H R D H M Y Q T Q R H X Z H U F L L F P L Y L E V
```

AFFLUENCE	DELUXE	FRILLS	KEY	SERVICE
AMENITIES	ELEGANT	GILDED	OPULENT	SKYLINE
BED	ELEVATOR	GRAND	ORNATE	SPA
BIG	EXCLUSIVE	HARDWOOD	PALATIAL	STYLISH
BLISSFUL	EXECUTIVE	HIGH	PREMIUM	TELEVISION
BUTLER	EXPANSIVE	HONEYMOON	REGAL	TERRACE
CLASSY	EXPENSIVE	HOTEL	RICH	VIEW
COMFORT	FAMOUS	INDULGENCE	RITZY	WEALTHY
CONCIERGE	FANCY	JACUZZI	ROOM	WELCOME

Pack a Lunch

```
V U F V A L U E X Y Y U M M Y K Q P U O S P I H C
T S E P A R G F G D C L O O H C S A N D W I C H E
L Q P Y S R E N I A T N O C H P S T S O M R E H T
I U P U H A I L R E B A O L O E U R R D A A T M I
I I C D T S Z T U F L O E R S F A K E C P R H C K
B S A B S E O J A N K D T M N N F L K V A P E A R
Q H R E J N N V E I C I T Z H J I E T V O P L N O
V E R N E M O S E L O H W R U C R K E H A T H D F
O D O T R R Q S I N L D B I I S N L P C Y P F Y Z
P J T O I K I D S L B Y C O L P M U K A U K P E F
G R S T O R A N G E S E U G X U T A L F N P D L L
Q S E L D O O N O O P S V E G E T A B L E S Q Z E
```

APPLE	CONTAINERS	HAM	NAPKINS	SQUISHED
BAG	COOKIES	HEALTHY	NOODLES	THERMOS
BENTO	CRACKERS	ICE PACK	ORANGES	TRAVEL MUG
CANDY	DELICIOUS	JELLY	PEAR	UTENSILS
CARROTS	DRESSING	JUICE	PORTIONS	VALUE
CARTON	FAVORITE	KIDS	SANDWICH	VEGETABLES
CHEAP	FIELD TRIP	LEFTOVERS	SCHOOL	WHOLESOME
CHIPS	FORK	LUNCH BOX	SOUP	WORK
COFFEE CUP	GRAPES	LUNCHMEAT	SPOON	YUMMY

Killer Whales

```
K Y R B P J N S O X B T E E T H I C B G D S Y T F
N M Y M S D R E B U R A N T A R C T I C H S N I F
A I U L G E O V X L E D H J O F F Q G T R A V E L
T J F I L O Y L I M A F A S E I C E P S A R H G U
M A W L R I R A P N C C N N S Q Z R E B B U L B K
O A I V A A W C G H H O K H G N I M M I W S Q B E
V K M H Z S U E A L I S I F P E N G U I N S S A Y
I S R M L Q R Q E L N N A W I T R A I N E R H V B
E A S N A E C O A R G Y S L C S S O C I A L A R W
J L O Z D L F E D B F Q K O P C H H U N T E R S L
L A R G E C S E A W O R L D T S A F Z S H X K Y S
W A T E R U L B Y P O D S H O W H A L E W Q D E B
```

ALASKA	COLD	FLUKE	OCEANS	SPECIES
ANTARCTIC	DANGEROUS	FREE WILLY	ORCA	SPLASH
AQUARIUM	DOLPHINS	HEAVY	PENGUINS	SWIMMING
AQUATIC	DORSAL FIN	HUNTERS	PODS	TANK
BIG	ENDANGERED	JUMP	SEA LIONS	TEETH
BLACKFISH	FAMILY	KILLER	SEAWORLD	TRAINER
BLUBBER	FAST	LARGE	SHARK	TRAVEL
BREACHING	FINS	MAMMALS	SHOW	WATER
CALVES	FISHING	MOVIE	SOCIAL	WHALE

Computer Hacker

```
I K J A A T T I F W M X D S O R C A M F B R W C D
E C T D C Y A W E T A G C S K I L L E D H O O E M
T A R W C O T I L R H I J A C K Q H R D R R T R A
S R T A E B O O U E S I X P S M I A L M R N I U Y
P T C R S A H K S P Z L Q Y V D O U H U E N Z T H
Y D E E S H K S I X U L Y B D B F T P L T Y S L E
G E R A C P H N V E T E R E Y T I T A E U E U U M
E B I O L J R E E N I G N E I R F T R K P K C C W
E M D I S H O N E S T A K E O E Q N F Z M R D H Q
K E E A C C O U N T S L C G B R E A C H O Y A C S
S U R I V L O N L I N E L E C T R O N I C I T N M
P V K W C T H E F T D A S E C U R I T Y L I A T K
```

ACCESS	COOKIE	EMBED	KEYBOARD	SPY
ACCOUNTS	CORRUPT	ENGINEER	MACROS	STEAL
ADWARE	CRASH	EXPERT	MAYHEM	TALENTED
ALGORITHM	CULTURE	GATEWAY	ONLINE	TECHS
BREACH	DATA	GEEKS	PRANK	THEFT
BYPASS	DECEITFUL	HIDDEN	REDIRECT	TRACK
CLONE	DISHONEST	HIJACK	SECURITY	VIRUS
CODES	ELECTRONIC	ILLEGAL	SKILLED	WEAKNESSES
COMPUTER	ELUSIVE	INTERNET	SLY	WORM

The Theater

```
U Q J W G Y F Z Z X A O N G I S E D S L W D U Q J
T E L L A B M T Y F P Y E R N C R P T U I J S V L
I C B L T A R T S E H C R O T P O P C O R N H T X
C I P F E H I Y R A N C I T I R S U Z N R R E E H
K F I I M N R A L E C T G C P E R U T S E G R S C
E F I L U O E W I Q O R N E Y T R A R G C E S F E
T O P M T L P D V M N A I R A D E Q A O V R R K E
V X M S S M U A E H C G G I P N E N O I H J I C P
J O K I O A P O H M E E N D E W A M E N I C L P S
C B A V C O P R X T R D I C J M I W O T L I G H T
W I I U I H E B A F T Y S E J D Y K M C C R O C Y
N E X A D E T D X P N K K B D H A G W K V W A Y Q
```

ACT	CINEMA	EMOTIONS	ORCHESTRA	SCRIPT
AISLE	COMEDY	FILM	PIT	SET
ART	COMMUNITY	GESTURE	PLAY	SHOW
AUDIENCE	CONCERT	LIGHT	POPCORN	SINGING
BALLET	COSTUME	LINES	PROPS	SPEECH
BOX OFFICE	CURTAIN	LIVE	PUPPET	STORY
BROADWAY	DATE	MANAGER	REVIEW	TICKET
CAST	DESIGN	MOVIE	SCENE	TRAGEDY
CHORUS	DIRECTOR	OPERA	SCREEN	USHERS

```
A M N V B R M Z F C H D E X U S W A P G C Z T I O
J N S G L A H L P U A N S U S P I D E R E P O V T
Z P O K C T O L S O N L U C P H G A G T O I P F D
M J O S P L T A T U K N R O U K S A M A E P Z G L
W E B Q A M S B A J O E Y M P L A Y F U L G S E V
N S S U W N A T R I A I O E S I R P R U S N R N I
A T G I Z H U I T M J R C D M W I O E R K I I A C
A H S R O Z C P L D O E U I F P R E T E N D N U T
L P D T N N E S E U K P M A L A X Z R D H D L G I
Y O I Y U C E R S Z E P S N E A K Y I W R I M H M
H K U H E N H K S C H E M E O M M E C O N K Z T S
S U Z D M I T Y Z G C P R H R H P K K P R Y Z Y O
```

AMUSING	GAG	MALICIOUS	PROPS	SPITBALL
BOO	HOAX	MASK	RAT	SQUIRT
BUZZER	HOT SAUCE	NAUGHTY	RUSE	STARTLE
COMEDIAN	HUMOROUS	NOISE	SCAM	STUNT
DECEPTION	JEST	PEPPER	SCHEME	SURPRISE
DUPE	JOKE	PLAYFUL	SCREAM	SWAP
DYE	KIDDING	POKE	SKIT	TARGET
FAKE	LAUGH	POWDER	SNEAKY	TRICK
FUNNY	LOUD	PRETEND	SPIDER	VICTIM

```
K A S T Q S C Z F G B I Z R P B E Z W H Z H G E T
C Q O U T D O O R E M V D H E D G E P K O M S N D
M U J O F L L O M U T E V S A T Z T G N I D D U B
D S P B A I W R L P S A D M T I A I T N P R F R B
N E D R A G E C S P O H V A L N O W E S R L S P R
W V E G Y D H A R V E S T I P W E R N F O O U R E
E A E W R J P O M S G I T T T S A I S U H T N E H
W E S A A L U C O L O R F U L L M A R F T P L W I
C L W Y I T V W Q E U E O S A U I I T I L I O E
X A K N P R J D L F O O O E T N S C E P U A G L B
F J G S O I V Z B C H N H I N H X E K A R N H F Q
S E E R T D B U R H S E V O L G L W Z L F T T A D
```

AWARD	FERTILIZE	HARVEST	OUTDOOR	SOW
BLOOM	FLOURISH	HEDGE	PEAT	SPADE
BUDDING	FLOWER	HERB	PLANT	SPROUT
BUSH	FOLIAGE	HOE	POTS	SUNLIGHT
COLORFUL	FRUIT	LEAVES	PRUNE	TOPIARY
COMPOST	GARDEN	MINERALS	RAKE	TREES
CULTIVATE	GLOVES	MULCH	SAPLING	VITAMINS
DIRT	GREEN	NOURISH	SEED	WATER
ENTHUSIAST	GROW	NUTRIENTS	SHRUB	WEED

Teens

```
L E H O M E W O R K S C I T E M S O C R U S H C A
J L K C M V P Y T I T N E D I C Y A D H T R I B V
U I A I E O Y A L P T K L L I P O T Y T R E B U P
N N N B D L R E V O P E E L S P U G R W M B D T V
I E S Y E T L P E E R S C H O O L P N A L E A S F
O V D O T S G P N Y T I R A L U P O P I P L N G A
R U N U E R A C H O M E C O M I N G M Y T L C N S
X J E N N I A B N O I T I S N A R T B A L I E A H
W U I G T F K E F U N O I T A U D A R G T O V N I
O O R F I R S T D A T E R O M O H P O S Z N V E O
R Q F O O T B A L L T E X T I N G F R E S H M E N
G T E E N A G E R S T N E S E R P U E R I L E T S
```

ACNE	DIPLOMA	GROW	PEERS	SCHOOL
BASEBALL	FASHION	HOMECOMING	PLAY	SENIOR
BIRTHDAY	FIRST DATE	HOMEWORK	POPULARITY	SLEEPOVER
CELL PHONE	FIRST LOVE	IDENTITY	PRESENTS	SOPHOMORE
COGNITIVE	FOOTBALL	JUNIOR	PROM	TEEN ANGST
COSMETICS	FRESHMEN	JUVENILE	PUBERTY	TEENAGERS
CRUSH	FRIENDS	KID	PUERILE	TEXTING
DANCE	FUN	MILESTONES	PUPPY LOVE	TRANSITION
DETENTION	GRADUATION	PARTY	REBELLION	YOUNG

Southern California

```
W A T E R F Y L R T O U R I S M O V I E S O D T C
S H D E S E R T M I E H A N A F G Y M T R E N D Y
T A R I U S H O P P I N G K D S F A Z A Y C A H N
I L M U S E U M S O I D U T S O F U N N T E S C V
U U G O D N E D L O G G N I F L O G L S I N U A S
S S C N T I E A R T H Q U A K E E W A B R I L E R
M N L A I L V Y S T A R S N A E C O Y Z B L Z B E
I I I B S T W E L Q O D I D N O C S E L E E O F I
W N F R L S A K R A P E M E H T O M Q Y L R O J P
S E F U X A R O T S N E D I S R E V I R E O S K N
C P S T W O M K B U E D S E A G U L L S C H H R U
N O I T A C A V G E T A W A Y C R U I S E S U R F
```

ANAHEIM	DISNEYLAND	HOLLYWOOD	SAND	TOURISM
BEACH	DIVERSE	MOUNTAINS	SEAGULLS	TRENDY
BLUFFS	EARTHQUAKE	MOVIES	SHOPPING	URBAN
BOATING	ESCONDIDO	MUSEUMS	SHORELINE	VACATION
CELEBRITY	FAME	OCEAN	STARS	VALLEY
CLIFFS	FUN	ORANGE	STUDIOS	WARM
COASTLINE	GETAWAY	PENINSULA	SURF	WATER
CRUISES	GOLDEN	PIERS	SWIMSUITS	WEST COAST
DESERT	GOLFING	RIVERSIDE	THEME PARK	ZOOS

Drums

```
W Q W W X T F I N G E R S G L K T M C Y M B A L A
Q S P A T T E R N D M L X J O L O S O K K K F G G
Q C Q H C R A M N S N P I F P G O M W R D O F M W
U Z T H I T S B O P T A S B E A T R B M O A A E W
A T O H I E A C I N O R T C E L E K E T T L E P M
D P P M R N B A S S H A U S I G B T L M F U V H Z
S T E A D Y C D S K F D C M Y M R A L B M S O N G
C X N G D X A E U I D I I A E O A M T H O U O N W
K S R N Y D Y N C N G D S Y N N O N T F Y N R R T
S C A O K T L C R O Z D U O M S T Y Y O S I G D W
S T I C K T M E E L D L M F M C H L A D E P F O N
F I N L S F Y S P A T E X K F R A O Y B T R H W S
```

BAND	CYMBAL	HITS	PATTERN	SNARE
BASS	DRUMMER	INSTRUMENT	PEDAL	SOLO
BEAT	DYNAMICS	KETTLE	PERCUSSION	SONG
BONGO	ELECTRONIC	LICK	QUADS	STAND
CADENCE	FINGERS	MARCH	RAIN	STEADY
CANS	FLAM	METRONOME	RHYTHM	STICK
CHOPS	FOOT	MUSIC	ROLL	TABLE
CONGA	GROOVE	PADDLE	SET	TAPS
COWBELL	HEAD	PARADIDDLE	SKIN	TIME

Audiences

```
Y V I V K Z A W M O H Y R S H C E E P S N A F C C
A P S U P P O R T C A R E T N I I V I S I T I G O
R P C J Y M G O O I H U C E L E B R I T Y L R N N
E E W F A U B N R A E L D V G R M C C X B O H I C
T O C K B S O M S I C I T I R C A H R U T U A W E
A P R I E I S S E N T I W T T E O F P A S T S O R
E L Y R T C R E L I S T E N C O U N T E R D T L T
H E V A E A R E M R O F R E P Q R C A E A S U L P
T E V I L L S V B L H C T A W E I T L R K D O R
R O V P L P G B E I L R A T S P S N U G E S I F L
U O R E A D E R M A E Y F A S L E S Y M P H O N Y
M D W P B T E K C I T W G U E S T Q X S O I D A R
```

AISLE	ENCOUNTER	MOVIE	RADIO	STAR
ASSEMBLY	ENTERTAIN	MUSICAL	RAFTERS	STUDIO
ATTENTIVE	FANS	OBSERVE	READER	SUPPORT
AUDITORIUM	FOLLOWING	OPERA	RECITAL	SYMPHONY
BALLET	GUEST	OVATION	REVIEW	THEATER
CELEBRITY	INTERACT	PEOPLE	ROW	TICKET
CIRCUS	LEARN	PERFORMER	SEAT	VISIT
CONCERT	LISTEN	PLAY	SPECTATOR	WATCH
CRITICISM	LOUD	PUBLIC	SPEECH	WITNESS

Math

```
S P H E R E L L I P S E R A D I L C U E C T N P S
R A L A C S Y M B O L S L R E C T A N G L E O L N
F P L U S M A T R I X G R U U I O B I N O M I A L
P R O B L E M S N C O R L E R T D F P M Y E S N A
R Y A S Y M M E T R Y A T C B E N P A H O X I E N
O S R C Y A A I I A I N I V S M D E O C K N V L E
D E B T T R X T T M A G O O J H U I N S T R I C G
U P E C E I H I O T O E L D E T P N L O I O D R A
C A G L I M O N S L A C O R P I C E R S P T R I T
T H L A L C O N T O U R E C U R S I O N O X I C I
G S A S G M O E S W I N E Q U A L I T Y C Z E V V
P H Y S I C S Y G S O L V E U L A V D I V E R G E
```

ALGEBRA	COFACTOR	GEOMETRY	PLANE	SCALAR
ALGORITHM	CONSTANT	INEQUALITY	PLUS	SHAPES
ARITHMETIC	CONTOUR	LINEAR	POSITIVE	SLIDE RULE
ASYMMETRY	DIVERGE	LOGIC	PROBLEMS	SOLVE
AXIS	DIVISION	MATRIX	PRODUCT	SPHERE
BINOMIAL	ELLIPSE	MONOMIAL	RANGE	SYMBOLS
CIRCLE	EUCLID	NEGATIVE	RECIPROCAL	TIMES
CLASS	EXPONENT	NUMBERS	RECTANGLE	TRINOMIAL
CLOSED	FRACTIONS	PHYSICS	RECURSION	VALUE

Camping

```
P N A T U R E N A P O R P O G L O V E S C A B I N
C O O K I N G D T S O C K S S M O U N T A I N S N
R A P S I D H R E P E L L A N T G N I M M I W S E
T A N R Q A O A L G R R B E A C H C A M P S I T E
M E T T M P M Y L S N I R F L A S H L I G H T X L
H A H M E S S K I T X I M L I A R T J D R F A A D
L C O C R E O C K D F N L I C D U T C H O V E N D
U C T S T K N A S P L S G D T H S G O L U M R I I
K G N I T A O B M U D E Z G N I Y T T O N K T M R
S O S I P T H A P O N C H O T I V T O Y D W E A G
W P O L E S C M N R E T N A L R K E V O T S R L H
C O O L E R E T L E H S G N I T F A R F B T L S S
```

ANIMALS	CAMPSITE	HATCHET	NATURE	ROPE
AXE	CANTEEN	INSECTS	PITCH	SHELTER
BACKYARD	COOKING	KINDLING	POLES	SKILLET
BEACH	COOLER	KNOT TYING	PONCHO	SNOW
BOATING	DUTCH OVEN	LANTERN	PRIMITIVE	SOCKS
BOOTS	FLASHLIGHT	LATRINE	PROPANE	STAKES
CABIN	GLOVES	LOGS	RAFTING	STOVE
CAMPFIRE	GRIDDLE	MESS KIT	REPELLANT	SWIMMING
CAMPGROUND	HAMMOCK	MOUNTAINS	RETREAT	TRAIL MIX

Briefcases

```
C O W E G N I H R N Q S E T O N V B R O W N Z Z O
K S K C A N S T N I M B O O K D L L K V B M D M C
C W Y I N H A C C E S S O R Y I O A Z H U A U A S
O T P F L E H C T A S C O N T R A C T S S G P F T
L B R F H A P A R O T E C T C O K U J I A O O O
F U Q O R H H O S T A T I O N E R Y E M N Z C L R
L C G G P S U N G L A S S E S O G G L Y E I K D E
A A E G S S V X U V R L A Y W G A A D P S N E E R
T R W S A E N C O M B E D R Q G N L N J S E T R V
E A E Y E G L A S S E S P R G N I Q A S A A S S S
M M N E E A E I R P O T P A L D Z P H O N E L J N
R C F K C R K D F T O F B C P L E A T H E R B C B
```

ACCESSORY	CHARGER	HANDLE	MAGAZINE	POCKETS
BAGGAGE	CLASP	HINGE	METAL	PROTECT
BLACK	COMB	KEYS	MINTS	SATCHEL
BOOK	CONTRACTS	LAPTOP	NOTES	SNACKS
BROWN	DOCUMENTS	LAWYER	OFFICE	STATIONERY
BUSINESS	EYEGLASSES	LEATHER	OPEN	STORE
CALCULATOR	FILES	LID	ORGANIZE	SUNGLASSES
CARRY	FOLDERS	LOCK	PAPER	TRANSPORT
CASH	GUM	LUGGAGE	PHONE	WORK

Windows

```
D H G W N U R X C G Z S H U T M X W T L Q B Q P N
W E N N X S F R E N C H B H J I G C Z O K T F A E
K D I A N G A G X I N A E L C Y D L U D D U K R J
F I D A L C N S E H D R A P E S C R E E N R D T H
S S I I K Y B I H S M S X D A L H T M C I A N R I
B T L M S V U P N A U L Y N I V N A B O L L O S D
Z U S E I P I E L W L O D G R I R W D P B O A S F
P O R T H O L E E A A E H T T F P A N E D S S E T
N S G A L B D A W F S T I P G B K L G N S A C E S
J V K L U A I K Y I U T K R G E C L W G L O C K E
U U I O V Y N N G X N A I R O T A H I G R I D S Z
Y S D A G S G N I R E V O C H U R C H W K U J A B
```

AIR	COVERINGS	GLASS	PANE	SLIDING
AWNING	CRACK	GRIDS	PLASTIC	SOLAR
BAY	DESIGN	HOUSE	PORTHOLE	SUN
BLIND	DISPLAY	LIGHT	SASH	THERMAL
BUILDING	DOOR	LOCK	SCREEN	TINTED
CAR	DOUBLE	METAL	SEAL	VIEW
CHURCH	DRAPES	OPEN	SHADES	VINYL
CLEAN	FRAME	ORIEL	SHUT	WALL
CLOSE	FRENCH	OUTSIDE	SILL	WASHING

Beautiful People

```
T I R E M B L H E Z F G N I R I P S N I L P O H L
L M W S R A C U A X A T T R A C T I O N E E A T T
O Y L E E U O S F N I K S B E A U T I F U L D U S
O Y P P Q Y L P S E D Q G N I N N U T S E F I O V
K U P L O V E L Y E C S E H T O L C P O X A N M M
S A W K U D R E A C L A O A D M I R E U Q S E J S
P S T R I K I N G N A W R M R A H C C L U H A I R
E R E N N I Y D L A R P A G E A N T R Y I I E J I
A D R A W T U O O H U Q J L S C I T E M S O C F D
S P I L A Y U R W N T T J M F J A E P E I N A U E
D L L P R E T T Y E A K B P L E A S A N T B F Y A
S C Y K D H E M O S N I W K B K W O N D E R F U L
```

ADMIRE	EXQUISITE	IDEAL	MOUTH	SMILE
ALLURE	EYES	INNER	NAILS	SOUL
APPEAL	FACE	INSPIRING	NATURAL	SPLENDOR
ATTRACTION	FASHION	INWARD	OUTWARD	STRIKING
BEAUTIFUL	FLAWLESS	LIPS	PAGEANTRY	STUNNING
CHARM	GLOW	LOOKS	PERCEPTION	SUPERB
CLOTHES	GRACEFUL	LOVELY	PLEASANT	TEETH
COSMETICS	HAIR	MERIT	PRETTY	WINSOME
ENHANCE	HANDSOME	MODEL	SKIN	WONDERFUL

Study Time

```
S O H L A B S E D A R G E K S Q R E L I B R A R Y
A K O S B Y L Z S O A Z T E U C A C L R E V I E W
N E O Z I U Q I G C I M D E O W M I O E J Q T N F
S R Z O D L Q R X R I I S U S C M T R F O H A T A
W U Z E B H P A O M U T R E L T A C R E H Y B R C
E T H D T N E M N G I S S A C L R A O R C R L A T
R C A X L V E M O O E D S I U R G R N E R A E P S
S E S A E M G U N C B S T C T J U P O N A S S U L
R L N I S Y A S S E C P L E X A M O H C E S A O L
O I H I S T O R Y N R A E L R Y T A S E S O B R I
F C L G E G E L L O C R A M Y M I S B E E L J G R
A R E S U L T S J G N I Y D U T S S M A R G A I D
```

ACCOMPLISH	CRAM	GRAMMAR	MEMORIZE	RESOURCES
ACHIEVE	DIAGRAMS	GROUP	MIDTERMS	RESULTS
ANSWERS	DRILL	GUIDES	PARTNER	REVIEW
ASSIGNMENT	ESSAYS	HISTORY	PRACTICE	SCHEDULE
BOOKS	EXAM	HONOR ROLL	QUESTIONS	STATISTICS
CALCULATOR	FACTS	LABS	QUIZ	STUDYING
CLASS	FINAL	LEARN	READ	SUMMARIZE
COLLEGE	GLOSSARY	LECTURE	REFERENCE	TABLES
COURSE	GRADES	LIBRARY	RESEARCH	TEST

Spreadsheets

```
F O O T E R S D F E F F O D F J R N A M R F S D N
N G A D D I T I O N C U Y K T E L B A T J S I B E
V E N T R Y A C C O U N T I N G W D E S R R M B G
C A A T A D T O O L A C E K A O S R C C G E U F M
H F L K A O I S V M B T Z R R S A Y H S N D S O E
F X Y U F Y S L I W V I C K E W N D A H G A D N L
N Q S F E C T C I L N O G N T F Y I R E W E N T I
U H I Q L R I B B N L N I F U W E E T E L H D I F
L C S A O I C B Z U E S O L P Q R R E T P P R P F
E L C P T R S R M V U S N U M B E R X Q R A N G E
M A E A U V S N T B P E X P O R T O T A L R P Q T
C R M C S A O C R E S E A R C H O W D X U G X S A
```

ACCOUNTING	COMPUTER	FUNCTION	NUMBER	SOFTWARE
ADDITION	DATA	GRAPH	OFFICE	STATISTICS
ANALYSIS	DYNAMIC	GRID	PAPER	SUM
BUDGET	ENTRY	HEADERS	RANGE	TABLE
BUSINESS	EXPORT	INSERT	REFERENCE	TEXT
CALC	FILE	LINES	REPORT	TOOL
CELL	FINANCE	LIST	RESEARCH	TOTAL
CHART	FONT	LOTUS	ROW	VALUE
COLUMN	FOOTERS	MODEL	SHEET	WORK

Billboards

```
S L E T O H C N G S P Y W E J E R U T C I P L V E
E S X M S I L N A N I R L E P Y H R P C M C X R S
I I P L T A I L D O T E G J A S A O P E A N O R E
V G O Y R T A U V I C S I W H V L R S M I T E S L
O N S T E T T F E T H T D O E I O S P T S V N L L
M B U K L E E R R C P A W L T M A A E R I E K O H
W O R M A N R O T E O U E I I G I L L R E S M G C
T A E R D T N L I R L R C N E G L D D A V V W A R
M R K O D I E O S I S A E C N U O N N A U I E N U
X D R F C O S C E D L N C V B U S I N E S S C L H
Q S G N R N O I O N T T L O O K F H U X S W I E C
E E C I T O N F U E L L T P L U G R M D M M R V S
```

ADVERTISE	CLEVER	FUEL	NOTICE	SELL
ALERTS	COLORFUL	HOTELS	PICTURE	SERVICES
ANNOUNCE	CONTACT	HYPE	PITCH	SHOW
ATTENTION	DIRECTIONS	INFORM	PLUG	SIGNBOARD
BULLETIN	DRIVERS	LOCAL	POLITICAL	SLOGAN
BUSINESS	ELECTRONIC	LOOK	PROMINENT	STORE
CAMPAIGN	ENDORSE	MARKETING	RESTAURANT	TOUT
CHURCH	EXPOSURE	MESSAGE	RETAIL	TRAVELERS
CITY	FOOD	MOVIES	ROADWAY	VISUAL

Antenna

```
R R T M Y C N E U Q E R F Y C R A C R E C E I V E
A B U M U N I M U L A N J F E I B V L K Q E L O P
G C N C N K M S H D N U O S C A T E L U D T Z L S
G R E I O L P Q G N O L O H N K C A I U R I E T Q
P A C L I N E V A W D N D D P T T P T E V L L A K
B D I O T G D N B I A O W N R L M I C S E L B G C
R A V B C O A U N N O I S I V E L E T M H E A E U
E R E A E L N G C A D S C N N P P E E V I T T I R
W U D R R A C E W T H E H T M T O N C O C A R E R
O P I A I N E U H T O C R A I Z T R E H L S O E E
T W V P D A V P O W E R K O T S U J D A E S P P N
A S I G N A L U P S L A N I M R E T R A N S M I T
```

ADJUST	CHANNEL	FREQUENCY	RADAR	TELEVISION
AERIAL	CONDUCTOR	HERTZ	RECEIVE	TERMINALS
AIR	CURRENT	IMPEDANCE	RECEPTION	TOWER
ALUMINUM	DEVICE	LONG	RESONANCE	TRANSMIT
AMPLITUDE	DIRECTION	NOISE	SATELLITE	TUNE
ANALOG	ELECTRIC	PARABOLIC	SIGNAL	VEHICLE
BANDWIDTH	ELEMENTS	POLE	SOUND	VOLTAGE
CAR	EQUIPMENT	PORTABLE	STATIC	WAVE
CELL PHONE	FOLDING	POWER	TALK	WIRE

Graphic Design

```
R C L T Y P O G R A P H Y C N I A R Z H C T E K S
E D I R G B R A N D S L O B M Y S E L Q L N W C N
L G C B R O L O G O L M R A F L F G R A T E O O B
Y P N W A Y A J F B M Z G E O Q D A U U P I R L P
T T E I P A T R A E I E C O T R Y S T E T L D O T
S E P A H S I M R C S A T Q A U I S I T X C S R C
S A E D I S G C M S F S N W B V P E J A S T I O U
P Z X O C X I R U E E N I Z A G A M G E E J M P D
R F T B S A D L P F D N B O O K S L O R E P A P O
I K D E L N F Y B N G I S G N I G A K C A P V W R
N D P A I N T W T U O Y A L W J I C O N C E P T P
T E X T C B O T O H P R O C E S S R Y V T P N I L
```

ADOBE	CONCEPT	LOGO	PICTURE	SKETCH
ART	CREATE	MAGAZINE	POSTER	STYLE
BOOKS	DIGITAL	MEDIA	PRINT	SYMBOLS
BRAND	DRAWING	MESSAGE	PROCESS	TEXT
CLIENT	GRAPHICS	PACKAGING	PRODUCT	TOOLS
COLOR	ICON	PAINT	PROFESSION	TYPEFACE
COMMERCIAL	IDEAS	PAPER	PUBLISHING	TYPOGRAPHY
COMPANY	IMAGE	PENCIL	SHAPES	VISUAL
COMPUTER	LAYOUT	PHOTO	SIGN	WORDS

Countries

```
Z B A E A D P F R A N C E X F E E H N A D U S S N
H O E M N A Y O N L U X E M B O U R G A O L W C E
A H R L R N I D L B A L O G N A T S I K I J A T P
F T T A A U O D N A L N I F S A N V S S G M Z A A
S O I M U R B I N N N B D P I O A G I P B X I I L
G S R Y R S U M W I D D O N C L M N L O A N L W T
O E E A A T S F A G R A C S A G A D A M I A A G
G L D N A L E R I U T Z O O N A D I C W D G N N R
O L I B Y A T D I U N R G T P R A N H W A E D K E
T H S W E D E N G A O U E O N A K N A L I R S E E
C F T P Y G E A T M Y I R N A P A J D W M I R H C
G K E N Y A L F M T V E S T O N I A U K R A I N E
```

ALBANIA	CHINA	INDIA	NEPAL	SWAZILAND
ANDORRA	EGYPT	IRELAND	NIGERIA	SWEDEN
ANGOLA	ERITREA	JAPAN	POLAND	TAIWAN
AUSTRIA	ESTONIA	KENYA	PORTUGAL	TAJIKISTAN
BANGLADESH	FINLAND	LESOTHO	RWANDA	TANZANIA
BELARUS	FRANCE	LIBYA	SINGAPORE	TOGO
BURMA	GERMANY	LUXEMBOURG	SPAIN	UKRAINE
CAMBODIA	GREECE	MADAGASCAR	SRI LANKA	VIETNAM
CHAD	GUINEA	MOROCCO	SUDAN	YUGOSLAVIA

Family Gatherings

```
F A M I L Y Y W Z S F U N L Z H K X K B N P F V E
Y I V V U W A E R S G C F I S R G Y O J L A A M V
O K F A F N D E E E Q T A L K S L N A L P R T R I
N R O J S O H K N C D H H G Y C D A I M O T H E R
W R S S I T E N X S G N V M H O L I D A Y E W D
U E N T E T R N I C H I L D R E N B E C D K R O Z
K U O O R A I D D L R N N X Q D M V T X E E K H S
H N I R T U B S E E T R I I A U O O O N H P W S U
Q I T I S D H V H R A E P E M L F G R T U Y S I T
O O O E Y A A T I F E V E Y C E E N O I T A C A V
U N M S R R A P A S S O V E R E R R B W E H P E N
D G E E T G R A N D M A E R F F B E K S T S E U G
```

AUNT	FAMILY	JOY	PASSOVER	SPECIAL
BIRTHDAY	FATHER	KIN	PLAN	STORIES
BOND	FLY	LOVE	RELAX	STRESSFUL
BROTHER	GATHERING	MEMORIES	REMINISCE	TALK
CHILDREN	GENERATION	MOTHER	REUNION	TRAVEL
DINNER	GRADUATION	NEPHEW	SCHEDULE	TRIP
DRIVE	GRANDMA	NIECE	SHARE	VACATION
EAT	GUESTS	OVERNIGHT	SHOWER	WEDDING
EMOTIONS	HOLIDAY	PARTY	SIT	WEEKEND

Learning to Drive

```
C Q A A Z V Q G I O S P R V P U L I G H T S C O X
Y T Q D X V G E E X A M D G A O C G D E E P S E A
L Z S D W C Z F G A A R L O N O T A E S A R I D C
L T J E S F I D X N R N L E N I F S S S C A S K C
H A T H T U U Q G N I R E E T S A N E H C A S E
E U S C I F F A R T C E S N U H L S Y N E T F Q L
Y N W T M S L S N E T T I R W C W P O T R I E R E
D Y A U R Y R P N F V G N B S I N S T R U C T O R
U N L L E E U S I I N E P M A R T I X E C E Y R A
T U B C P K E H S E L U R U G C G B E L T Q J R T
S N G I S A S N L I M I T S A U T O M A T I C I E
C X W W G V X B F E D A O R E P M U B R A K E M J
```

ACCELERATE	CONES	LANE	REVERSE	STOP
ALERTNESS	CROSSING	LAWS	ROAD	STUDY
AUTOMATIC	ENGINE	LICENSE	RULES	TEACHER
BELT	EXAM	LIGHTS	SAFETY	TEST
BRAKE	EXIT RAMP	LIMITS	SEAT	TRAFFIC
BUMPER	GAS	MANUAL	SHIFT	TURN
CAR	GEAR	MIRROR	SIGNS	WHEEL
CLASSES	INSTRUCTOR	PERMIT	SPEED	WIPERS
CLUTCH	KEYS	PRACTICE	STEERING	WRITTEN

Sewing

```
T B V J G N I D N O B G G S H S K Y R E T I M O D
H M G P N P T R E L P M A S E C R E W E L W O R K
I R Q U I L T I N G W X U R I E T L N L P Q G E R
M P G L K V D A E R H T G W D A R I P A N N N Z O
B C L M C R O T G G U E E I C Z B S T M I B I I W
L I N A O U N T N R C L O K S B E C U S A D K L T
E R I E M O M I I I D R I N O H H S S C P S C I U
U B A S S T D N D N B N O B C W L O K D K O I B C
D A R N I N G O A M G I O T O I B T F Z N E T A K
J F G I I O B C E Q T L O R N M A G A T H E R T I
W K Q B B C C O B O T N K E E C A R D I N G M S N
Q F F L O C K I N G N I R E K C U P A T T E R N G
```

BACK TACK	CONTOUR	GAUGE	PATCHWORK	SMOCKING
BEADING	CREWELWORK	GRAIN	PATTERN	STABILIZER
BINDING	CUTWORK	INSEAM	PILL	SUTURING
BOBBIN	DARNING	MEND	PIVOTING	TACKING
BODICE	EMBOSSING	MITER	PUCKERING	THIMBLE
BOLT	EMBROIDERY	MUSLIN	QUILTING	THREAD
BONDING	FABRIC	NAP	SAMPLER	TICKING
CANDLEWICK	FLOCKING	NOTCHES	SEERSUCKER	TOP STITCH
CARDING	GATHER	NOTIONS	SERGE	TUCKING

College Sports

```
D S E I K S U H Z L O S T N E D U T S K G L M H R
W S N O C L A F L N H N T I G E R S X V R Z O O A
S H U R R I C A N E S A A A C N C T O K I S N Y L
O M D N B L B T L M U T W A A B S L J P Z N E A U
O J I H B T W H O P N R A K D A U S N S Z R Y S P
N A V O E E I L O I D A G S E N I R E V L O W R O
E Y I K G A L E H H E P G G T Y W Y T C I H B E P
R H S I E G D T C S V S I E S L E A G U E G O V E
S A I E L L C I S D I B E O D K J S I C S N W A E
B W O S L E A C O I L R S G C S L E B E R O L E M
U K N P O S T S A M S B R U I N S G O D L L U B T
B S S N C F S E F O O T B A L L A N O I G E R T W
```

ACC	BRUINS	FOOTBALL	LONGHORNS	SOONERS
AGGIES	BUCKEYES	GRIZZLIES	MIDSHIPMEN	SPARTANS
ATHLETICS	BULLDOGS	HAWKEYES	MONEY	STUDENTS
BASKETBALL	CADETS	HOKIES	NCAA	SUN BELT
BCS	COLLEGE	HOYAS	POPULAR	SUN DEVILS
BEAVERS	DIVISIONS	HURRICANES	REBELS	TIGERS
BIG EAST	EAGLES	HUSKIES	REGIONAL	VOLUNTEERS
BIG TEN	ESPN	JAYHAWKS	SCHOOL	WILDCATS
BOWL	FALCONS	LEAGUE	SEC	WOLVERINES

New Businesses

```
E E C N A N I F A S I B O R R O W O R K E R S Y O
S Y G C H B U D G E T I I L C O U R A G E U E E J
N S T A P L A N D E D I C A T I O N L Q P K C C V
E E H R G W I V M Y S I D T G W T O U P Y R I R S
C R G G E T S E N O R I F N N Q C I L N G O F E L
I A E L E P R A S L E G T E I A P I E V E W F M A
L H P E X G O O J P M N R R T M E C Q E T D O M I
E S M I B L G R M M O I O I E S I H C N A R F O R
N P A R T N E R P E T D O N K V I N S U R A N C E
Y N O I T A X A T E S N T C R E D I T B T H X R T
P E R M I T L A W S U U L E A S E A R I S K I W A
M O N E Y N A P M O C F S Z M T S E V N I H J L M
```

ADVERTISE	DEDICATION	INSURANCE	MEETINGS	PROPERTY
BORROW	EMPLOYEES	INVEST	MONEY	RENTAL
BUDGET	EQUIPMENT	LAWS	MORTGAGE	RISK
CAPITAL	FINANCE	LEASE	NEST EGG	SERVICE
COMMERCE	FRANCHISE	LICENSE	OFFICE	SHARES
COMPANY	FUNDING	LOAN	OWNER	STRATEGY
COURAGE	HARD WORK	LOCATION	PARTNER	SUPPLIES
CREDIT	HIRE	MARKETING	PERMIT	TAXATION
CUSTOMERS	IDEA	MATERIALS	PLAN	WORKERS

Floods

```
L P P U D V W K G E N Y L K A I B E N A E S F I F
V I U Y S U H Q A K C O S D H T J R G Z D N A L U
E R M E F S Q R B A R F I E F A L I I R P O O S S
K A P E I L X U D T E G C S K R O E H D E W X W B
H I A V R T Z N N R B U K T R I O N D K G M E L L
P N S E M O H O A I U S U R G E D A O R C E B T A
D R V L N C C F S N I C M O I H V C D O E L S U T
W O E E Z E A F L A L R T Y I S D I S A S T E R S
L B L V M A E R T S D E Z P V E K R D S K N A B A
J P L A I N R E S C U E S A C U R R E N T Q O W O
P X E W K R B B Z E F K T U R N D U M S T O R M C
S G T I D E T U K S D Y K F L A S H V H W H Z D J
```

BANKS	DIKES	LAND	RAIN	SNOWMELT
BREACH	DISASTER	LEVEE	REBUILD	STORM
BRIDGES	DIVERSION	MONSOON	RESCUE	STREAM
COASTAL	FLASH	MUD	RISK	SUBMERGE
CONTROL	FLOW	NOAH	RIVER	SURGE
CREEK	HOMES	OCEAN	ROAD	TIDE
CURRENT	HURRICANE	PIPES	RUNOFF	WATER
DELTA	KATRINA	PLAIN	SANDBAG	WAVE
DESTROY	LAKE	PUMP	SEA	WET

Annoying Insects

```
I Y H S I F R E V L I S U O N O S I O P E Q W E G
N L C D E H B E D B U G A D F L Y V A B M C F W T
S F X O G T G E G I G U B K N I T S G P I O Y J P
E T C P C G I U E U C I C A D A I I H Y H T T L U
C I G O S K B M B T O I Y M R O W W O L G I E H R
T U G R B R R Y R P L L T A P R W G R F Y U D S I
S R G H E W D O B E F E N S A E F U N E L Q Z C E
U F N T T A E C A E T T A E E A L B E S F S F V S
C V A R L L T B S C U W H V I P E L T U E O E E U
O W T A H P E R S L H U I M M E A L W O R M I N O
L Y Y L F N O G A R D L K A T Y D I D H I L L O L
R E G G I H C L S P R O T A D E R P S Z F T L M S
```

APHID	DRAGONFLY	GLOWWORM	LOUSE	STINKBUG
ARTHROPODS	EARWIG	GNAT	MEALWORM	TARANTULA
BEDBUG	EGGS	HORNET	MOSQUITO	TERMITE
BEETLE	EIGHT LEGS	HORSEFLY	MOTH	TRAP
BITES	FIREFLY	HOUSEFLY	PESTICIDE	VENOM
CHIGGER	FLEA	INSECTS	PILL BUG	WASP
CICADA	FLIES	KATYDID	POISONOUS	WATER BUG
COBWEB	FRUIT FLY	LADYBUG	PREDATOR	WEBS
COCKROACH	GADFLY	LOCUST	SILVERFISH	WEEVIL

Really Big

```
O L M E E F F A R I G A P W L X F U B D W U U S Y
E T A T S E E B S E I F P H E A A O A U I M M C A
H G N Y H E Z U Z R P Y R A M I D L R E W O T L C
Y W S M R H O S P I T A L L A G I M N E S U H E H
E R I T F A T O T Z R W R E C M N U O S S N A T T
L C O U N T R Y K N U M O C O N T I N E N T R O K
L E N T N T A B O M A U T U S E N D A H A A K H C
A V T X C N I Y I L S H S N J Y A A C C E I C D M
V M O O N A N T L L O I P W A G K T L R C N U L Z
N Y C B M A F R H I N O L E V I A S O U O O R R K
P D P D C E G A Q E I Y X A L A G U V H L P T O L
H G R F Q S D O O W D E R W K E J N X C S F E W C
```

AIRPORT	DINOSAUR	HOSPITAL	MOUNTAIN	TOWER
BARN	EARTH	HOTEL	OCEAN	TRAIN
BUS	ELEPHANT	JET	PYRAMID	TREE
CAMEL	ESTATE	LIBRARY	REDWOOD	TRUCK
CANYON	FACTORY	LIMOUSINE	RHINO	VALLEY
CHURCHES	FOREST	MALL	SEA	VOLCANO
CLOUD	GALAXY	MANSION	SKYSCRAPER	WHALE
CONTINENT	GIANT	MOON	STADIUM	WORLD
COUNTRY	GIRAFFE	MOTEL	SUN	YACHT

Terrible Traffic

```
D D J N S R U O T E D D X M A N I A C X E S F Z Y
Y A W E E R F K C E R W C L O S U R E S G T L X T
M I N P T H S J C O N R H I G H W A Y T N O A K I
K A M G N K R N I E O S T R E E T K Q E I P G L C
L U B R E A K D O W N S S T A B Z C L K V F S Y O
B P Y U D R A W D I E E G A R D A O R C I O E N M
Y O P S I R O S P G T Q L A K C O L D I R G L D M
I T A H C N Q U N O Y I K T A S U B T T D O C E U
E R S H C B M O S O L I D R T L I D A V O R I L T
L U S O A C C M Q G N I S N R O H A D K A Z H A E
D C A U T I O N P G U L C V O W B O E S J R E Y O
Q K S R I A P E R E H T A E W C L R H R C P V S X
```

ACCIDENT	CLOSURE	DRIVING	LATE	SLOW
BOTTLENECK	COMMUTE	FLAGS	MANIAC	STOP
BRAKING	CONDITIONS	FOG	ONLOOKER	STREET
BREAKDOWNS	CONGESTION	FREEWAY	POLICE	TICKETS
BUMPER	CRASH	GRIDLOCK	RADIO	TRUCK
BYPASS	CROWDS	HIGHWAY	REPAIRS	VEHICLES
CARS	DANGEROUS	HORNS	ROAD RAGE	WEATHER
CAUTION	DELAYS	JAM	ROADBLOCK	WRECK
CITY	DETOUR	LANES	RUSH HOUR	YIELD

Economy

```
M T Y L I I S D R O C E R D E B T W A G E S N T K
H A T U P T U O E T C X L C A L A T I P A C A W T
E X N Z R C I G U O W P I A Y T S E L C Y C O D E
D E M A N D D R N A S E Q T C A A I B T F L L S K
G S H T G H J O E L N R U H V S N O I S S E C E R
E C V I S E M S V A I T I E B F I L T L I V A C A
C E Z F M Y R S E N A N D G L Q I F T Y Q E S N M
S G L O B A L D R O G Q I A L B H E M T Z R S A K
S R C R E K N A B I K K T N A T N U O C C A E N S
W N G P A O P Q N T Y I Y I C R S H P A R G T I E
I C X Q B Q U O T A O T L T O R E S E R V E S F J
S K C O T S H R I N K A G E L M I L S V E A R F E
```

ACCOUNTANT	DEBT	GROSS	MANAGE	RESERVES
ANALYST	DEMAND	HEDGE	MARKET	REVENUE
ASSETS	ECONOMY	INCOME	NATIONAL	SAVE
BANKER	EXPERT	INFLATION	NET	SHRINKAGE
BOND	FINANCES	LEVERAGE	OUTPUT	STOCKS
CAPITAL	FISCAL	LIABILITY	PROFIT	TAXES
CHARTS	GAINS	LIQUIDITY	QUOTA	WAGES
CYCLES	GLOBAL	LOAN	RECESSION	WATCHING
DATA	GRAPHS	LOCAL	RECORDS	YIELD

Recorded Music

```
I P O D O L B Y E T U E O P P O W A V E D I T O E
E M G Q R E L E A S E I S L F R E Q U E N C Y A X
U R U I Y F R P Q I D O P A G R E Z S S S O A U K
K E I S T F E E V U F C P Y C B C E T I V U T M W
E L T W I E N O T T D C O B R O V R N O D K M T P
R E A T L C M S W S S K C A R T U G R I E Q A S J
I C R X E T L A C I N A H C E M E K O Y G F G I S
Q T P C D S R E D W R A L K E R A L B U M N N T G
M R L N I E S H P A R G O N O H P O J O M O E R S
U I R Y F I F A C O U S T I C S A Z D I G I T A L
C C B S O U N D C O M P U T E R O A X R A D I O T
K O D N A B Y M X Y D P R O D U C E R V O I C E T
```

ACOUSTICS	DIGITAL	GUITAR	NOISE	STEREO
ALBUM	DISC	INSTRUMENT	PHONOGRAPH	STUDIO
AMP	DOLBY	IPOD	PLAYBACK	SYNC
ARTIST	EDIT	KEYBOARD	PRODUCER	TAPE
AUDIO	EFFECTS	MAGNETIC	RADIO	TONE
BAND	ELECTRIC	MECHANICAL	RELEASE	TRACK
CASSETTE	ENGINEER	MIX	SINGER	VOICE
CDS	FIDELITY	MOVIE	SOFTWARE	WAVE
COMPUTER	FREQUENCY	MUSIC	SOUND	WIRE

Know the Ropes

```
A L H R H M R H S L W S H C N A R Y J H Z L X C I
I C V I R X S M K C I H T L C L I M B K N O T P J
P B E A C R Y L I C O W B O Y E A R B S L O A P Y
O Q L C K T L B P Q A W O T Z N I E K A H P O J P
L D B I O A B G P A N M U H R G B B S I C E B U H
Y H L O N G Q O I P L E P H G T C I C L D V M M W
E L B I X E L F N L G I T I X H S F N O W H I P H
S E A F A R I N G D O C N S N O Y A R D R O P U K
T P T I Q N H Q I Q A G C A A G N I W S H D E L V
E U M U R Y U R R B K G U T M F I M P H U X I L Y
R P C Z J E B V L V Y T E F A S R A A I C S T Q O
M L G C O U A E I Q Q R P W L C U L V P S B Y V Q
```

ACRYLIC	CLOTH	JUTE	PULL	SILK
AERIAL	CORD	KNOT	RANCH	SISAL
BIND	COWBOY	LENGTH	RAYON	SKIPPING
BOAT	CUT	LINE	RIGGING	SWING
BONDAGE	FASTEN	LONG	RODEO	THICK
BRIDGE	FIBER	LOOP	SAFETY	TIE
CABLE	FLEXIBLE	MANILA	SAIL	TOW
CAMPING	HEMP	PLY	SEAFARING	TUG
CLIMB	JUMP	POLYESTER	SHIP	WHIP

Smells

```
G J M W P G N I S A E L P U S A O Q V H R I B G W
W E K O M S E V O L C C H O C O L A T E C L R P N
N Z Y I P U X Z R M A C N N O S E N B H E K O E E
A J N I Y O S U X F O V A A P T I M S A Y T T R A
E T C T T N F K J L R T E R R C A N C R P M T F P
X Y B T T L C N O O U W A N A G L H O O E K E U L
V T D Y U C A G I R O Y C Y D M A E U M F W N M T
C N S S N H N B A A S W H F D E E R A A A F O E Y
K I O D R E D L R L R G I N G E R L F T W N E L N
B A C O N R L Y F E G A S O L I N E P I H W N E F
P P D O P R E G A S H S M E L L I L A C S E L I S
Y O N W F Y N R K D G J W V T Q U W B M K X R H C
```

AMBER	CLOVES	HYACINTH	ODOR	SMOKE
AROMATIC	COFFEE	LAVENDER	PAINT	SOAP
BACON	COLOGNE	LEATHER	PERFUME	SOUR
BLEACH	FLORAL	LILAC	PLEASING	SPICY
CANDLE	FLOWERS	MINT	POTPOURRI	SPRAY
CARAMEL	FRAGRANCE	MUSK	RAIN	SULFUR
CHERRY	GASOLINE	NATURAL	ROTTEN	SWEET
CHOCOLATE	GINGER	NOSE	SAGE	THYME
CINNAMON	HERBAL	NUTTY	SMELL	WOODSY

38

Farmers

```
I N I M F R W Y Q U I Y U U Y N R A B D A L I E M
H X D F L E N O M J R V G G H G U O R T S I L O O
R K V E H I S R C D R E C G O A T S T E E B I D D
T U C O S J A G N M I G Z Q E S P O R C X G I Q M
H U R O N F N A I K G E S I T L J D S H A E E B O
R S E A T I B N S G A T L O L N P O U L T R Y A H
E P W R L S E I L C T A O G N I T N A L P U T V M
S N P L U D E C A A I B P O T A T O E S D T S J D
H U I H K N P V M T O L G Y O V E R A L L S E U A
D T W V R L A I I T N E G N A R G T E K R A M W X
F A L L O W B M N L B S D E E S B I F F N P V U B
L O O W W B L X A E C Q I A R E F R P S H E E P Z
```

ANIMALS	DENIM	IRRIGATION	PIG	SILO
BARN	FALLOW	JEANS	PLANTING	SLOP
BEETS	FARM	LIVESTOCK	PLOW	THRESH
BIBS	FERTILIZER	MANURE	POTATOES	TILLING
BOOTS	FIELD	MARKET	POULTRY	TRACTOR
BOVINE	GOATS	MUD	RANGE	TROUGH
CATTLE	HAY	ORGANIC	RURAL	VEGETABLES
COW	HORSE	OVERALLS	SEEDS	WOOL
CROPS	HUSBANDRY	PASTURE	SHEEP	WORK

Painting

```
T C N Q I T P M E D I U M E N L L C K N X C H E B
V S R I O C C U P A T I O N C S N I A T S T A P L
R S J E S N P O R E N R C I S E M Y A R P S T R U
J P K D A L R O G I E O L T C U T E M P E R A A T
M A D C O T L N M M N Y F N R Q P E L L O B L T L
W C E I F O O A I T R R A E U I R P T L S T E N U
J K L O C P L R R C A N S P I N M E L T S D N E I
C L L X S I P A A E I P K R I H B E R I E Y T M V
G I I E S C S K D M V I E U L C R A T R E L L G Y
O N K T O T K L O D H O T T P E C R S S I S A I U
Z G S A V L T D Z T E K C U B T A Y U E K T E P G
O R T L M O R C S B P R H S U R B M G L O S S B U
```

ABSTRACT	CONTRAST	MINIMALIST	ROLLER	STIRRER
ACRYLIC	COVERALLS	MUSE	SEAL	SUPPLIES
ARTIST	CREATOR	OCCUPATION	SKETCH	TALENT
BASE	DOMINANCE	OIL	SKILLED	TAPE
BRUSH	EASEL	PAIL	SMELLS	TARP
BUCKET	GLOSS	PALETTE	SPACKLING	TECHNIQUE
CAN	LADDER	PIGMENT	SPONGE	TEMPERA
COAT	LATEX	PORTFOLIO	SPRAY	TRIM
COLOR	MEDIUM	PRIMER	STAINS	TURPENTINE

World Travel

```
L A L P L A N T S H K L S P E R U T L U C Z B R E
E M J K B Y S U O I R E T S Y M X U N I Q U E B G
V A C A T I O N E A Y L T R O D A U C E J F I A Y
A Z X W R R D X I C D L I E I A B U D S I S J H P
R O Z A O U P L H W S V A Z L A O C O J T C I A T
T N P M R L I E I E L R E C A B R G I M E O N M S
E B A A O M L L V Q A P D N I R A U O T G T G A C
L L S R A L D I F F E R E N T P B R B K N L H S E
G S E F E L D N A L I A H T A U O L O A E A N R N
N I N S I L A B E T A M I L C C R R Y M R N M U I
U U H F A H I M A L A Y A S C Y A E T A E D A O C
J N E M T A H I T I P G A O C U R I O U S M U T R
```

ADVENTURE	CLIMATE	GALAPAGOS	PARIS	TAHITI
AMAZON	CULTURE	GLAMOROUS	PERU	THAILAND
ANCIENT	CURIOUS	HIMALAYAS	PLANTS	TOUR
ARUBA	DIFFERENT	HONDURAS	ROMANTIC	TRAVEL
BAHAMAS	DUBAI	JUNGLE	SAHARA	TROPICAL
BALI	ECUADOR	MALDIVES	SCENIC	UNFAMILIAR
BEIJING	EGYPT	MEMORABLE	SCOTLAND	UNIQUE
BORA BORA	EXPLORE	MOROCCO	SERENGETI	VACATION
BRAZIL	FIJI	MYSTERIOUS	SEYCHELLES	WILDLIFE

How Are You Feeling?

```
T E R R O R C J D H Y P O C R I S Y T S E D O M H
R C T L I U G R I E F T N E M E S U M A V I S R O
E N K A N B O G W J L A E V O L P H O B I A H A R
M E L A N C H O L Y T I V I T A G E N T E R G E R
O D I S G U S T S E Z G G J L S S E N M L A C F O
R I M P A T I E N C E L N H K T N E M T N E S E R
S F R I E N D S H I P A E I T K N O I T A T I G A
E N Q N T C O M F O R T P O N A N N O Y A N C E N
N O I S S A P M O C B S O B O R E D O M M M C U G
I C U U J R E W A I R O H P U E A C O U R A G E S
A L D S H O C K I N D N E S S S E N Y H S T B T
P S R R A V Y D S H A M E A S O R R Y S A T S C E
```

AGITATION	CONFIDENCE	GRIEF	LUST	REPENTANCE
AMUSEMENT	COURAGE	GUILT	MELANCHOLY	RESENTMENT
ANGST	DELIGHT	HOPE	MODESTY	SHAME
ANNOYANCE	DISGUST	HORROR	NEGATIVITY	SHOCK
AWE	ECSTASY	HYPOCRISY	NOSTALGIA	SHYNESS
BOREDOM	EUPHORIA	IMPATIENCE	PAIN	SORRY
CALMNESS	FEAR	JOY	PHOBIA	TERROR
COMFORT	FRIENDSHIP	KINDNESS	REGRET	YEARNING
COMPASSION	GLEE	LOVE	REMORSE	ZEST

Recipe Books

```
H B O A X A H N T G Y F S E C I P S C H O P U O S
W R N L N S D E J G O T R E M M I S D S R E A T L
N E L Y T R N V M Y I U H F L A E M G I K P E A O
N A I K I E E O E R I E R D J G V R Z D D P O R K
B D N G W Z L K I G A H Y M D E G R E E S E Y V U
Z S E J H I B T A T E L O R E S S A C D R R C I F
U E D O L T R R Q B C T A E B T E B K I A H O F S
X K I A U E S U O O S E A S O N I N G S I T O A H
S A N C S P B A O I H L R R L X R S S C N O S S J
C C N S G P R K L L L K I I I T B O K R D Y I A A
O R E C G A E L E T F E H C D A L E B E E F O F P
O D R W E P H A K A J A P G E G N B G Z X H S M M
```

APPETIZERS
BAKE
BEAT
BEEF
BLEND
BOIL
BREADS
BROIL
CAKES

CASSEROLE
CHEF
CHICKEN
CHOP
CUT
DEGREES
DESSERT
DINNER
DIRECTIONS

EGGS
FISH
FLOUR
FOOD
GLOSSARY
GOURMET
HEAT
HERBS
IMAGES

INDEX
MEAL
ONLINE
OVEN
PASTA
PEPPER
PORK
SALT
SEASONINGS

SIDE DISH
SIMMER
SLICE
SOUP
SPICES
STEPS
STIR
VEGETARIAN
WEIGHTS

Our Amazing Brains

```
W H A L F N C D T B P Z I P X T C O M P L E X B H
V V I N A H C E S S N D V S F V Y R U J N I S R R
U M S N U T B O V B E N S E E Y G O L O H C Y S P
N E P E H G N I G A M I L B R E D V L R E T N E C
D M C G C O A E S N W N V O P T O O E Y L I A G T
L O I N R T R L M A I O I L Q P E Y B M L S P A F
M R Q I A O I M L M E T S N I A R B E O U S S M S
I Y J R E L R O O U N O I T C N U F R T K U E A R
N O X A S M A G N N D R O V T A S T E A S E S D S
D C M E E D J B A S E E N B E F N F C N T H I N K
Y R T H R Y R O S N E S M E K O R T S A L E A R N
P Y L L E M S L L E C N E I C S I G N A L S J U M
```

ANATOMY
AXON
BALANCE
BODY
BRAINSTEM
CELLS
CENTER
CEREBELLUM
COGNITIVE

COMPLEX
CONTROL
DAMAGE
FUNCTION
HALF
HEARING
HORMONES
IDEAS
IMAGING

INJURY
LEARN
LEFT
LOBES
MEDULLA
MEMORY
MENTAL
MIND
ORGAN

PSYCHOLOGY
RESEARCH
RIGHT
SCIENCE
SECTIONS
SENSORY
SEROTONIN
SIGNALS
SKULL

SMELL
STROKE
SYNAPSES
TASTE
THINK
TISSUE
VERTEBRATE
VISION
WAVE

In Heaven

```
R E E C A R G Q A C Y A K S V W Q K R O B E S K Y
B K V L E S M I J E S U S Y C E N O C H E H F V Q
N Y W O R S H I P T F T C A E N O R H T L A S O S
E O B U L E I A D O N R R P R A I S E I I P P V D
X F I D J L L D R I E E D H N W T V F T E P I Y E
R A P N S R S E A M F W M H O H A K H H V I R W R
I T A Y U A V S P R O E H A I O L V R O E N I K C
O H N V S E H R E S A N K J T U E F I L R E T F A
H E G C R T R E N L O P Y I O S V K M Y S S T T S
C R E E D S S I L B B G W L V E E P L E A S U R E
Z N L A P Q H E N P E A C E E R T H G I L X B U
D E A D Z R O I V A S S E N D O O G A T E S R A V
```

AFTERLIFE	CREEDS	GOODNESS	LOVE	SACRED
ANGEL	DEAD	GOSPEL	MERCY	SAINTS
ASCEND	DEVOTION	GRACE	PARADISE	SAVIOR
BELIEVERS	ELIJAH	HAPPINESS	PEACE	SKY
BLESS	ENOCH	HARMONY	PLEASURE	SPIRIT
BLISS	FAITH	HOLY	PRAISE	TEARLESS
CAREFREE	FATHER	HOUSE	REUNION	TESTAMENT
CHOIR	FOREVER	JESUS	REVELATION	THRONE
CLOUD	GATES	LIGHT	ROBES	WORSHIP

Video Games

```
R A C I N G S V P I N B A L L A V I V R U S N K U
Y R O R R O H I I S O E G N I V I R D A T N G A X
B P M R C Y J O D D E G L N R G A M E R S O R S W
I T B I G S I L N M L N T R S H D I A I P I A E A
E D A C R A N E X R O E F E T J V T M M O T P L Z
N L T P N T T N U O R L I A O R E T C A R A H C C
I C G O O N E T L F E L G L R G N O P C T C I A C
L K N I I A R X A T T A H I Y I T N W A R U C T O
N A I N T F N C G A O H T S Z D U M Y S T D X S K
O W H T C R E I E L O C I T S I R U T U F E V B K
L A U S I V T X S P H G N I T T E S P A R T Y O N
U L M P F C L L I K S N G C S L E V E L Z Z U P Y
```

ADVENTURE	FICTION	MYST	PUZZLE	SOCIAL
ARCADE	FIGHTING	NINTENDO	RACING	SPORT
CASUAL	FUTURISTIC	OBSTACLES	REALISTIC	STORY
CHALLENGE	GAME	ONLINE	ROLE	STRATEGY
CHARACTER	GRAPHIC	PARTY	SEGA	SURVIVAL
COMBAT	HORROR	PINBALL	SETTING	VIOLENT
DRIVING	INTERFACE	PLATFORM	SHOOTER	VISUAL
EDUCATION	INTERNET	POINTS	SIM	WAR
FANTASY	LEVELS	PONG	SKILL	WII

Princess

```
H F H Q M H L A S M X F A M O U S N C J Y N E C B
R A R C G O W N S E L L E B D L G O M E T T N H A
D F L A I R U W X Z N T P R I M S J V W T L O A M
H G L D Y R A O N O I T A N O R O C G E E S R R Z
L Y N M O N A R C H Y W E R T M C O U L R R H M S
P S P I D H K C W N B A T E P T O Q N S P E T I T
X S R R D I L W Y R G N F F L D I A D E T P I N R
R A O E N D O E I E A G T A W T C S T Q V P D G O
U L P D N N E D I G N I F I E D S Y T I L I B O N
Y C E P S N G W E R A S L R R E D A E L A L R H G
G I R L S E A L Y R A L I Y R U L E C N D S Z D O
H D O R U A E M A R J Q V D J R E G A L Y K M F E
```

ADMIRED	DIGNIFIED	FLAIR	MANNERS	RULE
ARIEL	DISNEY	GIRLS	MOAT	SLIPPERS
BELLE	DRAWBRIDGE	GOODWILL	MONARCHY	SNOW WHITE
CASTLE	DRESS	GOWNS	NOBILITY	SOVEREIGN
CHARMING	DRIVEN	JEWELS	PRETTY	STRONG
CLASSY	ELEGANT	KIND	PRIM	THRONE
CORONATION	ETIQUETTE	LADY	PROPER	TIARA
CROWN	FAIRY	LEADER	REGAL	WAND
DIANA	FAMOUS	LINEAGE	RICH	WEDDING

Skin

```
V E P I S X R U W J I B Y U X Y I Y V H C F Z I Q
O K W C G V I P F U Q K L N E U F N X H P W U K D
D N H W A K K N O I T A S N E S V J C E C A F R O
X H U M A N I V O N B U C G G D R T R M R E Y A L
T S M O O T H D R F Q A A K P M I S D E R M I S R
F E E L O C E W P E V N R M M I O H H L A M I N A
O L O U T E R G R C O V E R I N G T D A M A G E E
S F R Z B T U C E T X A S R I D A M W N B S H O L
S P A B S O R P T I O N S L V E X E E I U G G T C
Q L S A K R D H A O M U D A L E R H T N L C U A B
G M H J T P I Y W N V Z C X M E S X L O T I O N O
J V F K S N H Q G W R I A H E N C A W A S H R P P
```

ABSORPTION	DAMAGE	HIDE	OUTER	SMOOTH
ACNE	DERMIS	HUMAN	PERSON	SOFT
ANIMAL	DRY	INFECTION	PIGMENT	SUN
BARRIER	FACE	ITCH	PROTECT	TAN
BODY	FEEL	LAYER	RASH	THIN
CELLS	FLESH	LEATHER	RED	TOUCH
CLEAR	FUR	LOTION	ROUGH	WASH
COVERING	GLOW	MELANIN	SCAR	WATERPROOF
CUT	HAIR	NERVES	SENSATION	WET

Summer

```
Z G N I T A O B E Z Y W A R M I W S D N E I R F D
Y P K D T F C H B M M J L Q R Q K S A U X T T I M
Q S T G R A U T L N E E R C S N U S F F P O S E N
B K W F N M H A I G M C L O U D L E S S L C M M U
X W T N I I B Y S V K R P J N E E R G A O O Q E O
W G Q D K L H D T K I I A U G U S T S V R A E L C
U Z N I Y Y K C E R C T Y P L A Y S E I E G I T E
Y G N I T S A O R N A Z I E A F I R E W O R K S A
C G D E K M E Z I O A P V E S M V S E A S O N J N
W T R I P I R C N H C A E B S U N B A T H I N G M
J C Y M S Q B D G O R S Q I E D A N O M E L O O P
U K U Y G B T W A T E R D V S H A D E J S S H E B
```

ACTIVITIES	CLEAR	FUN	MEMORIES	SHADE
AUGUST	CLOUDLESS	GREEN	OCEAN	SUNBATHING
BALMY	DISCOVER	HAZY	PARTY	SUNGLASSES
BEACH	DISMISSAL	HIKING	PICNIC	SUNSCREEN
BIKING	DRY	HOT	PLAY	SWIM
BLISTERING	EXPLORE	HUMID	POOL	TRAVEL
BOATING	FAMILY	JOB	ROASTING	TRIP
BREAK	FIREWORKS	LEMONADE	SCORCHING	WARM
CAMP	FRIENDS	MELT	SEASON	WATER

Churches

```
S F C O F B E L L S A L V A T I O N C Z T M O B C
J M U I D O P L A U T I R I P S O R E L I G I O N
T R I N I T Y G R U T I L A N I D R A C P B M H A
S I S T E E P L E A B B E Y T P H O I L L M M M G
E F A E P P L A R D E H T A C I A S O E U S I I R
I F N T R M W T X I F I C U R C B R W N P V N S O
R A C Y I E S I A R P I A D O R A T I O N B I S C
P L T L O E S I E H D B A B I S H O P S L R S I R
E T U O H C N Y T E B U I L D I N G K I H L T O O
W A A C C A A H D P R E L U D E C H R I S T E N S
I R R A R R Y R O T A R O H T I A F O L D I R F S
Y O Y U P G W I N E P B E T H E L S N M Y H M J H
```

ABBEY	BISHOP	DEDICATION	ORATORY	PRIEST
ACOLYTE	BUILDING	FAITH	ORCHESTRA	PULPIT
ADORATION	CARDINAL	FELLOWSHIP	ORGAN	RELIGION
AFFIRM	CATHEDRAL	FOLD	PARISH	SALVATION
ALTAR	CHOIR	GRACE	PEW	SANCTUARY
BAPTISM	CHRISTEN	HYMNS	PODIUM	SPIRITUAL
BELLS	COMMUNION	LITURGY	PRAISE	STEEPLE
BETHEL	CROSS	MINISTER	PRAYER	TRINITY
BIBLE	CRUCIFIX	MISSION	PRELUDE	WINE

Comets

```
Q Y W S R J W D K O W A L A H P T S E W H E Y A F
O L N E L E P M E T D N M J S E N C K E M A U R Y
C R O M M E L I N U O A H O Z L O H H C A M B E I
R K T L S L D A A T W E T H O P K U S H I D A N F
X O G O P D F C T A L E Z N L L E S S U R G B D Y
N J N H A R D I Z I R J G S X K O T Y A F R Q A E
N I I R H V R I N M P M Y O F E B E N F O V X N U
N M R F R T M Q A L O S E N N I L R F R O L D I N
U A R N S A V O L R A E L O E T A P S L E R H E G
G E A H K Y N R E H C Y L L R B O E T H I N B L H
S C H A U M A S S E G X A A J K N I U G N A S E R
K E T U O H O K W O L F H G G D M K Z J L X I C S
```

AREND	FAYE	HARTLEY	LONEOS	SCHUSTER
BARNARD	FINLAY	HELIN	LONGMORE	SPAHR
BIELA	FORBES	HOLMES	LOVAS	SPITALER
BOETHIN	GALE	JOHNSON	MACHHOLZ	TAKAMIZAWA
BRORSEN	GARRADD	KOHOUTEK	MAURY	TEMPEL
CHERNYKH	GEHRELS	KOJIMA	OTERMA	TRITTON
CROMMELIN	GUNN	KOPFF	RUSSELL	WESTPHAL
DANIEL	HALLEY	KOWAL	SANGUIN	WOLF
ENCKE	HARRINGTON	KUSHIDA	SCHAUMASSE	YEUNG

Lots of Homework

```
I S K G Z L H F R E N C H B R E S E A R C H Z D P
A C W E G N I R O B R H W R I T E K C A P W S H R
Y Y S O N T S T A D E E C N E I C S L X O Y Y R O
E R S M R I J E E C A M E S S A Y C A S H S L E J
V C O E E K F H S R D I F F I C U L T P I P L V E
R H L T N L S E T I A S P E L L G U A C S A A I C
U S V R S I B H D A C T P E U E D R S F N P B E T
S I E Y N I L O E L M R U S B Y G O H G O E U W U
J L P I E S H D R E Z Y E R C O M P U T E R S T T
V G F R E W S N A P T P A X E S P A N I S H G S O
L N J Q S T L U S E R O R G E Y G O L O I B S O R
U E L I C N E P G D D C M P M E M O R I Z E P L T
```

ALGEBRA	DEFINE	HISTORY	PHYSICS	SPANISH
ANSWER	DIFFICULT	LANGUAGE	PROBLEMS	SPELL
BIOLOGY	ENGLISH	LITERATURE	PROJECT	STUDY
BORING	ESSAY	LOST	READ	SURVEY
CALCULUS	EXERCISES	MATH	RESEARCH	SYLLABUS
CHEMISTRY	FORGOT	MEMORIZE	RESULTS	TUTOR
COMPUTER	FRENCH	PACKET	REVIEW	UNFINISHED
COPY	GEOGRAPHY	PAPER	SCIENCE	WORKSHEET
DEADLINE	GEOMETRY	PENCIL	SOLVE	WRITE

Playing Games

```
S Q P O I N T S O N Z F H O C K E Y I Y L T R E U
T X I Q C N C L C N T E U Q O R C H A S E R U W I
R B A U O O Y Q O R A U X F P E C I D H A I L P U
O Y R G D M M I Y R A N O I T C I P Y G S V E O D
P S A I P M T P T R E B H L S R H T E N N I S Y A
S T Y I D A C S U E U S B P L E E I P Z C A F L P
O R C F X G J H Z T E M R L T A L L L A B T O O F
C A L A H K E T E L E I M A E T B B K D R R D P G
C T L C G H C T S S R Y Y A I I E R R R T G O O
E E I L L A B T E K S A B E M O N F S A I E Y N L
R G K U Y B A T W I S T E R S N G I T A M W N O F
R Y S E C B W D K C A R D S U K O L B J B T Q M L
```

BACKGAMMON	CHESS	HEARTS	POINTS	SOCCER
BASEBALL	CHILDREN	HOCKEY	QWIRKLE	SPORTS
BASKETBALL	CLUE	LIFE	RECREATION	STRATEGY
BATTLESHIP	COMPUTER	MARBLES	RELAXATION	TAG
BINGO	CROQUET	MONOPOLY	RISK	TEAMS
BLOKUS	DICE	OLYMPIC	RULES	TENNIS
BRIDGE	FOOTBALL	PARTY	RUMMY	TRIVIA
CARDS	GO FISH	PICTIONARY	SCRABBLE	TWISTER
CHASE	GOLF	PLAYERS	SKILL	YAHTZEE

Music Festivals

```
F O J S D H J L N G U I T A R T O Z Z F E S T K Z
J Q S A Q E O G N R O L E S N H E G R A L S B V S
D F P X R V T I C K E T S X U S H O W E E K E N D
R L F L E E G X S W S W P O P M L Z K R C R E U L
O I D A R N L R C E O B C Y S E M F N L T G R F E
C F E W I T E O L O N O W U T E R E U A R R T S I
K S G S A G N P R O G I D J L I G I R U O O M Z F
K O A R N C O A M D R U M S E T R F E N N U E E A
G L T I E E N R M A Z M Y N T T U A O N I P T V N
R N S R P N W T C R O W D Y N O C R H A C I A I Y
P C T D O O F Y Y P H S V A S T C O A C H E L L A
E C L B A N D U O L X H J J S O E K X L U S P V D
```

ACTS	CROWD	FOOD	LOVE	SHOW
AMP	CULTURAL	FRIENDS	METAL	SINGERS
ANNUAL	DAY	FUN	OPEN AIR	SINGING
BAND	DRUMS	GENRES	OZZFEST	SONG
BEER	ELECTRONIC	GROUPIES	PARTY	STAGE
BONNAROO	EVENT	GUITAR	PEOPLE	SUMMER
CHARITY	EXPERIENCE	LARGE	POP	TICKETS
COACHELLA	FAN	LIVE	RADIO	WEEKEND
CONCERT	FIELDS	LOUD	ROCK	WOODSTOCK

Antiques

```
Q D P I A N O S E N H K Y I S K C O L C Y T V F R
T C N H N Y E Q O I P Y N J H C A R V I N G S W A
I D X A O H G I S V W V E F O P F V P R E P A I R
L S A C S T T T F N E W Z U P T O A B G P T T R E
R R C I S I O C A S E R U R P S S R R A C Q E A K
A I D T D R L G T L N G A N I C N N C H R D K U S
Y A A N Y O R M R V A I O I N H Q I E E O G R C T
G H O E T O E Y F A S D F T G I Y S O E L B A T A
Q C P H O N O G R A P H R U I N T H R C Y A M I I
H Z I T T S E L L M K H A R L A N I G I R O I O N
W N C U S E S A V A G E M E F I T T I N G S L N Q
G X L A M P S E R O T S E R U S A E R T J D Q N A
```

AGE	CLOTHING	HISTORY	PHONOGRAPH	SELL
APPRAISAL	COINS	INVESTMENT	PHOTOGRAPH	SHOPPING
AUCTION	CONDITION	JEWELRY	PIANO	SOFA
AUTHENTIC	DISHES	LAMPS	PORCELAIN	STAIN
BARGAIN	FAKE	MARKET	RARE	TABLE
CARVINGS	FITTINGS	NEGOTIATE	REDO	TREASURE
CHAIRS	FRAME	OLD	REPAIR	VARNISH
CHINA	FURNITURE	ORGAN	RESTORE	VASES
CLOCKS	HATS	ORIGINAL	SAND	WATCHES

Sponges

```
Y W C M H S Y N T H E T I C H T A B O B W O I B H
Q F W K M T R A N S F O R M F G F B N H C P T M Q
A C H A V W A T E R M T F E N G U H A F O O L Q D
A S M P S V E J G A S B E E Z R N O T O R S K Q P
O U J U C H S N R X A R G S C E F I R S A S O O Z
W J E N I U O I E C Q Y C S K N E G V S L P O H P
T Z L R T C N L T G X C H E K E A U W I P E C U U
G J L E A E L E E O A E T S N N L E Q L D C E B P
P H Y L U M R A D S F L E X I B L E L S F I A I Q
I Q J G Q I W L C B V L L S S U K I T C H E N W R
L A R V A E R A U Q S S M O I H Q T O O L S M R C
J I Q Z T X R T E Y S Q S E C A F S P O N G I A O
```

AQUATIC	DETERGENT	LOOFAH	SEA	SYNTHETIC
BACTERIA	DIVING	MARINE	SINK	TAN
BATH	FACE	OCEAN	SKELETON	TOOL
BOB	FLEXIBLE	ORGANISM	SOP	TRANSFORM
CALCIUM	FOSSILS	OXYGEN	SPECIES	TUB
CELLS	HOLES	PHYLUM	SPONGIA	WASH
CLEAN	JELLY	REEF	SQUARE	WATER
COLLAGEN	KITCHEN	ROUGH	SQUEEZE	WET
CORAL	LARVAE	SCRUB	SQUISHY	WIPE

Politicians

```
S P E E C H O N E S T W E S O P P O L I C Y H L J
R O T A R O S W E E H T V E G D U J R K U P A W Q
K L A A H V O T N A H P E L E S E S I M O R P W T
K O B E R F I I C I D E T C E L E C T W H H G P T
A B E D F C B G C N N N O M I N A T E I S T A T E
X B D I Y A O S M A I J V O X Q P R A I M R V L R
A Y C T C V S M M P U C A M P A I G N T I E O M
M E V R E S P R E S I D E N T R A L L Y E F L C R
A K R R O G I V T D L A M R O F T A L P R L U A C
Y N N B L A D I S W A L G O P I H S R E D A E L E
O O J H H M C U B G C J I L Y R Q O G I X P C D F
R D T C E E P U B L I C M B W Y O D D S A V J E H
```

BILLS	DEMOCRAT	JUSTICE	OPPOSE	PUBLIC
BOSS	DONKEY	LAWS	ORATOR	RACE
BUDGET	ELECTED	LEADERSHIP	PARTY	RALLY
CABINET	ELEPHANT	LIMITS	PLATFORM	SERVE
CAMPAIGN	ETHICS	LOBBY	POLICY	SPEECH
CHAIRMAN	GAVEL	LOCAL	POWER	STATE
DEBATE	GOVERNOR	MAYOR	PRECINCTS	TERM
DECEITFUL	HONEST	NOMINATE	PRESIDENT	VETO
DELEGATES	JUDGE	OFFICE	PROMISES	VOTE

Chandeliers

```
F I T Y Z D H U Z N L N O O T S E F E A C J J P Q
N P F C P G T H G I L X P M A L I A R E P O Y V J
S J S N M P S C E E S U S P E N D E D M A D P U G
T K W A E L D N A C K C I C L Y F I D S R A O F K
Y S D F U E L E G A N T T H L R B N A I T E N E V
L S F X I G G R C L D R O P A H U A F R I B A U E
E A U J L X N F W K I U O C F O L I A P R X C Q O
M R T A C G T I E C S H T C R O B M N I A H C I Z
Y B S E I K G U G E V I S N E P X E G M O O R T Q
F S Y S M I N I R N V T A M T D O H C E I L I N G
B R E V L I S U N E A T O U A Z T O C R Y S T A L
B D I N I N G J A C E H K A W W X B X R E V K Z M
```

ANTIQUE	CEILING	EXPENSIVE	HOUSE	PRISM
ART	CHAIN	FANCY	LAMP	REFRACTIVE
BEAD	CRYSTAL	FESTOON	LIGHT	ROOM
BOHEMIAN	DECOR	FIXTURE	LUXURY	ROUND
BRASS	DESIGN	FRENCH	METAL	SILVER
BRIGHT	DINING	GLASS	MINI	STYLE
BULB	DROP	HANGING	NECKLACE	SUSPENDED
CANDLE	ELECTRIC	HOME	OPERA	VENETIAN
CANOPY	ELEGANT	HOOP	ORNATE	WATERFALL

Florida Counties

```
Y A U N I O N O T L A W O R A N G E G U L F F G C
Y Y Y H Y N O S K C A J F Z H C O L L I E R Q E D
N O T O S E D N A K B R H I G H L A N D S M W G R
O A P L N D Z C U P A L M B E A C H A L A C H U A
I L D M O S V L R N S J E Z B R A D F O R D E B V
R O L E S D L E K E O G S T N L P I H E N D R Y E
A E A S I A L L M B R Y C A P O L K B C O O N L R
M C V C D G I I I L A F A Y E T T E I M W G A E B
K S U W A N N E E N T Y M L V T W T M A U K N V N
D O D L M O N R O E N U B O C E R E R O E L D Y V
G L F D L E E E D R A H I R J U N D C A L H O U N
Y T R E B I L L D C S K A I S U L O V L P A S C O
```

ALACHUA	COLLIER	HARDEE	LEVY	POLK
BAY	COLUMBIA	HENDRY	LIBERTY	SANTA ROSA
BRADFORD	DESOTO	HERNANDO	MADISON	SEMINOLE
BREVARD	DUVAL	HIGHLANDS	MARION	SUWANNEE
BROWARD	ESCAMBIA	HOLMES	MONROE	TAYLOR
CALHOUN	FLAGLER	JACKSON	ORANGE	UNION
CHARLOTTE	FRANKLIN	LAFAYETTE	OSCEOLA	VOLUSIA
CITRUS	GADSDEN	LAKE	PALM BEACH	WAKULLA
CLAY	GULF	LEON	PASCO	WALTON

Basketball Game

```
N H C N E B A N K S H O T D E F E N S E Z X F W T
B E Y E S R E J C P F E K G H N F O U L S H O T O
A G S C N Y R O H F M C N D R I B B L I N G R O V
C D F N H T R E E I O I J S E M K R S R A N W H I
K O F E A E E N T L L U L L R A E E S O M I A S P
B O O V B F S R C E M A D O E V L B A O G T R K M
O W Y O R E E T V P M G F R O A K O P D I O D O G
A D A M L V O A P D O I B N Y W L U W K B O G O U
R R L N O H R A U A N T R U O C A N O C E H T H A
D A P I S T S N L U S U P E L F W D B A G S U X R
V H W P I S K X R A T S S A P D N I L B L O C K D
T S I S S A O F F I C I A L S F A D E A W A Y K I
```

ASSIST	CHEST PASS	FIELD GOAL	NBA	SCOREBOARD
BACK DOOR	COURT	FORWARD	OFFENSE	SHOOTING
BACKBOARD	CUT	FOUL SHOT	OFFICIALS	SHOT CLOCK
BANK SHOT	DEFENSE	GUARD	OVERTIME	SLAM DUNK
BENCH	DRIBBLING	HARDWOOD	PERIMETER	SPIN MOVE
BIG MAN	ELBOW PASS	HOOK SHOT	PIVOT	TRAVELING
BLIND PASS	FADE AWAY	JERSEY	PLAYOFFS	TURNOVER
BLOCK	FANS	JUMP PASS	REBOUND	UNIFORM
CENTER	FAST BREAK	LAYUPS	RUN	WALK

The Shape of Things

```
R K A S T A R G E D I A M O N D E W H O P P I N G
U O D U L A V O Y K E A L I T T L E C U E S J T O
K Y D E V R U C U H U V N T N D G I G A N T I C V
W W U S Q U A R E N H I R C P I N G E M T R T H F
A S A N A R R O W O D I O Z E P A R T Q A A A U U
V H P E S P I L L E A L F V T L T T N I G I L B A
M A M M O T H L K N O D I A I O C Y U O O G F B U
L L T M D U O O G S C S E H T B E R N R N H E Y P
M L G I G W O L S K S R H E E M R G I N E T I N Y
M O A E A R E A Y A G I B O P U Y O R C I R Z G I
Z W C T C G L S M A L L R B R J K N A A V K D Q H
K T B H U B C C T Y N U P E E T S A M D L K S I V
```

BIG	ELLIPSE	JUMBO	PENTAGON	SQUARE
BROAD	FAT	LARGE	PETITE	STAR
CHUBBY	FLAT	LITTLE	PUNY	STEEP
CIRCLE	GIGANTIC	MAMMOTH	RECTANGLE	STRAIGHT
COLOSSAL	GREAT	MASSIVE	ROUND	TALL
CROOKED	HIGH	MINIATURE	SHALLOW	TINY
CURVED	HOLLOW	NARROW	SHORT	TRAPEZOID
DEEP	HUGE	OCTAGON	SKINNY	TRIANGLE
DIAMOND	IMMENSE	OVAL	SMALL	WHOPPING

Seen While Driving

```
T N R A C S H W W J I B O W H M S D M R A F T U M
R D Y O N M S O G Y L E T O M U E D E E R O U T E
D R X P A D O E U L N H R Q N E I X A I E E P S P
L B U I L D I N G S L S I R F S T E D F V L B K M
L E Y E S A C I U D E A I J H U I L O T I P A C C
D H I R B A N A S M I S N M S M C R W O R O R U C
I F O E T A A T F R E R U D D U E G S U S E N R A
T T L T T N H N A F A N B W M S N O W R I P O T N
N R L U E G U U P T I C T T T A L S H I G H W A Y
W E R N I L V O G B I L L B O A R D E S N A E C O
Y E D L C O S M C Q S O C I K J P K C T O W N S N
W A F J Z M I L E S T O N E S E R U T S A P H J C
```

BARN	CLIFF	HOUSES	MUSEUM	SIGN
BILLBOARD	COUNTRY	LAKE	NATURE	SNOW
BRIDGE	DEER	LANDMARK	OCEAN	SUNRISE
BUILDING	FARM	LIGHTS	PASTURES	SUNSET
CANYON	FIELDS	MEADOWS	PEOPLE	TOURISTS
CAPITOL	FOREST	MILESTONES	PLANTATION	TOWNS
CARS	HIGHWAY	MONUMENT	RIVER	TREE
CATTLE	HORSE	MOTEL	ROAD	TRUCKS
CITIES	HOTEL	MOUNTAIN	ROUTE	WOODS

It's Magic!

```
E S A N X L X E T B Q T Y E S K S F L O A T I N G
K R P C O D E X U T S R G V T C F Y N T I L Y N F
O T P A D I S A P P E A R I E I S O N B L S I U E
M F E R E N T E R T A I N E K R I E B U R H O R A
S F A D C A X C S C S Z B C C T L A S O S M E N T
G A R S N Q R Y I P L I T E I A R I R I H M E I H
N L A D E B M T Y D E O L D T N O R N I R N J A G
I L N O I T A T I V E L A A S N I A D O I P L T I
R A C H D E P A C S E R L K T M V D F T A H R R E
W M E T U S E C R E T P P A A N E R U J N O C U L
D E T E A S E V O D R R O T G N E O C O I N S C S
A Q X M A G I C F M T C Y Z E P R M B S H O W V R
```

APPEARANCE	DECEIVE	HOUDINI	PREDICTION	STAGE
ARTISTRY	DISAPPEAR	ILLUSION	RABBIT	SURPRISES
AUDIENCE	DOVES	LEVITATION	RINGS	TALENT
CARDS	ENTERTAIN	MAGIC	ROUTINE	TICKETS
CLOAK	ESCAPE	MENTALIST	SECRET	TRADITION
COAT	FEAT	METHODS	SHOW	TRICK
COINS	FLOATING	MIRRORS	SLEIGHT	TUXEDO
CONJURE	HAT	MYSTERY	SMOKE	VANISHING
CURTAIN	HIDDEN	PERFORMER	SPELL	WAND

Classical

```
I Y J O K E S E Y T N E L L E C X E I Z B M L I F
G D A M A R D J T I V A R X P G I S N I A R T N P
D E S I G N I U L S N I G U F H T N G H V L G E E
N M R I M D Y E C G A E N U T H I B A S K N R V R
S O M O E O P I U A N T R T U A A L C T I S R O I
C C I A Y P V A S D T N E M A N R U O T I S E H O
H I L H E A G I U S I I O O D G L E N S W T T T D
R S T Z S E L R E T Q R O C K P E I T O O R A E H
J U O B V A I T U Y U J L N T P A E H I A P E E M
Y M N D N N F R Y L E I L U Q P N S Y A L P H B J
F F L O G H E L E E S B R Y R T E O P F U H T Y S
H O M E R B I C Y C L E S S E L E M I T C E L E S
```

ANTIQUES	ENDURING	LANGUAGE	PERSISTENT	STYLE
ART	EXCELLENT	LITERATURE	PHILOSOPHY	TASTE
BEETHOVEN	FASHION	MILTON	PLAYS	THEATER
BICYCLES	FILM	MONA LISA	POETRY	TIMELESS
BIG BAND	FURNITURE	MOVIE	ROCK	TITANIC
COMEDY	HOMER	MUSIC	ROYALTY	TOURNAMENT
DESIGN	HUMOR	OLD	SCULPTURE	TRAINS
DRAMA	IDEAL	PAINTING	SELECT	VINTAGE
EDUCATION	JOKES	PERIOD	SHOWS	ZEPPELIN

Manners Matter

```
P L A I C O S V C L R Q G K M U R O C E D V G P J
G R U W G U Y P U E S V N L I S T E N I N G R A E
N Y I F Y S L F S U C S I C R N E Z P O I S E T T
I F T V T E E P T T I N T M O I D L I V I C E I F
P R E Y A C E R O R F O A E I N O O B C D G T E I
P I L S A C A O M I I I E R V M D C H A R M I N G
I E E R T U Y T A V R T S L A E M U E A R M N C T
T N G F E V D O R J O C B T H E S L C L D O G E N
E D U R U X I C Y N N A I P E C P I X T B W N R C
S L E W E H T O E C O C Q L B L O P A L A M R O F
P Y S S U B T L E T H A N K S U N C A R E F U L H
U L T C Q Z C S A D D R E S S R E P O R P A T H X
```

ACTIONS	DECORUM	GUEST	POISE	STYLE
ADDRESS	DIPLOMATIC	HONORABLE	PRAISE	SUBTLE
APPEARANCE	EATING	HONORIFICS	PRIVACY	TACTFUL
BEHAVIOR	FORMAL	HUMBLE	PROPER	THANKS
CAREFUL	FRIENDLY	KIND	PROTOCOL	TIDY
CHARMING	GIFT	LISTENING	QUEUE	TIPPING
CIVIL	GRACEFUL	MEALS	RESPECTFUL	TONE
CONDUCT	GRACIOUS	PATIENCE	RUDE	TURN
CUSTOMARY	GREETING	PLEASE	SOCIAL	VIRTUE

Dishwashers

```
G T B U R C S Y S F F G R L M I Q M A E T S U M X
Q E M F L L I X T O K U T E N S I L S P O W D E R
L U I E A Y L V O R N F N P M V M A Y T A G R V H
G S E Z C F V D E V I C E L F I E D T I B O W L S
K F C I I W E O Y H S D G U Q R T A E G M L U U A
Q C N T N K R O F D E R R M G S O O O N D L D C W
Y B A I A E W R V G U A E B U B B L E S I S H K G
H E I N H F A U T O M A T I C K C K S P U H K E G
S W L A C I R T C E L E E N F Y C A P O Q S C T E
W V P S E N E S T O P Y D G A F L A Y O I R A A L
I Z P A M K X A O C U Y T E F G N J T N L T R L M
R Y A R P S V F H O C O A K F S N O E S N I R P Z
```

APPLIANCE	DOOR	KENMORE	PLUMBING	SINK
AUTOMATIC	ELECTRICAL	KNIFE	POTS	SPOONS
BOWLS	FAST	LIQUID	POWDER	SPRAY
BUBBLES	FOOD	LOAD	RACK	STACK
CLOG	FORK	MACHINE	RINSE	STEAM
CUP	GLASS	MAYTAG	SANITIZE	SUDS
DETERGENT	GREASE	MECHANICAL	SCOUR	TIMER
DEVICE	HEAT	PANS	SCRUB	UTENSILS
DIRTY	HOT	PLATE	SILVERWARE	WASH

Ping Pong

```
O W V F P Q W A D E B Z N H S S U D L O H N E P Y
N I P S P O T I R K V X Q C T H E L O O P U H L P
B L O C K U S S O T N I O C T F G A P A L C L A M
S F L I P T T A P T Z R R T D A D R A G G A Z Y O
Y J E P O A E I S C E O E D M A E G D N R B N E Q
H U U M B D N A H K C A B E P B G E D I I L R R F
E S O Y G G F O O F M U N W B O E B L P P A U S W
H H Y L P R D S T S T G Z U S P O A E S C D T T M
A X V O L L E Y M V L T R S S S Q L S K H E E N Y
B C N S H A K E H A N D I O L U L L E C I D R I S
Q G C D S E L G N I S M V E L B A T W A N C H O P
X O H W U M T D B V A H E V R E S Y J B A N O P A
```

ASIA	COIN TOSS	ITTF	PLAYERS	SHAKEHAND
BACKHAND	DROP SHOT	LARGE BALL	POINTS	SINGLES
BACKSPIN	ENGLAND	LOOP DRIVE	PUSH	SMASH
BATS	FAST	NET	RACKETS	SPEED GLUE
BLADE	FLIP	OLYMPICS	RALLY	TABLE
BLOCK	GAME	OUT	RETURN	TEAMS
CELLULOID	GOSSIMA	PADDLES	RUBBER	THE LOOP
CHINA	GREEN	PENHOLD	SCORE	TOPSPIN
CHOP	GRIP	PING PONG	SERVE	VOLLEY

Coaches

```
G H S S E R P R E C C O S D Y G S E T E L H T A I
G R E G L W O R K O U T F T E E N E L T S I H W T
P E C L I P B O A R D T K O L C L I N B A D S Y U
I C O L L E G E R C D L C U O U N L N I O Y E G T
H O T A C T I C S E T F R U W T S A R N T S S E O
S R N B C L A P M Y W I R L R C B E D T U U S T R
R D S T N A T S I S S A C S H T N A R I E R O A H
E X P E R I E N C E G F R E E I S U L G U A L R T
D O E K A D V I C E X A D D A O Q N T L G G M T U
A G E S W I M M I N G U M R I M O T I V A T E S O
E F C A M D D R I L L S T E R N W E I V E R D L Y
L J H B O F F I C E G O A L S F G Y S L L I K S L
```

ADVICE	ENCOURAGE	LOSSES	REWARDING	SWIMMING
ASSISTANTS	EXPERIENCE	MOTIVATE	ROUTINES	TACTICS
ATHLETES	FOOTBALL	OFFICE	RULES	TEAM
BASKETBALL	GAMES	PLAN	RUNNING	TRAINER
BOSS	GOALS	PRACTICE	SCHEDULE	TUTOR
CLAP	GUIDANCE	PRESS	SKILLS	WHISTLE
CLIPBOARD	INSTRUCT	RECORD	SOCCER	WORKOUT
COLLEGE	LEADERSHIP	RESULTS	SPEECH	YELL
DRILLS	LEAGUE	REVIEW	STRATEGY	YOUTH

Bicycle Journey

```
P B H M R W M S M N D P M A L D A E H S U K A L F
U E F B I C Y C L E J T P E D J T E M L E H X Y Z
Q L Y E S R E J R E K S B S X V R Y O K W N B L N
G L A N X L T O S R O T C E L F E R U K O Z D N E
M E X D B E L V S C D S I G N A L N N I F C R U V
A V A A E P R A E S N W P A T H O U T D O O R S Z
L R C R X P N C R N E E M D R N J I A U H M R T P
N I T E D I R A I U K A U N I I R M I R R O R E G
C S R P M A C T T S E T P A H T A V N J A E F E V
X E K A R B S I W Q E C H B U P H P S D N E I R F
Z O T G S E V O L G W C A N A T U R E T U O R C H
S S U W P I C N I C I T Y P X W A T E R A C E A X
```

ADVENTURE
BANDAGES
BELL
BICYCLE
BRAKE
CABLE
CAMP
CHAIN
CITY
EXERCISE
EXPLORE
FRIENDS
GEAR
GLOVES
HEADLAMP
HELMET
HORN
JERSEY
MAP
MIRROR
MOUNTAINS
NATURE
NUTRITION
OUTDOORS
PACE
PATH
PEDAL
PICNIC
PUMP
RACE
REFLECTORS
REPAIR
RIDE
ROAD
ROUTE
SIGNAL
STAMINA
STEER
STREET
SUNSCREEN
SWEAT
TIRES
VACATION
WATER
WEEKEND

Podcasts

```
L S J S P O R T S E L I F Q R D R O C E R X R H S
E W H G W M E D I A E S U B S C R I B E O G X I V
C E Y O Y X T B N N W R J J G D D M X A I N G D F
T N G G W A U C U B Q H F U O O O P U B D I N A I
U U E E O D P S L S C L I P S B E D U C A T I O N
R S T T I L M N D A I D I I I R I H E J R E R L A
E E I O S A O U Y D E N P L I O C M C C P K A N N
Y R I B R I C N S V T E E E L P P A A I N R H W C
N V D G N I L D H I K A N S K R O W T E N A S O I
A E O I P Z A K A C C C L A S S R O O M R M H D A
P R P H O N E L D E E F Y K M I X K F M B T B N L
P O N L I N E P S C I T I L O P I S S O G K S W E
```

ADVICE
APPLE
AUDIO
BUSINESS
CLASSROOM
CLIPS
COMPUTER
DOWNLOAD
EDUCATION
ENHANCED
EPISODIC
EXPERIENCE
FEED
FILES
FINANCIAL
FREE
GOSSIP
GUIDE
IPOD
LECTURE
LISTEN
MARKETING
MEDIA
MOBILE
MUSIC
NETWORKS
NEWS
NICHE
ONLINE
OPINION
PAY
PHONE
POLITICS
PROGRAMS
RADIO
RECORD
SERVER
SHARING
SHOW
SPORTS
STREAM
SUBSCRIBE
TALK
TECHNOLOGY
TUTORIAL

Learning

```
T A E S T C E J B U S P O H S K R O W L J T N J M
H N I X S C X X X D R A W E R C U R V E P G S U A
I I E D P B P N D A X N W W U N I V E R S I T Y X
N M C M E E E H C N R O I V A H E B E T A C U D E
K A N H S M R T T R A I N H A D Q P L A Y R D A V
I L E C F S I I U A C T S I N T E R E S T C Y E R
N S I A V C E T M O M A S K A T H C R A E S E R E
G E C E E T N S L E C V C R I R S T I M U L U S S
B L S T R T C L S U N I H T E L B E U S S A L C B
O U M A S T E R T A M T I U H D L S Q Y I H R F O
O R M U M G Y H P O S O L I H P N T C L O O H C S
K S L M E M O R Y P N M D V V I S U A L T O N V I
```

ACQUIRE	CURVE	MEMORY	RESEARCH	SUBJECTS
ANIMALS	DECISION	MOTIVATION	REWARD	TEACH
ASSESSMENT	EDUCATE	MULTIMEDIA	RULES	TEST
BEHAVIOR	EXAM	OBSERVE	SCHOOL	THINKING
BOOK	EXPERIENCE	PHILOSOPHY	SCIENCE	TRAIN
BRAIN	EXPERIMENT	PLAY	SKILL	UNDERSTAND
CHILD	INTEREST	PRACTICE	SMART	UNIVERSITY
CLASS	MASTER	READ	STIMULUS	VISUAL
COLLEGE	MATH	REPETITION	STUDY	WORKSHOP

The Golden Girls

```
F S E N I O R D V N M O C T I S O C I A L D M F M
I T A L I A N Y L K O O R B A I H P O S I M A I M
G P A S T E L E K A C E S E E H C U L T T V J F A
M G P J I I E I T I H O P T S A I N N O C E N C E
G E H R C C T N L C U I U A F M A T O S E N N I M
N O F I R C A O N T N T I F M S A R C A S M Y F R
I R S O H L H A H S I N F I D E L I T Y B E L L E
T G V E T T L E U T T I G W I D O W Y H T O R O D
A I N A A B R L S O P R I E S T J F H O U S E R L
D A C C E N T B L Y A O T N E M E R I T E R D I O
R E P M E T U A T N A I G E W R O N E M O W L D Y
I S S U E S F E T A M M O O R E H C A E T C E A T
```

ACCENT	DATING	INFIDELITY	OLDER	SITCOM
ATLANTA	DIVORCEE	INNOCENCE	PASTEL	SOCIAL
BEA ARTHUR	DOROTHY	INSULT	PRIEST	SOPHIA
BELLE	ELDERLY	ISSUES	RETIREMENT	SOUTHERN
BLANCHE	FLORIDA	ITALIAN	ROOMMATE	SUBSTITUTE
BROOKLYN	FRIEND	KITCHEN	SAINT OLAF	TEACHER
CATHOLIC	GEORGIA	MIAMI	SARCASM	TEMPER
CHEESECAKE	HOUSE	MINNESOTA	SENIOR	WIDOW
CULT TV	IMMIGRANT	NORWEGIAN	SICILY	WOMEN

Young Love

```
A P L A Y F U L E R I S E D N U O B L L E P S K P
E C A R I N G M U S H Y B D T N E M R A E D N E I
K I S S M I T T E N D Y A D V A B R D N N E Q N H
I O D E S S E S B O S Y C E U L P O O A C T F R S
L W V W P I N K O A D G S T V S R I H N F A C F T
W O E C A T O H T R N S I T U E T D A E T V A I R
L E M R R M D N E I R F Y O B O L M L U M I N R U
T Y B U T L A A N E U H E S M O O G A L T T D S O
L O R S I F M R W L S G W E H R G T U H A P L T C
R U A H A L A O C U R E G B H I E K F H K A E E L
B N C U L E L T L O N G I N G D C U P I D C S G C
V G E U Y F F B G S E T A D A R L I N G T R I L F
```

ADORE	COURTSHIP	ENDEARMENT	HUG	PARTIAL
BEAUTIFUL	CRUSH	FAITHFUL	INFATUATED	PASSION
BESOTTED	CUPID	FANTASY	KISS	PLAYFUL
BLUSH	DARLING	FIRST	LIKE	ROMANCE
BOYFRIEND	DATES	FLIRT	LONGING	SMITTEN
CANDLES	DAYDREAM	FLOWERS	LOVE	SPELLBOUND
CAPTIVATED	DESIRE	GIGGLE	MUSHY	SWEET
CARING	EMBRACE	GORGEOUS	NEW	YEARNING
CHILDHOOD	EMOTION	HOLD HANDS	OBSESSED	YOUNG

Pizza Place

```
J I L M O O R H S U M J P Z P L A T E S O F R N I
E J Z I S E L B A T N O I N O C O L O N S E C H Q
B G N I N I D G A M E S Z Z B P P H A M T F A E F
G T U T O P P I N G S V Z Z A P C G A S A E L C H
N H H W R D M A B E F K A R A A E R I A E T Z U C
X I E A T I N G R A I U S E N R I G S T M A O A A
N N O C A B E T A M S L N I O N E O N S I G N S P
N E E H P M I S Q E E I P V A R O L K A H K E I E
O V N E G A W U U Y P S L R D Z L N L P E P P E R
T O H W W U X R C I L R A G O A I M N A P K I N S
I L W Y O S O C H I C K E N S R V T A S T Y L X D
O S N I I A B D E H S A F W D R E B N S V N H H Z
```

BACON	DOUGH	MEATS	PARMESAN	SAUCE
BASIL	DRINKS	MOZZARELLA	PARSLEY	SODA
BOX	EATING	MUSHROOM	PASTA	SPINACH
CALZONE	FETA	NAPKINS	PATRONS	TABLES
CAPERS	FUN	NEON SIGNS	PEPPER	TASTY
CHEWY	GAMES	OLIVE	PINEAPPLE	THIN
CHICKEN	GARLIC	ONION	PIZZA	TOMATO
CRUST	HOT	OREGANO	PLATES	TOPPINGS
DINING	MARINARA	OVEN	REGISTER	WAITRESS

The Peanuts Gang

```
C D T N I K P M U P E F L O S E R E D B A R O N K
B H M M I I C R A N I M A T E D A E H K C O L B P
V L U L T I M H I L N C F I A W T K C W O L L E Y
C L A C I S U M R E O R H M L E Y C S L E Q A A T
M A H N K F G E W I I V E I R S H O P E A J B G T
A E R R K X D S P E S R A M L A S T E M L S E L A
R F P T W E P B N Y I T I B R D E S A E T R S E P
C B Q E O A T D L C V N M A L C X D N U O R A I U
I L C R P O S I A D E H C A I E C O U W S U B H C
E U H E K G N N K D L T G M S F O O T B A L L O C
Y C R O M U H F N E E W O L L A H W S N O O P Y Y
S Y A A S A L L Y R T C D R W R N Y B A O O W N A
```

AMERICAN	CHARLES	FILM	LUCY	ROUND
ANIMATED	CHILD	FOOTBALL	MARCIE	SALLY
BASEBALL	CHRISTMAS	FRIENDS	MUSICAL	SCHROEDER
BEAGLE	CHUCK	HALLOWEEN	NEWSPAPER	SHY
BLANKET	CLASSIC	HUMOR	PATTY	SNOOPY
BLOCKHEAD	COMIC	KITE	PEANUTS	TEASED
BOY	DETERMINED	LINUS	PITCHER	TELEVISION
CARTOON	DOG	LOSER	PUMPKIN	WOODSTOCK
CHARACTER	FAILS	LOVABLE	RED BARON	YELLOW

Tropical Paradise

```
D K E A G G E R E T A W S E V A W C Y U I L A P D
U H P Y W R E J R B Z I S L A N D A Z P H Q M A N
B E E A S E H C C N U S R P H R W O K M U N T R A
I O R P F E C V L E W E H P B A E C O A R O C A S
N M E A A O O E I I H A W A T P A L M F R O N D N
O O W P R C K N M T T S I E R B R A A D I G T I A
I D O A S R S M A V U H G N D K R B O X C A S S T
T T L H O H I E T C N E T I I I E L C S A L K E G
O W F N P N W P E X O L A P N K P Y J W N T N A X
L W S C G Y T L A S C L K E S H I E T A E H I O F
X N Q Q I A T I A M O S Q U I T O B E A C H R O U
U G U F B X M H I E C Q A N A N A B H U M I D W N
```

AQUAMARINE	DRINKS	ISLAND	PINEAPPLE	STORM
BANANA	ESCAPE	LAGOON	REEF	SUN
BEACH	FLOWER	LAID BACK	REGGAE	SWIMMING
BIKINI	FOOD	LOTION	RELAXATION	TANS
CANOES	FUN	MAI TAI	SALTY	TYPHOON
CLIMATE	GETAWAY	MOSQUITO	SAND	WARM
COCONUT	HEAT	PALM FROND	SEASHELLS	WATER
CORAL	HUMID	PAPAYA	SHARK	WAVES
DOLPHIN	HURRICANE	PARADISE	SNORKEL	WEATHER

Dog Breeds

```
R U B E C S S P E C I E S M A L L G X H U S K Y F
G E N E T I C N H F S E Y R E L I E W T T O R B P
B A X V W R H A I A N C E S T R Y D G R O G K E T
D R I O E N I U C N G K U L W N O A B V N D A A
P W E S B T A N S H I M M U O U D I D D D I R G O
Z O C E Y R U A E S A T A H H P T U O I G T E L C
N U I P D I Z R T I P U S S E S T X B R O N H E H
E R E N F E E T O J R H E T S G Z E B D U P I O
I I U F T V R M E X E C H I M I C E R Y L H E L W
G N I D R E H O R P A S E P H O F K M H L J H L D
M I X E D R R P A D E N I N A C D F A Y U Y S O W
Y C V C L R P P O O D L E M B H O U N D B A L C E
```

AKC	COAT	HUNTING	PIT	SETTER
ANCESTRY	COLLIE	HUSKY	POINTER	SHEEPDOG
BEAGLE	DACHSHUND	HYBRID	POMERANIAN	SHEPHERD
BOXER	DANE	LAB	POODLE	SHOW
BREEDER	DOBERMAN	MASTIFF	REGISTERED	SMALL
BULLDOG	DOMESTIC	MIXED	RESCUE	SPECIES
CANINE	GENETIC	MUT	RETRIEVER	STUD BOOK
CHIHUAHUA	HERDING	PAPERS	ROTTWEILER	TRAITS
CHOW	HOUND	PEDIGREE	SCHNAUZER	TYPE

Nails

```
M B P O L I S H Q S D R Y Q T K W T Y E G T H M J
G N R S P D C X F E E T A P U P P R D L R O F O X
K N L E E T W O R G R P C S A E K A F I F E L C J
R E I Z A G O M N I M R R T L H G U M F L O A F W
K N R R S K D I D I I O Y Y U I N N U F G Z V T Q
H M C A E W F I B G S T L L N G T B O J K F E S X
N S A F T V H T R S B E I I U Z M O E L L H G A V
H H U M A I O I I I Y I C S L U T D O D P Q B O S
V Q P T M P N C T G N L T H M F Y N R V J J B K
S H I G I A S E T E I R E T A L P A T A G U Z E B
O P L H R Q L C L A W D A W A R L G P J H D T O Y
S I C C P Q E S E C U T N I A P U J I Q F W O J V
```

ACRYLIC	CLAW	FEET	LUNULA	SCISSORS
ART	CLEAN	FILE	MAMMALS	SCRATCH
BED	CLIP	FINGER	PAINT	STYLIST
BITE	COVERING	FOOT	PLATE	TAP
BODY	CUT	FUNGUS	POLISH	THUMB
BREAK	DERMIS	GROW	PRIMATES	TIPS
BRITTLE	DIGIT	HAND	PROTEIN	TOE
BUFF	DIRTY	KERATIN	RIDGES	TRIM
CHIP	FAKE	LONG	ROOT	WHITE

Home Purchase

```
R J D M A R K E T N H I L E M O H X J Q L O W N A
E F S E C U R E Q E O A T N E M Y A P X I K G N A
L U R E Y U B A L U S I S N E C L S O G N I V O M
L E Q H C S B P T I I U T E E C N A R U S N I I D
E P G O O A T P A I S T O A I M O R T G A G E T E
S A R I N T E R E S T T Y H V T T E G D U B N A E
E P E K T Y P O E U R L I R N O I S S I M M O C D
A E A F R P Z V T S O C E N E E N N E S T N I O P
R R L A A Z T A X E S K S W G G P E E V O A T L L
C S T Y C Z B L E S O F F E R S V O R M N B C E O
H O O Y T R E P O R P P U R C H A S E T A I U F A
N J R E D N E L B N I V C L O S I N G O B T A I N
```

AMENITIES	COMMISSION	LENDER	OFFER	REALTOR
APPRAISAL	CONTRACT	LISTINGS	OPEN HOUSE	RENOVATION
APPROVAL	COST	LOAN	OWN	SEARCH
AUCTION	DEED	LOCATION	PAPERS	SECURE
BANK	EQUITY	MARKET	PAYMENT	SELLER
BROKER	HOME	MORTGAGE	POINTS	SIGN
BUDGET	INSURANCE	MOVING	PROCURE	STRESSFUL
BUYER	INTEREST	NOTARY	PROPERTY	TAXES
CLOSING	INVESTMENT	OBTAIN	PURCHASE	TITLE

Computers Everywhere

```
A T A D N E E R C S T N E M U C O D W R I T E R F
E W S E P Y T H C R A E S E R R H E P Y K S L K A
G M S S O R D E D I T O R I E K O A Y R N W O S Q
N X I I T K O X C D W O N L I N E S T A P O M T B
I S S G P I W I L E R B L O G G E R S T B R U U Z
P U T N A T N U O C C A N A M R I A P E R K S D L
P R A E L H L T Z B T P O T K S E D C R F I I E I
O F N R C A O J E S V T A B L E T A C C N O C N A
H I T E I M A G N R E M A G Y J F C L E R K R T M
S L T C O N D I M O N I T O R E J U S S A V E P E
I E O D S O F T W A R E K C A H K S M A R G O R P
V S V S U P P O R T R O T A R E P O T R A I N E E
```

ACCOUNTANT	DOCUMENTS	INTERNET	REPAIRMAN	STUDENT
ASSISTANT	DOWNLOAD	KEYBOARD	RESEARCH	SUPPORT
BLOGGER	EDITOR	LAPTOP	SAVE	SURF
BUSINESS	EMAIL	MONITOR	SCREEN	TABLET
CHAT	FACEBOOK	MUSIC	SECRETARY	TECHNICIAN
CLERK	FILES	ONLINE	SHOPPING	TRAINEE
DATA	GAMER	OPERATOR	SKYPE	TYPE
DESIGNER	HACKER	PROFESSOR	SOCIAL	WORK
DESKTOP	INSTALLER	PROGRAMS	SOFTWARE	WRITER

Junkyards

```
C A O Y V R T S X A R T S Y A F O G H E A P H B F
Y J A I A R N R O S S E R P M O C R U S H N R W C
X K F E N C E D X U L E P U H U U Y Y J A O I C A
J Q B E G A M K L E A L N M C S B T W S K R N R R
W M O L Y C P T M G I Y O I U K I R D E E I T E R
H T A I E O I O U A R K S T H D E B N A Z X C P Z
J S T T B M U Q N B P B I C Y C L E B G T Y K P G
S S O T M P Q C I R L O R S K D A E L U C E L O V
H T C E E O E T M A A J B T J L L M E L R S D C Y
M Y O R T S E D U G N L E K C I N G E L T T O B S
G S A Y A T O D L O E P D T P O R F T S M I R I D
G V M D L P T F A T T Y N S P N M N S E R I T F E
```

AIRPLANE	COMPRESSOR	GARBAGE	OIL	STEEL
ALUMINUM	COPPER	GLASS	OLD	TIRES
APPLIANCES	CRUSH	HEAP	OUTDATED	TOY
BICYCLE	DEBRIS	IRON	PILE	TRASH
BOAT	DESTROY	LEAD	RECYCLE	TRUCK
BOTTLE	DOG	LITTER	RIMS	VAN
BROKEN	DUMP	MACHINES	RUBBISH	WIRE
CAR	EQUIPMENT	METAL	SCRAP	WRECK
COMPOST	FENCE	NICKEL	SEAGULLS	ZINC

Puzzling

```
C H W W R L X M O M O N S T E R O O L S O F U Y T
H I D D E N B I G F O O T D W T B A L I E N S I W
Z Q P G P G G N N S A U E Z I L X K R S I Q R G E
D X E S S N C D I N P M N C A M M L U V M I F S I
G N R P I I I E L O U N G C A U A A E N P A I M D
D I S O H L T G F I J N K I E P N R G S C O E E Z
K H O O W Z P N F S H H C B N R S U Y I N L V R W
N P N K E Z Y A A U O T X A A E T T S P C L E M D
O S U Y I U R R B L A M R O N A R A P U O A I A Q
C A K D R P C T E L T S O H G N X N I S A T L I R
K L W O D A H S E I K A E R C G Y N N N E L O D J
Y O O A V O P R M L T D O U B T F U L Y R O T S P
```

ALIENS	ENIGMA	MIND	SPACE	UNCERTAIN
ATLANTIS	ESP	MONSTER	SPHINX	UNCLEAR
BAFFLING	GHOST	NOISE	SPIRIT	UNIVERSE
BIGFOOT	HIDDEN	ODD	SPOOKY	UNNATURAL
BLACK HOLE	ILLUSIONS	PARANORMAL	STORY	UNSOLVED
CREAK	KNOCK	PERSON	STRANGE	UNUSUAL
CRYPTIC	LEGEND	PUZZLING	TALE	WEIRD
DOUBTFUL	MAGICAL	PYRAMIDS	UFOS	WHISPER
DREAMS	MERMAID	SHADOW	UNCANNY	YETI

Houses

```
B E Z H L N W U O H S D H D V E G C E W Y K F L H
I G G A X U C S Y U W O E I M D A P H T C W A M K
V D N A S T U D I O U B L T T A T I B A H E M O H
X O Y A R I U T L S E L T S A C E H H C A B I N W
S L T R I A E A E G A I Y N U C O S R D U P L E X
U H E L T R G B M E G A T T O C H R W O N O Y V P
B A E D E N O D N A B A P A R T M E N T T O X A O
U L R L U A U T D K N F E N C E L N D L E L L K R
R L T B T O S O C R O O F H O L P W V D D A A C C
B A S B N E O E C I U X R H I S T O R I C W U E H
S W O Y C R R A D K V W I N D O W A R E M R O D R
S N Y I A H Q B J P I A G F T T Y X E P S I Q M S
```

ABANDONED	DOOR	HALL	MOW	SHELTER
APARTMENT	DORM	HAUNTED	OWNERSHIP	STREET
BUNGALOW	DUPLEX	HISTORIC	PALACE	STUDIO
CABIN	DWELLING	HOME	POOL	SUBURBS
CASTLE	FAMILY	HOUSEBOAT	PORCH	SUITE
COTTAGE	FENCE	LAWN	PROPERTY	VICTORIAN
COUNTRY	GARAGE	LEASED	REALTOR	VILLA
DECK	GATE	LODGE	ROOF	WINDOW
DETACHED	HABITAT	MANOR	SHACK	YARD

Paper

```
K Z P A R W O Y V S K R Z T H L G H Z N D N W D S
U X Y K R P T V X O Y H R M E W D L E E T O Q I N
U T S I M H R F Y X G C J W I K A P O W I T Z R A
C E T S X J M G G Q C X O K E L P A V S S E T T F
D E E R T X K C T Y N T I L K W L P O V S B I C O
O H P B L P L U P K T R M P O A A Y J O U R N A L
R S U S M K A O K O E R A S E R G R L F E C E P D
T L C W L B C P N B E G G T T D E U M F Y B L A S
B L O H A T J A I T E K I R G R L S I I E A B R M
B O B B O B A F T S I H R I H L N S K C N G J T R
D D O E M O Y E U S W H O M E W O R K E O S J T P
W F T K N A L B D E T A O C R K S Z S O M H F D Y
```

ART	DESK	INK	ORIGAMI	SIZE
BAG	DOLLS	JOURNAL	PAGES	STACK
BLANK	DRAW	LEGAL PAD	PAPYRUS	TISSUE
BOOK	ERASER	LETTER	PEN	TOWEL
CELLULOSE	FIBER	MILL	PLANES	TREE
COATED	FOLD	MONEY	PULP	WHITE
COLOR	GLOSS	NEWS	REAM	WOOD
COPY	HAT	NOTE	SCHOOL	WRAP
CUP	HOMEWORK	OFFICE	SHEET	WRITE

Bonsai

```
V A D C K E J I P A O J R E T A W I R I N G P Z J
T L Z H O B B Y B E A U T I F U L J N T H E R A C
O D A I J A P A N E S E I J G E T D E E N P Y Q S
O I G N I N U R P I Y K Y A A C O C E J E R U G H
L A W E D K R A B R M O R V N O H R I R O R N N A
S R L S Z S R I O C M D E Y R N U N E T N W G I P
E U E E Z T C O V G E S S E I T G N S A S A Q T I
L M N P F B D A R N T J R Q A A N I T S O I L F N
Y A N O I T R O P O R P U I G I H U S E E R T A G
T S R X U N W E I E Y E N E A N R G N I M M I R T
S M Q O F T U I N E S I F L R E P L A N T I N G A
E B U R H S H J E I M G N I F R A W D E T T O P W
```

AGE	DWARFING	JUNIPER	PERENNIAL	SOIL
ART FORM	GARDEN	LANDSCAPES	PINE	STYLES
ARTISTIC	GRAFTING	LEAVES	PLANTING	TECHNIQUES
ASYMMETRY	GREEN	MINIATURE	POTTED	TOOLS
BARK	GROWTH	NATURE	PROPORTION	TREES
BEAUTIFUL	HISTORY	NURSERY	PRUNING	TRIMMING
CARE	HOBBY	OLD	SAMURAI	WATER
CHINESE	INDOOR	OUTDOOR	SHAPING	WIRING
CONTAINER	JAPANESE	PENJING	SHRUB	ZEN

Bad Roads

```
A V A S Y G X F D L S K T E W E D N A S F R B G T
R A L S W D R I V E R D I Y F R O S T Y W I R O Q
B I I I K O G E L H E U R C A I D E F E N S I V E
P J X H Z I L D A O A P E C T G T J D G I K D E N
R D U E S J D P K S R Z S C N R E T A W N Y G R D
C H N L B U J H P C E T A I T Y N V T K J A E P L
W O S R P R L H C U U R N R P E R I L O U S S A O
W M A E T L A S P H T R U O D D A N G E R O U S U
Z I F S N L W K L R A C V I C O N D I T I O N S F
N O E B T A O O E W K I C E C I U L T E E L S E D
G K A A X R L F N S Z C N T S I M S C O S I I S N
X W E L K W S C V S A C V S M O X Q F D T R V O Y
```

ACCIDENT	CURVES	ICE	RAIN	SNOW
ASPHALT	DANGEROUS	INJURIES	RISKY	SPEED
BRAKES	DEFENSIVE	LANES	SALT	TIRES
BRIDGES	DRIVER	MIST	SAND	TRACTION
CAR	FOG	OIL	SKID	TRUCK
CHAINS	FROSTY	OVERPASSES	SLEET	UNSAFE
COAST	FROZEN	PERILOUS	SLIP	WARNING
CONDITIONS	GREASE	PLOWS	SLOW	WATER
CONTROL	HAZARDOUS	PUDDLES	SLUSH	WET

Classy Attire

```
J T T A H P O T O P C O A T R E N D Y T R A P R R
E G I T D J T Q M Z T U D I A M O N D S F C S X Z
W E V E N I N G W U R E M T N T S A S E O H S X C
E M D F E L A V A T S R T M A R L U X U R I O U S
L O I F B O G I E I F A F I E I O O Y G M F F N E
S R C A S A E V G R O P L D S R L G O O A F W J Q
H P K T T F L N I C B C N T G I B O N W L O D O U
A D E Y Y E E L T H O E Y A L Z U U R I G N A M I
W R Y C V R L S E A P L N A H S Q Q N E D G P E N
L E K L I S I E T S I Z C F G X U K X D D D P Y S
B S L E P A L H U S A E X P E N S I V E W A E L W
N S D E W S L S H B Q B K E O V I V T T C L R W V
```

BALL	DRESS	JEWELS	SHAWL	TAILORED
CAPE	ELEGANT	LACE	SHOES	TIE
CHIFFON	EVENING	LAPELS	SILK	TOP HAT
CUFFLINKS	EXPENSIVE	LOAFERS	SPECIAL	TOPCOAT
CUMMERBUND	EXQUISITE	LUXURIOUS	STYLISH	TRENDY
DAPPER	FORMAL	ORGANZA	SUIT	VELVET
DESIGNER	FRILLS	PARTY	SUSPENDERS	WAISTCOAT
DIAMONDS	GOWN	PROM	TAFFETA	WEDDING
DICKEY	HEELS	SEQUINS	TAILCOAT	WOOL

Very Light

```
P T N I L P D O K G L H O S H D T B Q B S L F C G
U T I D S F N G R G P J L S R E K C I T S T A Y S
K C K A Y E A A O I M Y S P G T U R V P D T L D K
N B P E B B S X C A G P L L L R D G U U S K U T K
F Y A R U S H J E W O A O G M S E E N G N O M C U
L X N B C O T T O N S V M E T I K H N I L Y I B T
O F B L I C S L G T E M U I N A T I T C R P N S U
W L Y L A E L E I S U E K O M S R A T A H E U D O
E U R P I I S C I O S Z L P J R S R C T E D M E T
R F G U P D R L O C S U E K A L F W O N S F A E L
P F J C S U K X S K I A N E P N O O L L A B O S J
W G V E V D P D X S T G U N O T T U B J C C F L Z
```

AIR	CORK	GLOVES	ORIGAMI	SMOKE
ALUMINUM	COTTON	GRASS	PEN	SNOWFLAKE
BABIES	DUST	KITE	PILLOW	SOCKS
BALLOON	EARRINGS	KLEENEX	PLASTIC	SPONGES
BIRDS	FEATHER	LEAF	PUPPY	STEAM
BREAD	FLOWER	LINT	SAND	STICKERS
BUBBLE	FLUFF	MAKEUP	SATIN	TISSUE
BUTTON	FOAM	MERINGUE	SEED	TITANIUM
CLOUDS	GAUZE	NAPKIN	SILK	TOOTHPICK

Veterinarians

```
T R Q H A M Q G C Z S B R O K E N S N E T T I K A
X E L A T I P S O H B A R K I N G E S R O H W M K
Y M E Z C C S F W D J P U P P I E S R E T U E N O
O R O T I R S E Y R E G R U S C S A S E N O E X Y
E O U N H O E A H G I U F L S I Q T N I W R X W S
S W I J W C N T U T F I E T B D S E N I C C A V T
M L T Y N H L H H E S N S G B E U U N E M K M H O
C X A K Z I L E Y C N E G R E M E G I P I A M S H
R P B H W P I R G E T A N A I C I N H C E T L X S
S W L E A S H S K B Q P I A S S I S T A N T A C A
Q M E F J M G O A T D I A G N O S E A S H E E P E
H J D E N T A L E Q V G R O O M V T B N C M L T R
```

ANESTHESIA	DIAGNOSE	HARNESS	MEDICINE	SICK
ANIMAL	DOG	HORSE	MEOWING	SPAY
ASSISTANT	EMERGENCY	HOSPITAL	MICROCHIPS	SURGERY
BARKING	EXAM	ILLNESS	NEUTER	TABLE
BROKEN	FEATHERS	INJURY	PATIENTS	TECHNICIAN
CAT	FUR	KENNEL	PET	TEETH
CLINIC	GOAT	KITTENS	PUPPIES	VACCINES
COW	GROOM	LAB TESTS	SHEEP	WORMER
DENTAL	GUINEA PIG	LEASH	SHOTS	ZOO

Police

```
W A R R A N T A R S O N F N N N Y P D W N N D J L
T F E E G D U J R U C N O A W A R K S J E O U U T
P Z A V I C T I M S T I C A T I M F P A R T N E R
E N R L U A R R E S T A T A S N F L H I I A I V Y
P W N O F Y T N U A D T E O N U A T O L S B F I P
Q R H V H T O B T E C P N S C I S N E R O F O T C
C X L E D I C I M O H A I D P R N P E N T Y R C C
D H O R T R C Y U F K C N A F S A E E T G A M E O
E U I A E U B U R G L A R Y E N W N Z C U A P T B
M W T E K C I T D U H O L S T E R A L F T E R E O
R S Z Y F E A O E N L A P D R E H C T A P S I D K
Y T E F A S C M R E G D A B E A T X N Y U T M L J
```

ACADEMY	CAPTAIN	GUN	MURDER	SECURITY
ARREST	CHIEF	HANDCUFFS	NARCOTICS	SIREN
ARSON	CITATION	HOLSTER	NYPD	STATION
BADGE	DETECTIVE	HOMICIDE	PAROLE	SUSPECT
BATON	DISPATCHER	JAIL	PARTNER	SWAT
BEAT	DRAGNET	JUDGE	PATROLMAN	TICKET
BURGLARY	DUTY	LAPD	PRISON	UNIFORM
BUST	FLARE	LIEUTENANT	REVOLVER	VICTIM
CANINE	FORENSICS	MACE	SAFETY	WARRANT

Parenting

```
B D B D H T L A E H A B I T S C I H T E H T O L C
O R U L E S T E A C H V A L U E S R E P A I D O C
T Q E D U C A T E R U T R U N S C H O O L I N G N
T S J T J E V I T A E R C L O S E N E S S D T S A
L C L E T E N E I G Y H O R D I F F I C U L T H N
E U A A C I K S A M A J A P I N U L I C W E C E N
S S U R E N S R E N N A M C W B N P T O K R F L Y
I T G H E D E Y G E C N A W O L L A H N A A J T A
A O H Z U T I I B O U N D A R I E S A D M P T E L
R M T Z S M N S T A G R O T N E M L L I V E H R P
P S E D T G O I Q A B U H E J B B E L F R R A H I
S T R O L L E R G W P R O V I D E Y G S E P I W W
```

ALLOWANCE	CRADLE	FAMILY	MANNERS	PROVIDE
BABYSITTER	CREATIVE	FUN	MENTOR	RULES
BLANKETS	CRIB	HABITS	NANNY	SCHOOLING
BOTTLES	CUSTOMS	HEALTH	NURTURE	SHELTER
BOUNDARIES	DIAPERS	HUMOR	PAJAMAS	SHOW
CHANGING	DIFFICULT	HYGIENE	PATIENCE	STROLLER
CLOSENESS	DISCIPLINE	IDEALS	PLAY	TEACH
CLOTHE	EDUCATE	INTERACT	PRAISE	VALUES
CONDUCT	ETHICS	LAUGHTER	PREPARE	WIPES

College Life

```
U A S O R O R I T Y F E E U R O T U T H E S I S L
Z A Y A B U R N O U T L N X B M U Y R A R B I L E
S E L D O R M E V E U I K C A T A L O G N O T E S
R Z L M V N X C C D V S N C C C O J S R O I N E S
U F A I K A R H E E O A R R H F A R O N I M H P A
O I B S M E N H R P E C O P E X P L O R I N G I Y
H N U S D O C S H E R A T C L T F R E S H M A N S
U A S I L S I O R Y U D N O O O A J U N I O R G O
E L T O W T M G G A T E E U R P A R T Y D U T S C
Q S G N Y O E M T I C M M R S A O N F S S A L C I
S Y V C R D S E C N E I C S X E T A M M O O R P A
I S R E T S A M C M L C B E S M R E T D I M G T L
```

ACADEMIC	DEGREE	FRESHMAN	MIDTERMS	SOCIAL
ADMISSION	DOCTORATE	HOURS	MINOR	SOPHOMORE
BACHELORS	DORM	JUNIOR	NOTES	SORORITY
BURNOUT	ESSAYS	LECTURE	PARTY	STUDY
CALENDAR	EXAMS	LIBRARY	ROOMMATE	SYLLABUS
CATALOG	EXPLORING	LOAN	SCHEDULE	TECHNOLOGY
CLASS	FEE	MAJOR	SCIENCES	THESIS
COURSE	FINALS	MASTERS	SENIORS	TUTOR
CREDITS	FRATERNITY	MENTOR	SLEEPING	UNIVERSITY

Go Figure

```
H O S L A M I C E D F R A C T I O N S F N Y G S F
T W T D I A M E T E R C A L C U L A T O R Y T N T
A H R P R O D U C T W R S U M J D N I T R A U M N
M U O B R Y I C T C P D S X C I I T N O X M S E U
U N P U I P S O P E E E R V G I E T E E Y A A O
P D E R S N T L T J M N S I R D P C S R T A L S C
W R R Z K A A I G O U S S A D R E G A I L G U U I
E E E E L N N R I R L I M A A J N L C S E X M R R
I D S C N G C D Y P O T E C A I S O E B X N R E T
G S E I I T E N S N V Y N R W C L L R I N C O M E
H P N E Y S P E R I M E T E R E A A O G F B F I M
T G O R A T E R U G I F S B V S L B F A R E A T S
```

ADDITION	DECIMALS	HUNDREDS	PLANNING	TAXES
ALGEBRA	DENSITY	INCOME	PRECISE	TENS
AREA	DIAMETER	MARGIN	PRODUCT	THOUSANDS
ASSESSMENT	DISTANCE	MATH	PROJECTED	TIME
BINARY	DIVISION	MEASURE	RATE	TOTAL
CALCULATOR	FIGURE	METRIC	REPORTS	TRAJECTORY
CARPENTRY	FORECAST	NUMERALS	RISK	VELOCITY
CARPETING	FORMULA	ONES	SALES	VOLUME
COUNT	FRACTIONS	PERIMETER	SEWING	WEIGHT

Construction Work

```
E S G A L W B A Q N W C R A N E L Y T E F A S X T
O E I U A A P R J T E G D U B R O O M N E U L G R
V R K F S L P T E S S E D O K C O R T E E H S K F
O I T A P L L D T A L A D D E R O U T E R M T E C
O W J I H B U I G A K A C U R T A I N S B I E G L
E O P H A O M Q Y G D E U S C H E D U L E R N C J
L E V E L A B S M R B T R E P A P D N A S I I N C
X U H L T R E L Y J L I P L I E R S Y Y T C B C Y
A Y I I V D R W A H I S W I T C H E S O B W A Q K
M R N O I T A L U S N I R K P L E W O R T R C W P
D G G P M L K T N I D S E E M A R F R E M M A H L
T N E V L E R A U Q S L I A N H D P A H X D R D D
```

ADOBE	CEMENT	FRAME	LEVEL	SCHEDULE
ASPHALT	CRANE	FUSE	NAILS	SHEETROCK
AWL	CURTAINS	GAS	PATIO	SITE
BLINDS	DARBY	GLUE	PIPE	SQUARE
BREAKER	DELAYS	HAMMER	PLIERS	SWITCHES
BRICK	DRILL	HINGE	PLUMBER	TROWEL
BROOM	DRYWALL	INSPECTOR	ROUTER	VENT
BUDGET	ESTIMATING	INSULATION	SAFETY	WALLBOARD
CABINETS	FOOTING	LADDER	SANDPAPER	WIRES

Bed and Breakfast

```
E V S H R E T R E A T E I U Q X H D L D A Y L T Y
T I T O D E C O R B K I A E A N O I T I D A R T F
I E S T L H M M L U E E Q T C T I M O H N M S L C
U W E E W K A A T O U A P U T G M O U C A E Y U O
S E U L R N S N S S O E U C I R A O R R R N L F Z
Q E G D S V A T D S A P E T V N A R S O E I D T Y
S K R I E S I I R C A F L S I S N C D P V T N H R
B E O E A X N C E O O G K R T F R X T E H I E G E
M N S E N V A F E O F S E A I A U E L I N E I I N
L D L U E E U L D H O M E Y E H T L N Z V S R L E
O P R O O L Y R E E H C O T S R W E I W V E F E C
F S G M X H H O P R I V A C Y C B G G R O U N D S
```

ACTIVITIES	CUTE	HOMEY	PORCH	SERENE
AMENITIES	DECOR	HOTEL	PRIVACY	SERVICE
ATMOSPHERE	DELIGHTFUL	HOUSE	QUIET	SUITE
ATTRACTIVE	ESTATE	INN	RELAXED	TOURS
BEAUTIFUL	FOOD	MANSION	REST	TRADITION
BREAKFAST	FRIENDLY	MASSAGE	RETREAT	VERANDA
CHEERY	GARDENS	OWNERS	ROMANTIC	VIEW
COMFORT	GROUNDS	PEACEFUL	ROOM	WEEKEND
COZY	GUESTS	PLEASANT	SCENERY	WHIRLPOOL

Highways

```
N S C D D Z K Z U T U A H B L C I G P F U J V E M
M S L O R T A P U I R M E T S Y S V R O U T E P Z
M Q E H N E L A N E T L A H P S A N N T H G I L B
E D V X Q G U S D E R E B M U N S W G P D R P J S
D E I D C C E L U Y A W R O T O M E E I T U O S S
I E R G F L U S B E N E P J E G C F R E S U T U P
A P D D C O L A T C S S A A E T J B K P R I B A M
N S T I H E P L I I P I S K R O W T E N X F V E A
R D H S V Q R L L L O O S C T K E D E E L E R M R
L E L A L I B O S O R N I B S K W Y K R D M A P A
V O R F B U D N A P T T N C I F F A R T R U C K S
H T Z J P Q B G G D Y K G P S S A P Y B H R F K O
```

ASPHALT	EXITS	MEDIAN	PIKE	STREET
BRIDGE	EXPRESS	MOTORWAY	POLICE	SYSTEM
BUS	FREEWAY	NETWORK	PUBLIC	TOLL
BYPASS	GAS	NOISE	RAMPS	TRAFFIC
CAR	JOURNEY	NUMBERED	ROAD	TRANSPORT
CITY	LANE	PARKWAY	ROUTE	TRAVEL
CONGESTION	LIGHT	PASSING	SHOULDER	TRIP
DIVIDED	LONG	PATROL	SIGNS	TRUCKS
DRIVE	MAP	PAVED	SPEED	VEHICLES

Sound Systems

```
L O F T I N P U T H Y P P E D A F T C E J E N I X
B E E T O M E R K C O T S R M O T O R O L A S B W
R L U R S I A M N A O T W R E K M R Z F N O E U E
E E U J E F E E M T E M A E Z S F L M W E T A T T
F E V E F T U U R E C D P L A Y E R E L I S R T I
O V Q I S Q S K X D I G U O K T A T B N B P C O L
O L C Y E I S P R O G R A M N D H E S Q N E H N L
W E S R C C L E A M P L I F I E R E Z I L A U Q E
H P F T W E E T E R H W U O Y T N S R O C K H M T
J S T A N D A R D K G F E C O U N T R Y M E A C A
S O U N D C N R Z C A P A C I T O R S P O R T S S
Y G S T T A W D F J G U B D I S C A B L E S S A B
```

AM RADIO
AMPLIFIER
BASS
BLUES
BUTTON
CABLES
CAPACITORS
CD PLAYER
CHANNEL
COMPONENTS
CONTROL
COUNTRY
DETACH
DISC
EJECT
EQUALIZER
FADE
FM RADIO
FREQUENCY
GOSPEL
INPUT
MOTOROLA
MUSIC
PRESETS
PROGRAM
RECEIVER
REMOTE
ROCK
SATELLITE
SEARCH
SEEK
SOUND
SPEAKERS
SPORTS
STANDARD
STEREO
STOCK
SYSTEM
TALK
TRAFFIC
TREBLE
TWEETER
WATTS
WEATHER
WOOFER

Horse Race

```
V R D C J Q P C Z O H C T E R T S A D D L E Z L K
N E D I A M P M U L S Y L S W E B T X H U T L O C
E P L A C E V C G P F W O A P G D T B K C A R T A
B M O L J O N J C U A X J B S E E C R N T P S K T
D U O L B V O O R B V C N I G S E L I S S O A T V
H J C R L C G L I H O R I T N U I O D T S L S C G
U A E K K A O D C T R F S D I Q B C L I E P P C E
R E L E I N G I N F I E L D N S J K E R N U O S G
D N Y T G T B P N L T D A H N A Z E O R R G R R O
L F P D E E P S L W E M N A I D H R G U A O T N C
E H T A E R W Y C M R O F O W A G E R P H T O O B
T P T N I R P S U P E R F E C T A C Y P F U Q J R
```

BOOTH
BREED
BRIDLE
BUCK
BUG BOY
CANTER
CLASSIC
CLOCKER
COLT
CONDITION
CROP
CUP
DAM
FANS
FAVORITE
FILLY
FORM
FURLONG
GAIT
GALLOP
GELDING
HALTER
HANDICAP
HARNESS
HORSE
HURDLE
INFIELD
JOCKEY
JUMPER
MAIDEN
PACE
PLACE
SADDLE
SPEED
SPORT
SPRINT
STALL
STIRRUP
STRETCH
SUPERFECTA
TACK
TRACK
WAGER
WINNINGS
WREATH

Ground

```
D V R Y W M N E G O R T I N Y T E K A J J R G E J
E I E I K C A L B R L B M Q L B Z G L R V L M W Z
R F D G A H Q E R O S I O N F A R M H L O S V Q E
B X I G E K E M L A N D L D L E I F L D I G N O N
D Q Q L R T I E O S J T E I J N D S Y L F T O P I
P W R E A O A N G H N N B E E S R U T A E P S E A
L S T R T Y W T O E H P E R S Z T B D M L O A M O
O A V Z I O E S I C O E A D O L T S P O R C N R Z
W C K C O R P R I O S L A S R W W O E Q O I D O F
Y H D D N M T O S O N D O R G A N I C P N F C W R
V W C K S U W O L S S A R G T E G L E V O H S H C
R P H R N D J T M Q C U O Y Y H A U Q C W S E R D
```

AERATION	ELEMENTS	LAND	PEAT	SEEDS
AIR	EROSION	LAYERS	PESTS	SHOVEL
BLACK	FARM	LIFE	PLOW	SILT
BROWN	FIELD	LOAM	POT	SUBSOIL
CLAY	FOOD	MINERAL	RED	TILL
CROPS	GARDEN	MUD	RICH	TOP
DIG	GEOLOGY	NITROGEN	ROCK	VEGETATION
DRY	GRASS	NUTRIENT	ROOT	WATER
EARTH	GROW	ORGANIC	SAND	WORM

Insurance

```
R I S K Y C I L O P X P F O W M R E T E Z G C G E
I A E D B R A L L E R B M U P R O P E R T Y E Y U
H G C I E B U D E A L E R T N E M E L T T E S T R
E Y U S M D O J V W F L O O D Y T I L I B A I L E
A U R A O T U D N O I S I L L O C Y N F K H N A V
L Z I B R C N C E I C S L I U N A M S E L A S U I
T B T I T A H E T N S A F Q S S E N I S U B U S A
H R Y L G R N O M I T E T E I D E Y T N A R R A W
V O O I A T R T M Y B A L E N E G O T I A T E C H
H K T T G N L M E E A L L I C E N S E T A R D G O
W E U Y E O O Q G E P E G A R E V O C L A I M L
Y R A U T C A T P R E M I U M T R A V E L F I L E
```

ACTUARY	CONTRACT	HEALTH	NEGOTIATE	SECURITY
ADVOCATE	COVERAGE	HOME	PAYMENT	SELLER
AUTO	DEALER	INDEMNITY	POLICY	SETTLEMENT
BROKER	DEDUCTIBLE	INJURY	PREMIUM	TERM
BUSINESS	DENTAL	INSURED	PROPERTY	TRAVEL
CASUALTY	DISABILITY	LIABILITY	QUOTE	UMBRELLA
CLAIM	FILE	LICENSE	RATE	WAIVER
COLLISION	FLOOD	LIFE	RISK	WARRANTY
COMMISSION	GUARANTEE	MORTGAGE	SALESMAN	WHOLE

Coffee Making

```
W R C X O P O Y N R U L B U T W Q F F B B F P R J
K R A D C H K N S O F L A V O R N B A G R S B E H
B V P C A N B H B G M W A Y I F U R M M M A F T K
E E P R F R E T C A R A H C Y T I S N E D Z Z L C
V Y U J E L B Q Z S M Z N K I S A G L E D F V I A
E L C W F B E A U A V A J N T M S L R N L I Q F L
R L C L L E N A C I R E M A I U E E I D O R U D B
A U I E F E T H S I P T B A T C H H C A B E N M D
G F N F V B I S M Y B M G N I L O O C O N I V W R
E D O O B N E N A D A A E C G B I T T E R K C L A
P C H S E R F A T O P D R N U F X V O G B P D K W
L J G J P T A W N B R H E A T A S T E H K L F M E
```

AMERICAN	BODY	COFFEE	FRESH	MEDIUM
ARABICA	BOLD	COOLING	FULL	OVEN
BARISTA	BRAZIL	CUP	GREEN	POT
BATCH	BREW	DARK	GRIND	PRESS
BEAN	CAFE	DENSITY	HEAT	PROCESS
BEVERAGE	CAPPUCCINO	EQUIPMENT	HOT	ROAST
BITTER	CHARACTER	FILTER	ITALIAN	SHELF LIFE
BLACK	CHEMICAL	FIRE	JAVA	SMELL
BLEND	CINNAMON	FLAVOR	MACHINE	TASTE

Tires

```
E B U T B W H D X L L O R O T A T E V O M D T B C
E L A K B X P T O L E V A R T R G V B E K I I A F
X L C L M U M P S P X J A E O L U E W R A K R L L
K A C Y I K A Y Y V Q C C P R C L E D U E S L A A
J I H I C G J P N N K A S I U I A A C S L A I N T
X Z O A H I N U T S L N Q U B R Z F W S W D E C F
N M L T E E B M H P A P G O B C S I Z E A O G E M
A B E P L R V P E R A B M A E U L X D R T S N F K
E T E Z I S A R T N C O R W R L A I R P L I A S F
V Y H M N Q J K I U T C R V O A S S W I N G H W O
M G W Y S M S G C U S P A R E R U T C N U P C W O
K O G O O D Y E A R E C Y C L E N K J Z L O S A T
```

AIR	CIRCULAR	PRESSURE	RUBBER	TRACKS
ALIGNMENT	FIX	PUMP	SIDEWALL	TRANSPORT
AUTOMOBILE	FLAT	PUNCTURE	SIZE	TRAVEL
BALANCE	GOODYEAR	RADIAL	SKID	TUBE
BICYCLE	HOLE	RECYCLE	SLICK	VEHICLE
BIKE	JACK	REPLACE	SNOW	WEAR BAR
BLACK	LEAK	RIM	SPARE	WHEEL
CAR	MICHELIN	ROLL	SWING	WHITEWALL
CHANGE	MOVE	ROTATE	SYNTHETIC	WORN

Architectural Descriptions

```
L F A C I N G B B Q K V P E R G O L A T S E D E P
Y E F S M O D E R N I S M E A R C H E C P D Y B F
L T I F F O S S K Y S C R A P E R T I S A U Z K
Y L N R Z T W F G S R L G I S V R O A T B R T T R
L C I J O S T A O K N O S D T A E I C E Z T Q I S
T G A L L E R Y L Y Y E E R C S C S B H Z D X I O
R H L N P F U Q G L E S C O E S U O H T N E P R X
T C J A O R S E E I I R T I A T W O V S M C I F X
M T R S T P S L R G S T M F N S T M C E U O W R X
R A T R O M Y B N H A S O L A R I U M A L M R O F
P H E M O S N A R T Y O C I T R O P H D O R M E R
I T Q B R M N G R B O X W R T L D C M S C B T Y W
```

ACOUSTICS	CORNICE	FOYER	PATIO	SOFFIT
AESTHETIC	DESIGN	FRIEZE	PEDESTAL	SOLARIUM
ARCH	DORMER	GABLE	PENTHOUSE	STUDS
ART DECO	EAVES	GALLERY	PERGOLA	TERRACOTTA
BAY	FACING	GARGOYLE	PORTICO	THATCH
BEAM	FASCIA	MODERNISM	SHUTTERS	TRANSOM
BOW	FESTOON	MORTAR	SILL	TRIM
CANOPY	FINIAL	ORIEL	SKYLIGHT	TRUSS
COLUMN	FORM	PARAPET	SKYSCRAPER	WALL

Psychotherapy

```
M R K E J P D Q E L A N O S R E P T H O U G H T S
E S N V S U A E X L I S V D E V I T I N G O C I M
M L I P E E N C P A T I E N T U R E D R O S I D E
O L R S S E A G R R O T C O D S Q A M U A R T I L
R A H Y S R L B E V E V A L U A T I O N S N N A B
Y C S C I G Y S S U C S I D O I L L N E S S E L O
S I U H O E S L S B L I S T E N S B E H A V I O R
M D P I N D I V I D U A L I V C L I N I C Z L G P
A E P A D R S Z V M Y G O L O H C Y S P O E C U U
E M O T I O N G E X A E H Y P N O S I S U D T E O
R L R R U B J M A S F F R E U D P A N I C P H M R
D Y T Y P A R E H T L A E H T A L K O A H E L P G
```

ANALYSIS	DIALOGUE	FREUD	MEDICAL	SESSION
BEHAVIOR	DISCUSS	GROUP	MEMORY	SHRINK
BRAIN	DISORDER	HEALTH	PANIC	STRESS
CLIENT	DOCTOR	HELP	PATIENT	SUPPORT
CLINIC	DREAMS	HYPNOSIS	PERSONAL	TALK
COGNITIVE	EMOTION	ILLNESS	PHD	TECHNIQUES
COUCH	EVALUATION	INDIVIDUAL	PROBLEMS	THERAPY
DEGREE	EXPRESSIVE	JUNG	PSYCHIATRY	THOUGHTS
DEPRESSION	FAMILY	LISTEN	PSYCHOLOGY	TRAUMA

Home Video

```
Q T L P L E L F D E S I G N T R I P O D N U O S M
E D I T C E N O I T A U D A R G N I M A R F N V F
O L G L M I C O C L T M L A P T O P W A T C H N Q
C Z H Q E U N L H A M A I C A M E R A Z K S R X R
C E T W M V N E U P T S U C O F Q E V E N T E Y A
I G I E O Z A D M I L I P R R V U R E C O R D U O
S A N D R O I R G A J L O S N O I T P E C E R M S
U T G D I O U I T C K S E N O H P D A E H A O A B
M O V I E M D I P R O D U C E R M H E B N M C D V
U O A N S O C C E R C E S A E L E R O O B I M Z I
F F P G S E I T R A P T U C L A N I F N F N A N Q
M T P I R C S H O T Z D I R E C T A P E E G C G G
```

AUDIO	DOCUMENT	GRADUATION	PARTIES	SOUND
CAMCORDER	EDIT	HEADPHONES	PRODUCE	STREAMING
CAMERA	EQUIPMENT	LAPTOP	RECEPTIONS	TAPE
CELL PHONE	EVENT	LIGHTING	RECITALS	TRAVEL
CINEMA	FILM	LOCATION	RECORD	TRIPOD
CLIP	FINAL CUT	MEMORIES	RELEASE	VIDEO
DESIGN	FOCUS	MICROPHONE	SCRIPT	WATCH
DIGITAL	FOOTAGE	MOVIE	SHOT	WEDDING
DIRECT	FRAMING	MUSIC	SOCCER	ZOOM

In the Kitchen

```
L R O G Q N F L K E L I R Q I V R E N I A R T S M
Z N E V R Q G N I V R E S C L E A V E R I T S R O
G S T N E M I D N O C D E A K G R U E R E P P E P
W J S Q N N K S W I R N V C L E Q L R K S I H W D
R D A G E N G N U A S W A H R T D S C E I A L A M
P S T R P N M J O T E R W I C A K E P A N F P R P
O I G A O M R B D C C E O L L B T V T O R R A D L
H N R T N P P A U T I T R L F L O U R E O W U I A
C K I E A U E A U F P N C D R E D N E L B N G B T
S I L R C R S N O R S U I I O S Q Z D L Y H S A E
R B L I B I N O E H O O M U T Y E A S T T T E K S
B I S E M S D X K R D C X N B R O I L S F H F E M
```

BAKE	CLEAVER	GRATER	NUTCRACKER	SPOONS
BLENDER	CONDIMENTS	GRILL	OVEN	STIR
BREAD	COUNTER	HEAT	PEPPER	STRAINER
BROIL	CUPBOARDS	JAR OPENER	PLATES	TASTE
BURNER	DICER	JUICER	SALT	TONGS
CAKE PAN	DRAWERS	LADLE	SAUCE	VEGETABLES
CAN OPENER	FLOUR	LIGHTS	SERVING	WARM
CHILL	FOOD	MICROWAVE	SINK	WHISK
CHOP	FREEZER	MILK	SPICES	YEAST

Records

```
D C K H E A V I E S T R N A W J T S E T N O C K K
N D O C L A R G E S T O U P T S R I E M I T R A W
O R O M D L N T R S I T E N E T O Z P M E B U E L
I O B G P E S X E S H C U G W F E E E N O R I R O
P C O L L E C T I O N T G N F U V M O O G G T B N
M E X L G J T V R A S I L I W S E A P I H H S X G
A R A N S Y E I T D B J C Z O J N R L T S J E F E
H H U R P L T S D E I F A B N T S E I U U T P S
C O B T E Y I K P O A I J M U S H O L D E R S Y T
Y X N T E D I W D L R O W A E O T B G E D R A W A
I T E O D A I M O S T Q L B R O U E S T C A F H E
N Z E S R L L A T T K B L T N P P N X U K I H N F
```

AMAZING	CHALLENGE	FACTS	LONGEST	SIZE
ANNUAL	CHAMPION	FASTEST	MOST	SPEED
ATTEMPT	COLLECTION	FEAT	ODD	STUNT
AUTHORITY	COMPETITOR	FIRST	OFFICIAL	TALL
AWARD	CONTEST	HEAVIEST	PEOPLE	TELEVISION
BEST	DISTANCE	HOLDER	PUBLISH	TIME
BIGGEST	EDITION	HONOR	RECORD	WEIGHT
BOOK	EVENT	JUDGE	SET	WORLDWIDE
BREAK	EXTREME	LARGEST	SHORT	YOUNGEST

Flower Gardens

```
M M A G N O L I A I R E T S I W L E W O R T F A R
H R A R E D N E V A L F A D H I B I S C U S L C X
F U E R S R G A R N E R E W O L F N U S Q O A H I
M P I W I U A S E V O L G R O R C H I D G R G Y D
K S W D O G S N I Z P T A S T H Y D R A N G E A U
H K S C N L O S I H A A S Z W I B J R A R K F C A
N R A R H A F L I U O O N I A O L D T A P F Q I S
P A L O C H L N D C M S R A R S E I N Y O A N N N
O L V C L Y I G R S R I E D T N O D Z D V U T T G
P S I U U U L A N O S A E S I N M U I E T N U H I
P J A S M I N E L E C R N A B A A L M E R B E E S
Y N O E P A N S Y S I A D E N N A L P R U N I N G
```

AZALEA	DELPHINIUM	HIBISCUS	MAGNOLIA	PLANNED
BEES	ENGLAND	HOSE	MARIGOLD	POPPY
BLOSSOMS	FERTILIZER	HYACINTH	MULCH	PRUNING
BORDER	FLAG	HYDRANGEA	NARCISSUS	SALVIA
CARNATION	GARDENIA	IRIS	ORCHID	SEASONAL
CORNFLOWER	GARNER	JASMINE	PANSY	SIGNS
CROCUS	GERANIUM	LANTANA	PATHS	SUNFLOWER
DAFFODIL	GLOVES	LARKSPUR	PEONY	TROWEL
DAISY	GRANDMA	LAVENDER	PETUNIA	WISTERIA

Loud

```
P F K R D O X S R H W B P I E M R A L A K C U R T
Z I W S E I B A B A H C H L J E O X B G M F J M P
C G R R X T M A T M Y B C O D I A R G U M E N T L
R H E D M U P E N M V Y R N D M E G A P H O N E C
A T B R S A R O B E C G U A B A Q Z K W F S S R T
S F O I G F I A C R N H R U O P N W O D R R O R S
H T C L A S L N O I T I L O M E D R A C E W E H Q
S A M L O S I T T N L A P A R T Y U O K D C R R U
Y E L L G A O U R G N E N G I N E J A T N I S D E
X Q P O R M O O L C M C H I L D R E N O E G N N A
W X D T B H H S E N A L P F Y J P T C K L A U I L
E M G X S M U R D D M A E R C S V H S I B D G W S
```

ALARM	CRASH	EXPLOSION	MUSIC	STEREO
AMBULANCE	CROWD	FIGHT	PARTY	STORM
ARGUMENT	CYMBALS	GUNS	PLANES	THUNDER
BABIES	DEMOLITION	HAMMERING	RADIO	TORNADO
BAND	DOGS	HELICOPTER	SCREAM	TRAIN
BLENDER	DOWNPOUR	HORN	SHOUTING	TRUCK
CAR	DRILL	JET	SHRIEKS	WATERFALL
CHILDREN	DRUMS	MEGAPHONE	SPEAKERS	WIND
CONCERT	ENGINE	MOTORCYCLE	SQUEALS	YELL

Halloween

```
B G S R L L G M N C E M E T E R Y M S L U O H G G
Y D K E X L E I A I F Y U S Y P O T I O N R F T R
Z R E B K A F U B S Q U Q M C O S T U M E S O J A
H I L O F F L M S R Q S L H M O S E R I P M A V V
X E E T O D O R P S E U O L H Y R A C S B N D S E
U W T C R Z C U R D D C E G M K M O N S T E R S P
K I O O N A M E I G O O B R O O M S T I C K A N R
C T N I N P D R B L A C K C A T O O P R A H C I A
Q C G D K I Y N A O R G C N D D N N E H C C U L N
V H Y I P A S T E E W S O B B E E E L O K T L B K
T E N S H W E R E W O L F C R Y P T B W L A A O X
H S P I R I T R H X S P O O K Y Y S L L E P S G K
```

BLACK CAT	COSTUMES	GRAVE	OCTOBER	SPIRIT
BOOGIE MAN	CREEPY	GROAN	PATCH	SPOOKY
BROOMSTICK	CRYPT	HAY RIDES	POTION	SWEETS
CACKLE	DRACULA	HOWL	PRANK	TOMBSTONE
CANDY	FALL	MASQUERADE	PUMPKINS	VAMPIRES
CAULDRON	FULL MOON	MOAN	SCARY	WEIRD
CEMETERY	GHOSTS	MONSTERS	SKELETON	WEREWOLF
CHOCOLATE	GHOULS	MUMMY	SPELLS	WITCHES
COFFIN	GOBLINS	NIGHT	SPIDERS	ZOMBIE

Car Names

```
U I S Q J A G U A R E L B M A R E S C O R T H G B
S Y R E C A P A D Z A M C H A E J X X N B R L F O
M N D O A H P I N D W F Y T F E H E P W E F E I V
H L R B C I A O O O J A S C A U T C M L R F X R L
P I I O C U T L H D R O O A C Z R O S M O C U E O
S G B B O K T I L G R E M M U H D Y E R A R S B V
A D N C R J C L N E W Y O R K E R T D R O D E I J
A K U A D P A I A I N E O Y L H R L A O E P R R J
S L S T T C T V U S F G O T C O R V E T T E T D D
T A U R U S F I S B S N E H L M A R Q U I S G D Z
R C T R A D U A L A P M I R A N N T P V U J A Q V
O J A K W L U M I N A T O Y O T N I P R I U S Z E
```

ACCORD	CHALLENGER	FIREBIRD	LUMINA	PORSCHE
ACURA	CHRYSLER	FORD	MARQUIS	PRIUS
AEROSTAR	CORVETTE	FURY	MAZDA	RAMBLER
ASTRO	CUTLASS	HONDA	METRO	STINGRAY
BMW	DART	HUMMER	MODEL T	SUNBIRD
BOBCAT	DODGE	IMPALA	MUSTANG	TAHOE
BUICK	EDSEL	INFINITI	NEW YORKER	TAURUS
CAMRY	ESCORT	JAGUAR	PACER	TOYOTA
CARAVAN	EXPLORER	LEXUS	PINTO	VOLVO

Retirement Home

```
V G W N Y L A I C O S U A R O T I N O M S L A E M
Y A P P T F C N S E S M E V E T D I K H T L A E H
B M L U I M T K C M B C O R Z S Q N D W F C E N V
J E Y Z R O I I N U R L A R V T I L E F A S F H I
H S T Z U O V O L E U C L U D T Y D M L R G E C S
H R I L C R I A A N A I C I T E I D E U C N R R I
S O N E E S T T T Y C A V I R P R N N N I I S U T
T T U S S O I E R U T I N R U F D L T C T S T H S
A C M I R O E Q G N I G A I B A T H I N G S N C S
F O M Y N R S S E N T I F L R B E D A E J E E Q U
F D O T S E N I O R S P Y P A R E H T F S R V P E
A E C N A R U S N I E C A P S M D I A C I D E M A
```

ACTIVITIES	COMMUNITY	GAMES	MONITOR	SECURITY
ADMISSION	CRAFTS	HEALTH	NURSE	SENIORS
AGING	DEMENTIA	HELP	ORDERLIES	SERVICES
AMBULATORY	DIETICIAN	ILL	PRIVACY	SOCIAL
BATHING	DOCTORS	INSURANCE	PUZZLES	SPACE
BED	DRESSING	KNITTING	RECREATION	STAFF
CALENDAR	EVENTS	MEALS	RESIDENTS	THERAPY
CARE	FITNESS	MEDICAID	ROOM	VISIT
CHURCH	FURNITURE	MEDICINE	SAFE	VOLUNTEERS

Child's Play

```
F C A T C H A G B V S R O O D T U O F G O X B F O
M U S I C S C A N X P S P O R T S B E R U S I E L
W G C R E A T E F I V N L E X E R C I S E S A H C
Z J A R P L I K S X R L N O X H V G C B R E A K S
R F U M G P V W L F H O B P C J I N O W G L D K U
T N H E S I M A O X D L A U G H I N G N Z P O M
Z A S Q G M T M U E N O E O E A S T T N N Z N B M
A J V K R L I S O A R B C W C T S N E I D U O S E
K B U B B L E S S I K C A A N B E I S C C P F X R
P S T O Y S S G N I W A R D U K C A T N E K I B S
S J D N U O R G Y A L P K W O C E P R A N C L A Y
A W S F F Y K H P M D L I U B B R E A D I N G E T
```

ACTIVITIES	CATCH	DRAWING	LEISURE	RUN
ART	CHASE	EXERCISE	MUSIC	SANDBOX
BAT	CLAY	EXPLORING	OUTDOORS	SPLASH
BEACH	COLORING	FAMILY	PAINTING	SPORTS
BIKE	CONTEST	FREEDOM	PLAYGROUND	SUMMER
BOUNCE	CRAFT	FUN	PUZZLES	SWIM
BREAK	CREATE	GAME	RACE	TAG
BUBBLES	DANCING	JUNGLE GYM	READING	TICKLE
BUILD	DOLLHOUSE	LAUGHING	RECESS	TOYS

Rockets

```
E E R F U C G M I L I T A R Y T I V A R G E W O T
R N S O L L O P A Y E G Y R T N E E R S H C B L W
E A G P V I T C P I G C N N E P W G L A U N C H G
S P N I I E G A K L M O O I U G A O A F U E L G M
E H O U N L R H E P A U L A T S N V D L T I D N I
A Y T C L E C S T H I N L O T I O E I H E C P I S
R S S U S A T E L L I T E E N E O R L A S S A Y S
C I U Y R E V O C S I D R T N H M N B L T A U L I
H C O I R A L O S T U O W S S F C M O I A I L F O
Z S H U T T L E U W I W B O O S T E R O T H O P N
H S R A T S I D T D G N I G A M I N T E M O C N S
S E L C I H E V G A S T R O N A U T E K C O R J R
```

ALTITUDE	COUNTDOWN	GRAVITY	MOON	SCIENCE
APOLLO	DISCOVERY	HEAT	ORBIT	SHUTTLE
ASTEROID	ECLIPSE	HOUSTON	PHYSICS	SOLAR
ASTRONAUT	ENGINE	IGNITION	PLANETS	SPLASHDOWN
AVIATION	FLIGHT	IMAGING	REENTRY	STARS
BOOSTER	FLYING	LAUNCH	RESEARCH	SUN
CHALLENGER	FUEL	LUNAR	ROCKET	TECHNOLOGY
COCKPIT	FUSELAGE	MILITARY	ROVERS	TELESCOPE
COMET	GOVERNMENT	MISSION	SATELLITE	VEHICLES

```
X H R Z D A E N F G T K S V T L B R E T T I H F D
Q N O O H R C P A T N C L F P A E A G L E A X O G
H P C R O W N E S S F I A P U G N A G I L L U M N
X C T F B K Q R T O U R N A M E N T D F H B T W E
S J Z P L W I C B S D T I N O U S I T E L F O U L
P L A N O I G E R E L T F A I D J I K E R D W F F
Y D I M C F C N E I W A L U R S M P H C H L W F F
E L A D K U B T A H S H P A M E K R O C E G R C O
R E S N E F E D K S U I U S F B A V U I N H O Z Y
T I R D D U N K I A T G W E H X L O I P N A C A A
F F E K I R T S M C G J K R E O T E C O N T R O L
L Y H P O R T O H I G D E L B A T R I P L E S F P
```

ACE	DOUBLE	FRANCHISE	LEADER	SLIDE
ASSIST	DRAFT	FUMBLE	MULLIGAN	STRIKE
AXEL	DUNK	GOAL	PERCENT	TABLE
BLOCKED	EAGLE	GUARDS	PITCH	TEAM
CHECKING	FAST BREAK	HALFTIME	PLAYOFF	TOUCHDOWN
CONTROL	FIELD	HAT TRICK	POINTS	TOURNAMENT
CROWN	FINALS	HITTER	REGIONAL	TREY
DEFENSE	FORE	INNING	ROOKIE	TRIPLE
DEUCE	FOUL	JUMP	SLAP SHOT	TROPHY

In Court

```
B R L J L P R E T R I A L E G R E S S T S U R T R
M A J O R I E N J U V E N I L E C N A R U S N I A
A D K O E G T G W E D D I N G S S E G R A H C C E
S E P Z V A S I T E K C O D L A W S U I T R T G W
S V R C I D I A G Y T I L I B A I L E B R I E F S
E I O O E V R R F A T W E C N A V I N N O C E N T
N S B V W O R R I A T S E T T L E M E N T A Y I N
T E O E P C A A L C T I S M I E C N A V E I R G E
I D N R F A B U E C N N O E O C T N E M E S A E I
W K O T D T C L B U C O U N S E L O R E Y W A L L
Q C H C A E P M I S T E S T I M O N Y U L I V I C
Y T R E P O R P L E M U G N I R A E H E A R S A Y
```

ACCUSE	CLIENTS	ESSENTIAL	JUVENILE	PRO BONO
ACTION	CONNIVANCE	FILE	LAWSUIT	PROPERTY
ADVOCATE	CORPORATE	GRIEVANCE	LAWYER	REVIEW
ARRAIGN	COUNSELOR	HEARING	LIABILITY	SETTLEMENT
BARRISTER	COVERT	HEARSAY	LIBEL	SWEAR
BRIEF	DEVISE	IMPEACH	LITIGATION	TESTIMONY
CHARGES	DOCKET	INDICTMENT	MAJOR	TRUSTS
CITE	EASEMENT	INNOCENT	PECULATION	WEDDINGS
CIVIL	EGRESS	INSURANCE	PRETRIAL	WITNESS

Cookie Jars

```
F R C I M A R E C R C N E K O R B Q L S T O L S C
F U Q W B X D S N A E H X V T H G U A C N G C N G
B Y D M A T E U O Y B L O G I F B D E O R E F A W
B R N G K I T T O C S I B C E T D A M D C S A A S
W N O S E U S E R A H T N A O L A E T E O N T K P
G F M W G C O E A R R R H E K L L R A L U G Y U V
C L L N S R W C A O E I A T A A B O I N I H Y N
K C A N S I F S A M U S T S F M E T G C T S Y S Z
H S O M Q B E E M E N S O T T S D R E I E E T U M
S Q C N I S I A R L D E G E U M A O B O R D P G Z
N E O S D N A H Z S H D I A R B A H G U O D M A W
N X C I M L A R G E L H X P R O M S B S T A E R T
```

ALMOND	CABINET	DELICIOUS	GRAB	ROUND
ANIMAL	CARAMELS	DESIGNS	HAND	SHORTBREAD
BAKE	CAUGHT	DESSERT	LARGE	SMALL
BISCOTTI	CERAMIC	DOUGH	LEMON	SNACK
BISCUIT	CHOCOLATE	EMPTY	MACAROON	SNEAK
BREAKABLE	CHRISTMAS	FIG	NUTS	SUGAR
BROKEN	COCOA	FROSTED	OATMEAL	SWEET
BROWNIE	COUNTER	FUDGE	OREOS	TREATS
BUTTER	DECORATIVE	GLASS	RAISIN	WAFER

School Pictures

```
V I J L F W B A R E M A C Y F L O O T S K P M Y B
X P V A E E S O P L X C F I E P P R E J O U I M E
N M T E C O S T U E T R L T K P D D E R O R O I N
P I V E P U E K A M I C O A H P G E T F B C A S H
S R R P A F R J T E T Y U O U P O R H S R H O G E
F P M G C M D I N N O I T A U D A R G H A A G C L
N Q O Y K F S D F T H O F I B I I T D L E S R V I
B E N R E C S F L A S H I L T A T V T K Y E O S M
C U E L T S E Z S R D L T S C N H Q I E C L U B S
M B Y R A S P H M Y A T O H S P A N S D R A P W E
G T T L P V D N C S E L P M I D I U D J N N B Q A
S D C O L O R E R A H S B P M O R P Q V H I U J Q
```

BACKDROP	COST	HAIR	PHOTOS	SIT
BUY	DIMPLES	HEADSHOT	PORTRAIT	SMILE
CAMERA	DRESS	INDIVIDUAL	POSE	SNAPSHOT
CASH	ELEMENTARY	MAKEUP	PREEN	SPORTS
CHECK	FLASH	MONEY	PRIMP	STOOL
CLASS	FRIENDS	ORDER	PROM	STYLE
CLUBS	GRADUATION	OUTFIT	PURCHASE	TEAMS
COLOR	GRIN	PACKET	QUANTITY	TEETH
COMB	GROUP	PATTERN	SHARE	YEARBOOK

Income

```
I K S L F C O S G N I V A S F R E E L A N C E M S
O I T U A F R E K I E W D S G N Y B E M O C N I B
E D N R F B V R N P N N A N V C O S U N I B G E I
V Z E I D O O H I L E V I L U X E I T S J O N K N
K E C P G W C R O D S D E S R X R R T W I J I S T
R E I N O A A T I U N T T S A L A R Y O A N T L E
G L V S S S T V Y E R O I T T C I F U M M O E V R
O I R S L L I B L L M S T S T M S P I T C O K S E
O O E T O D O T E E M P L O Y M E N T K U P R I S
D T S Z G U N A R R E T R A B B S N S Z I H A P T
S D O L L A R S N R U T E R O Y A L T I E S M Y R
W A G E S N H S L Y S O Q V K N A B O N D S E L L
```

ASSETS	CENTS	GOODS	MARKETING	SELL
BABYSIT	CONTRACTOR	HOURS	OFFICE	SERVICE
BANK	CUSTOMERS	INCOME	PAY	STOCKS
BARTER	DEPOSIT	INTEREST	PROMOTION	TAXES
BENJAMINS	DIVIDENDS	INVESTMENT	RAISES	TIPS
BILLS	DOLLARS	JOB	RETURNS	TOIL
BONDS	EARN	LABOR	ROYALTIES	VOCATION
BUSINESS	EMPLOYMENT	LENDING	SALARY	WAGES
CAREER	FREELANCE	LIVELIHOOD	SAVINGS	WORK

Studying History

```
A R M Y S A S U A S G M I G R A T I O N A V Y S P
P A S T T R I T R E V O L U T I O N N O I N U T E
E X M A N L Y Q R C S F L T N T E C A I Q A B A J
O L K E E Z Y U C Y E G N D G F I G H T I N G T R
P S T R V T L E M H I Y U B B F B O G N I K C E E
L S C T E I R E L P R S C I M O N O C E X O L X C
E L S I A U C N M A T O S R A E Y H T V R I N T O
B O C F T B A S T R N L N T L E U S X N G A E B R
W O R L D I W I I G U X S I C R E E R I P M E O D
S H U W S S L A I O O Z V A C C E P O R U E B O A
C C E A P I L O R I C I E H R L A N C I E N T K T
O S G L M S V A P B C P R O G R E S S R X N N V E
```

ANCIENT	COUNTRIES	FIGHTING	PAST	SCHOOL
ARMY	CULTURE	INDUSTRIAL	PEACE	SOCIETY
ASIA	DATE	INVENTION	PEOPLE	STATE
BATTLE	ECONOMICS	KING	POLITICS	TEXTBOOK
BIOGRAPHY	EMPIRE	LAW	PROGRESS	TREATY
BOATS	ERA	MIGRATION	QUEEN	UNION
CHRONICLE	EUROPE	MILITARY	RECORD	WAR
CHURCH	EVENTS	NATION	RELIGION	WORLD
CIVIL	FAILURE	NAVY	REVOLUTION	YEARS

Shoes

```
J D B P S S T C B L K O N R O T H X A S K H R R J
P K H S O A D I D A S K G G E E C A L T V U U S K
L K E C L N V F T X S R I S E V J O Y E O N P G C
H R R F R D A N N R O K S L W O O D L M N O N A O
D O I U R A E K A U E R E L B B O C O I L I B T S
X W P A B L Y F N C A A D T V D R C N F K T C H U
V P M U P B T D B Y T O D R B O C G P L Z C O L P
Z D E J H M E V D H S I L O P A O I A U L E M E P
V S I L Y P N R E P P I L S S L L W G E H T F T O
T Y A T Y I N R E F A O L I C F T L A O O O O I R
G F M E K T I F X O Y F N Q F O O T R E L R R C T
O M Z E Z I S K H G W O B A S H I N E M I P T I F
```

ADIDAS	COMFORT	HEEL	PUMP	STYLE
ARCH	COVER	LACE	RUBBER	SUPPORT
ATHLETIC	DESIGN	LEATHER	RUNNING	TENNIS
BASKETBALL	DRESS	LOAFER	SANDAL	TOE
BOOT	FIT	MOCCASIN	SHINE	TREAD
CANVAS	FLAT	NIKE	SHOE HORN	VELCRO
CLEAT	FLIP FLOPS	PAIR	SIZE	WALKING
CLOG	FOOT	POLISH	SLIPPER	WOOD
COBBLER	GROUND	PROTECTION	SOCK	WORK

Young Children

```
C L X G N B C S D T N M D T D J J O Y Y B U S Y Z
R E H R Q X Y U S E X W O E Y G U D Y J W K S L F
H A G O C O O O G E G D T V N W A O R A C C E A W
J R N W L B U I X W L E E I I E X P L O R E O I Z
M N I I I D N R Y S R T N S T N A K L E S A H C P
H I L N M N G U E M E I S S I D G B L L A M S O E
X N B G B A S C I V M M N E O V I V A C I O U S P
N G B I X S T N T A I U A R R P R E S C H O O L P
N B A G N B E E X G O T A G G C R E A T I V E A Y
S V B G A D R E D K O B C G B D I A P E R F N D H
I Y A L P U L G X T L X T A L K I N G U E T U C U
A L L E N K O K C E N G A G I N G S Y S S E M N X
```

ACTIVE	CLIMB	FUN	PEPPY	SUPERVISED
ADORABLE	CREATIVE	GAME	PLAY	SWEET
AGGRESSIVE	CURIOUS	GIGGLE	PRESCHOOL	TALKING
ANIMATED	CUTE	GROWING	RESTLESS	TINY
BABBLING	DETERMINED	LEARNING	RUN	TOT
BALL	DIAPER	MESSY	SANDBOX	UNSTEADY
BLOCKS	ENGAGING	MOVING	SHOES	VIVACIOUS
BUSY	EXAMINING	NAP	SMALL	WALK
CHASE	EXPLORE	PANTS	SOCIAL	YOUNGSTER

Mysteries

```
W Y U R E D R U M E V I T R U F E U G A V P S U O
I O N C K G E G N V O V K C O L R E H S L E U T H
T C C E N N N D I F F I C U L T V U N U S U A L
N C L C W I O I U T E R C E S G N I L Z Z U P R Q
E U E I O L R Y X C R W E I R D E D U C E O P C E
S L A L N F O F W E A T H R I L L E R I B I L A V
S T R O K F C I A J L A R U T A N N U A C R O N I
W U R P N A A T R B U P K H O M I C I D E U T E T
P K E A U B L S R U C C R I M E C E E R U C S B O
U N C A N N Y Y A S A G D E V I T C E T E D L T M
S L A C I G A M N I R C R Y P T I C O V E R T U S
A H S U S P E C T N O H I D D E N M I T C I V J E
```

ALIBI	DEDUCE	MURDER	PUZZLING	UNCLEAR
ARCANE	DETECTIVE	MYSTIFYING	SECRET	UNKNOWN
BAFFLING	DIFFICULT	OBSCURE	SHERLOCK	UNNATURAL
CLUE	EVIDENCE	OCCULT	SLEUTH	UNUSUAL
CORONER	FURTIVE	ORACULAR	STRANGE	VAGUE
COVERT	HIDDEN	PERPLEXING	SUBJECTIVE	VICTIM
CRIME	HOMICIDE	PLOT	SUSPECT	WARRANT
CRYPTIC	MAGICAL	POLICE	THRILLER	WEIRD
CURIOUS	MOTIVE	PURLOIN	UNCANNY	WITNESS

Model Aircraft

```
X Z T O C C T W Y C O R E T P O C I L E H O B B Y
K E H G I H S R U I D F E P R D P F V F Q D Q S C
T H B B L L A M S R J S R C F A T F U G L H K J H
I Z E U E T F N U T E O U F R E Q U E N C Y O S C
E U B I I B T O N C P V T K E E L A C S O Y A O D
F I E L D A U I M E Z R A T C G A B E T S R N Z V
M Q I D K T D O L L E I F E E A T M T C T N R C
R M L E S T D L M E N S N W I N D Q I E R U E E T
U A O I R E E I B A K Y I I V O I C V O S X T D N
L F D R L R E P L I C A M O E R K G L V N S N I O
F E X I P Y P P T R E D D U R D U G N I D N A L Z
Z Y V A O V S J L S D J C R R E M O T E B S A G P
```

AIR	ELECTRIC	HELICOPTER	OUTSIDE	RUDDER
ANTENNA	ENGINE	HIGH	PARK	SCALE
ASSEMBLE	FAST	HOBBY	PLANE	SERVOS
BATTERY	FIELD	JOYSTICK	PROPELLER	SKY
BUILD	FLY	KIT	RADIO	SMALL
CHANNELS	FREQUENCY	LANDING	RECEIVER	SPEED
CONTROL	FUN	MILITARY	RECREATION	TAKEOFF
CRASH	GAS	MINIATURE	REMOTE	TOY
DRONE	GLIDER	MODEL	REPLICA	WIND

Danger!

```
E G U J B K N I F E Y L V O B B L I Z Z A R D U L
R V G M F H P Y L H K U J S V O P P I H L S E I V
E T O N O I P R O C S E H L E H C N A L A V A L M
Q B K T R G G Z O Z I A L V I R F Z S R R H R T C
S M O A S H N H D X R A I B O G A I O F M B T L R
O U N Y R W S V T K N S E C A R H B R R I D H I A
D H O C E A B E Z I O O O X D M B T E E N G Q O S
A D O L D Y E J M L N D O O C E M H N G G F U N H
N R E I I U A I P U I G U H R O T A G I L L A N H
R O D F P R R X O L F S U Y P A B T L T N K K G C
O W R F S C E R E G G A D H E Y C R X F E G E K P
T S U N A M I P O I S O N W A H T O A S I Y N Z E
```

ALARMING	CRASH	FLOOD	LIGHTNING	SNAKES
ALLIGATOR	CRIMINAL	FUMES	LION	SPIDERS
AVALANCHE	CROCODILE	GUN	PERILOUS	STOVE
BEAR	DAGGER	HAIL	PIRANHA	SWORD
BLIZZARD	EARTHQUAKE	HAZARDOUS	POISON	TIGER
BOMB	EXPLOSIVE	HIGHWAY	RISKY	TORNADO
CAR	FIGHTING	HIPPO	ROBBERY	TSUNAMI
CLIFF	FIRE	KNIFE	SCORPION	TYPHOON
COBRA	FLAMMABLE	LAVA	SHARK	WEATHER

Technology

```
L T T G S E N A L P R F A X P U G C I M U S I C M
H H J O M N C Q B A V A U D I O O T E I L P G E R
F G W A O A T E L E V I S I O N E O R C C H D B A
G I I V R L C O E A O Q D D V S N B L R O O E O D
M L R R E E S H H F P O H E I P I O O O M N R T I
S C E N O N N X I A F T N C O G C R V W P E A E O
H T L U J C E I A N R I O Z R K I G K A U R W N Y
A A E C X X K R G L E D C P K A D T A V T E T R C
M B S L O T A E G N A S W I U G E V A E E I F E I
T L S E C U R I T Y E R Y A E K M S D L R P O T G
M E G A R O T S S E T O M E R N X H E A T O S N P
H T X R E T N I R P E T I L L E T A S R A C U I B
```

ALARM	EFFICIENT	INTERNET	PHONE	SECURITY
AUDIO	EMAIL	LAPTOP	PLANE	SOFTWARE
CAR	ENERGY	LIGHT	PRINTER	SOLAR
CLOCK	ENGINE	MACHINES	RADIO	STORAGE
COMPUTER	FAX	MEDICINE	REMOTES	TABLET
CONVENIENT	GPS	MICROWAVE	RESEARCH	TELEVISION
COPIER	HARDWARE	MODEM	ROBOT	TOOLS
DIGITAL	HEAT	MUSIC	ROCKET	VIDEO
DVD	INNOVATION	NUCLEAR	SATELLITE	WIRELESS

Deal the Cards

```
J E E X K V V O R F J Y E F G G A J I H P N U B U
I B O Q W W X B H I B S M R Y Z S Y T H B E T N K
X T N Y J H K R E P A P A M S Y M B O L S E B D C
Z E U A H A C O L O R P G G U L C D U D T U U L B
G Q P R G G E C F W L P O K E R Y I R E Y Q L O D
N S V N N O D A F T D U T S C V H A N A F V C F C
B O S U I Q F S U S V I U K U X O M A L T Y C Y F
Y W F X K P I I H O U W Y C E B L D M V P O G T P
T O G Y L O V N S S Y P A I D B D L E G D I R B N
T L O A R V E O T H G I A R T S I O N D N A H A E
Y J Y G O C K X H E L B A T D L I W T R E K O J T
I N E Y A C K B I C Y C L E X F S Q V H A N K Q K
```

ACE	DECK	HAND	POKER	TAROT
BET	DEUCE	HEART	QUEEN	TEN
BICYCLE	DRAW	HOLD	RUMMY	TOURNAMENT
BRIDGE	FIVE	JOKER	SHUFFLE	TRICKS
CARDBOARD	FLUSH	KING	STRAIGHT	TURN
CASINO	FOLD	OLD MAID	STUD	TWO
CLUB	GAME	PAIR	SUIT	UNO
COLOR	GIN	PAPER	SYMBOLS	VEGAS
DEAL	GO FISH	PLAY	TABLE	WILD

Hardware Stores

```
R V Q F H N O A H T I U S S R E T L I F R T M I E
Y G P U V S V I C E S R N G O B I M P R O V E G D
T X N S H S N D S C E W X I S N K C O L A T N E R
O E I E Z G R V T H A I T N S S Y S C R E W S T I
O S A S E Y W E S L L U F E P I P S H O V E L L
L R H S W E R A N L A L L V R G U V C E R I W O L
S E C A L O W E S E N A I K P C A T L E V E L B M
I I L P U E O W P S T S J F M V A R D R L C C A E
P L Y A M N W D A I E S D O O R K N O B S A E Y M
N P O I B S U O O H L I A N C K I P U T K Z H E W
D H C N E R W N D C P A S F M R E L I T S G I C S
P X K T R F H A M M E R C F G C J Y Y H P N M W C
```

ACE	DOWELS	IMPROVE	PIPE	SHOVEL
ADHESIVES	DRILL	INSULATION	PLIERS	STORAGE
BOLT	DRYWALL	KEY	RATCHET	TILE
CALIPER	FASTENERS	LAWN	RENTAL	TOOLS
CAULK	FILTERS	LEVEL	ROPE	VICE
CHAIN	FUSES	LOCK	SAW	WASHERS
CHISEL	GRINDER	LUMBER	SCREWS	WIRE
COMPRESSOR	HAMMER	NAIL	SEALANT	WOOD
DOORKNOBS	HINGES	PAINT	SHEARS	WRENCH

Bread

```
U K X H C J K L T I E P B G T D C S A P E C U N A
C S I M O N E Y I O B E V S E N I H C A M X K M Y
D W Y L I O D R K R Y R A N O I T I R T U N O B A
Q A H F I Z P G R M U E E I W U W M A K E R U I S
B R E R E D N O W O Y V X A T I R E T R A T S M S
S M K N Y I T A L I A N C I K L G D T E T B N U L
Y M A L K R A F U E I W H H T F A O O E M G I O L
A A R A I S I N L E H C I W D N A S R U L B A A O
N J B S D M J N T I N E V O P S H S R U G V R X R
E C I P S N U O T E W V P I T A D C T C E H G H Y
Q N U U S A R E R S L I C E D W C E B S O F T G E
G W I Q L P S F N K R A D O M Q N W O R B R C D E
```

AROMA	FRENCH	MAKER	PROTEIN	SOURDOUGH
BAKING	GLUTEN	MILK	RAISIN	SPICE
BREAKFAST	GRAINS	MONEY	RISING	STARTER
BROWN	ITALIAN	NAAN	ROLLS	TOASTED
BUTTER	JAM	NUTRITION	RYE	UNLEAVENED
CRUMBS	KNEAD	OIL	SALT	WARM
DARK	KNIFE	OVEN	SANDWICH	WHITE
EGG	LOAVES	PAN	SLICED	WONDER
FLOUR	MACHINE	PITA	SOFT	YEAST

Investigator

```
C N T E P D L E I H S N O I T I U T N I P K O O L
I L C S O D I N C G O W F E J O N D N E C U D E D
G T U I R H D N P I I I G V C Y O B I A F A C T S
O I L E D S P Y T T L D M I R A I F R A W P L A I
L P I R S B R A N E A O R D I P T T T N O K A V R
K S C Y E J U E R B R E P E M R S M M A L N E I Y
B C E C V L S F M G D V V N E O E Z I L L I V R J
T E N C A S L S A R O L I C T B U P T Y O F E P Z
I N S V E A C I U J O T I E D L Q O C S F T R O A
B E E S A C L M R S K F O J W E E C I T S U J O O
M R U G S L E U T H F C N H H M D G V V Y K L I N H
Y Y J K A E N S G O T O F I P K T O M Y D U T S Z
```

AGENT	EVALUATION	INTUITION	POLICE	SNOOP
ANALYST	EVIDENCE	JUSTICE	PRIVATE	SOLVE
BADGE	FACTS	LICENSE	PROBLEM	SPY
CASE	FILE	LOGIC	QUESTION	STUDY
CLUES	FINK	LOOK	REVEAL	THRILLER
COP	FLATFOOT	MURDER	SCENE	TIPS
CRIME	FOLLOW	MYSTERY	SHIELD	TRACK
DEDUCE	INFORMER	OFFICER	SLEUTH	VICTIM
EAVESDROP	INTERVIEW	PHOTOGRAPH	SNEAK	WITNESSES

That's Heavy!

```
P S S Z G S C D D M E T A L C A R F D Y G P C Y K
F H K J A L T U Y Z V S L M X F K C I R B M L X J
O I S S N B E D M O E L I B O M O T U A E T G H
N P P D E W C E L W T C B B U S A N D B A G S I C
I A W C G D H H X E S N O M B G E C Z D T I R E S
A E P L A N E S O L V A A O N I H R E H S A W I Y
T F I L K R O F U R N I T U R E H E M F S U B E Q
N R F B C T S G O L I L S R X C O T N E M E C L T
U I O T A R G L N Y R P X I U B R E D L U O B A E
O A A N P A O M A A O P R O O U S T E E L G O H K
M N K R G E L L I V N A C E C N E R H W O C J W J
O S I E T H D B P O C I B K M I S E X O B Y Q K W
```

ANCHOR	BUS	GOLD	MOUNTAIN	STOVE
ANVIL	CAR	GUILT	PACKAGES	TABLE
APPLIANCES	CEMENT	HEART	PIANO	TANKS
AUTOMOBILE	COAT	HORSES	PLANES	TELEVISION
BED	CONCRETE	IRON	RHINO	TIRES
BOATS	COUCH	LEAD	SANDBAGS	TRAIN
BOULDER	DESKS	LOGS	SHIP	TRUCK
BOXES	FORKLIFT	LUGGAGE	SOFA	WASHER
BRICK	FURNITURE	METAL	STEEL	WHALE

City Government

```
M R E T A X E S E L U R N W O T E T O V M C Z R Q
I E C A M P A I G N E T G H S E V C D A E H I M P
T X L I C N U O C W L D O C S T C I R T S I D T I
C H A I R S T N O R E E V P Y R A T E R C E S L Y
S D R O E W H P E C X S E C N A N I D R O F A A E
P E O F V A O P I E Q A R N B U D G E T G C O P C
E T Y F A L R S C C K U N A I C I T I L O P B I N
E C A I I E I U Y E N O M L E A D E R L K Q D C A
C E M C S O T A R C U A E R U B A R O T C E R I D
H L I E N I Y C O M M U N I T Y T N E B M U C N I
E E N S V S S O B S E A T A M E E T I N G S W U U
S T R E E S R E V O P I N I O N S R E G A N A M G
```

AUTHORITY	COMMUNITY	HEAD	MUNICIPAL	RULES
BOSS	COUNCIL	INCUMBENT	OFFICE	SEAT
BUDGET	DECISIONS	LAWS	OPINION	SECRETARY
BUREAUCRAT	DIRECTOR	LEADER	ORDINANCES	SPEAKER
CAMPAIGN	DISTRICTS	LOCAL	OVERSEER	SPEECHES
CANDIDATE	ELECTED	MANAGER	POLICIES	TAXES
CHAIR	EXECUTIVE	MAYORAL	POLITICIAN	TERM
CHIEF	GOVERNMENT	MEETINGS	POWER	TOWN
CITY	GUIDANCE	MONEY	REPRESENT	VOTE

Contests

```
C P R I Z E V R C H V J R Y N E R O C S E L A S V
C S A I I O V O E H P L A U D I V I D N I A E U C
M P W W D P P N T C A N D I D A T E W I Z D M H T
Y E A F E P X O A A T L T S E T N O C W T E A C A
D L R I O O W H I A O F L L Y R O T C I V M F R L
E L D N E S I N G I N G V E B K I C O M P E T E E
B I E N F I U O E D A N C I N G T H S I N I F W N
A N U I E T N O L Y M P I C S G C F O D E F E A T
T G G G R I V A L R Y N O O S S E N I S U B A R J
E H A O S O R M O T I V A T E S L S U C C E E D G
T M E M H N F F C F Y M A T H L E T E V E N T S A
E P L A Y E R I B B O N S P O R T S E I R E S R D
```

ANTAGONISM
ATHLETE
AWARD
BUSINESS
CANDIDATE
CHALLENGE
CHAMPION
COLLEGIATE
COMPETE

CONTEST
DANCING
DEBATE
DEFEAT
ELECTION
EVENT
FAME
FIGHT
FINISH

FRIENDLY
GAME
HONOR
INDIVIDUAL
LEAGUE
MATH
MEDAL
MOTIVATES
OLYMPICS

OPPONENT
OPPOSITION
PLAYER
PRIZE
REWARDS
RIBBON
RIVALRY
SALES
SCORE

SERIES
SINGING
SPELLING
SPORTS
SUCCEED
TALENT
TRY
VICTORY
WIN

Information Overload

```
S R E B M U N Q R E G D E L K M Y U E E T K F G H
T C W L V S S F I G U R E S E S Q T V Z L I S T M
I Z A R E G C A L C U L A T E Y U I S Y R A N I B
B T R P E C I H Y D U T S N C P D C T L S T R S D
R E E E A T T G E X I Y G U M E I K C A T P F U M
E S S T D C S R A D S E X O N E L I A N R Y O R T
D T E F Y E I L O B U U C C N D O L F A O R R V U
L I A I Z B T T L N Y L E C N O O O O O D P C M E P
O N R L I A A A Y O I T E A H C T B B B C E N A Y N
F G C E L C T G I E P C E S T E T Y B A R E T H I
J O H X D O S A E L E A S T N E I T A P I N D E X
Y R O M E M C A D M S D D A O L R E V O E Z I S B
```

ACCOUNTS
ANALYZE
ASCII
BINARY
BITS
CALCULATE
CAPACITY
CODE
COLLATE

COLLECTED
COMPUTE
DATA
DETAILS
DISK
ELECTRONIC
ENCRYPT
EVIDENCE
FACTS

FIGURES
FILE
FOLDER
FORMAT
GIGABYTE
INDEX
INPUT
KILOBYTE
LEDGER

LIST
MEGABYTE
MEMORY
NUMBERS
OVERLOAD
PATIENTS
POLLSTER
REPORTS
RESEARCH

SCHEDULES
SCIENCE
SIZE
STATISTICS
STUDY
SURVEY
SYSTEM
TERABYTE
TESTING

Health Spa

```
N T L O O P L R I H W B A X I K W R A P R S G N F
J S X O I Y N N B O M O L A G O Y R M Y E K O Y T
S P E D I C U R E T A R A L I H X E O B S I G H M
T U P E A C E E N S N O I E C Z D J N X T N G A H
E R O M X T Q M E P I R C R E I N U D O R I S E R
L P A I A F W E F R C G A L T E T V L E E S A T E
B A T N R P O A I I U A F A A R G E E W A T A S C
A M B E Q U U L C N R N T I I R U N G G T L N E O
T P B R J U X S I G E I O T L D U A E R M A U U V
C E U A E S I U A A O C I C U R A T I V E S A G E
D R L L T H S L L N T O L L O D G E A L N N S Q R
H V C S M H B Y T I N E R E S X P E C N T O E R R
```

BATH	FACIAL	MANICURE	PAMPER	SERENITY
BENEFICIAL	GUEST	MASSAGE	PEACE	SKIN
CLEANSE	GYM	MEALS	PEDICURE	TABLE
CLUB	HEAT	MEDITATION	RECOVER	TRANQUIL
CURATIVE	HERBAL	MINERALS	REJUVENATE	TREATMENT
ENERGETIC	HOT SPRING	NATURAL	RELAX	WEIGHT
ENJOY	LODGE	NUTRITION	REST	WHIRLPOOL
EXFOLIATE	LOTION	OIL	SALTS	WRAP
EXHILARATE	LUXURIOUS	ORGANIC	SAUNA	YOGA

Last Names

```
W X Z N V Q B X T O R R E S D E E R J M E C I R P
A I S L N G W Z E P O L B J E P R S E N Y A R G A
L S L P P O E N S A F A U O L R O R S I W E L C R
A A M L H N S C Z L K L T H K N O S N I B O R H K
H E O T I Z Z D Y E V O L N O R M L T S M D R S E
G D R T L A Q R R X U N E S J O A N F E J M Z B R
N W R U L L M V R A A G R O F L A L N A W E O Y E
U A I R I E N S E N H E I N O Y O O C E R A I N T
M R S N P Z U S P D T C K R R A S K P I K E R X S
L D N E S H U G H E S D I B D T S J M B B I V T O
B S I R K R Y H P R U M N R A O N A G R O M U I F
H N C M C Z Z M S Z Y T G W N I R U S S E L L X R
```

ALEXANDER	FOSTER	LONG	PERRY	RODRIGUEZ
BAKER	GONZALEZ	LOPEZ	PETERSON	RUSSELL
BROWN	GRAY	MARTINEZ	PHILLIPS	SIMMONS
BRYANT	HALL	MOORE	PRICE	STEWART
BUTLER	HUGHES	MORGAN	RAMIREZ	TAYLOR
CLARK	JACKSON	MORRIS	REED	TORRES
EDWARDS	JOHNSON	MURPHY	RICHARDSON	TURNER
FLORES	KING	MYERS	RIVERA	WATSON
FORD	LEWIS	PARKER	ROBINSON	WILLIAMS

Home Chef

```
T M C I T O X E P O D V D R S D X H C N U R B Z M
N M O T F N U T R I T I O N E E E P O U L T R Y D
J W U C R E C I P E S E O L L Z G D Q B I A G C O
N W R P A E E S Z H Z I O Y B N I A X M S S N J O
I M S A H N S B E G T R H T A C E T R W P I I A F
T X E Y T S D S K C E P A S T A W K E E J A K N A
R F S A A A Z Y E S E M W A E K S T C P V N A A E
E T L L P D A R S D T X A T G E S I Y I P E B I S
A D A E R B I A S U H C I T E B A I D B H A B L N
T D I E S D C L R E N N I D V L P U O S E C U A S
S Z L E M M K R O P I A A H T L A E H C N U L T E
G S T F T U H Q Z H C P N Y C U W J V P V E C I R
```

APPETIZER	CASSEROLE	DIRECTIONS	MEAT	SALADS
ASIAN	CHICKEN	DISHES	NUTRITION	SAUCES
BAKING	COURSES	ETHNIC	ORIENTAL	SEAFOOD
BEEF	CUISINE	EXOTIC	PASTA	SOUP
BEVERAGES	DESSERT	HAWAIIAN	PIES	SPECIALTY
BREAD	DIABETIC	HEALTH	PORK	STEWS
BRUNCH	DIET	HOLIDAYS	POULTRY	TASTY
CAKE	DINNER	ITALIAN	RECIPE	TREATS
CANDY	DIPS	LUNCH	RICE	VEGETABLES

Music

```
F D J A D C S E B N I D R E V E Y R E H T I Z S H
S U K U L E L E O B U E A G O N Z S T B I Z E T M
A E N E M T E I C L N R A B O S T E N A T S A C S
V T F I S T S Y C O T N O H K R E G G A E M T P A
I J H I H S J I H I I O P J I M M Y W E B B R O X
O C H O U D M P E T P M R N A I S E L O G R E P O
L W V C P E A S R R Y I G O N M Y H U M R O B R P
I E R L R R H E I S Y S A Q S N M R M E I N U E H
N E A C B A C D N C S L E N L S I U J L E D H S O
P T D I W N V Y I S O U N D O N I L R O G O C T N
E U V B O M U S I C I A N C E E T N A D N A S O E
L L K C O L B D O O W P I C C O L O I Y V O C A L
```

ANDANTE	CONCERTINA	MELODY	PRESTO	TAMBOURINE
ARTIE SHAW	DRUM MAJOR	MUSICIAN	REGGAE	UKULELE
BEAT	DUET	OBOE	RONDO	VERDI
BEETHOVEN	DULCIMER	PAUL SIMON	ROSSINI	VIBRAPHONE
BIZET	GRIEG	PERCUSSION	SAXOPHONE	VIOLIN
BOCCHERINI	HYMN	PERGOLESI	SCHUBERT	VOCAL
CASTANETS	JIMMY WEBB	PIANO	SOUND	WHISTLE
CHIMES	LUTE	PICCOLO	STRINGS	WOOD BLOCK
CLEF	LYRE	POP	SYMPHONY	ZITHER

Fans

```
L O V E Y D N A B F A M O U S K B X A O B F E P R
S C I T I L O P F W C F Z J M H B A S E B A L L E
H W F E R D I C I S U M I C S D N U D S U W N A G
W O L L O F S E E G L S O C A E O T E P L O O Y N
E R O H T D S L Z C T M L A I V I O T E C R R E I
T D D T C R E E Q A M I A U S O T G A C F S T R S
H E I A A T S B R U Z N Y D U T N R C T A H A U E
M S Q Z I T B R N A X T O I H E E A I A N I P K I
Q I U S O N O I S I V E L E T D T P D T D P I V V
L R B R B Q T T E V E N T N N D T H E O O L W K O
R E E H C Y C Y S J T S L C E K A A D R M L I A M
W H R J F H H I I N T E R E S T M M T R O P S M F
```

ACTOR	CHEER	EVENT	LOVE	SINGER
AFICIONADO	CLUB	FAMOUS	LOYAL	SPECTATOR
ATHLETE	COMMUNITY	FANDOM	MAIL	SPORT
ATTENTION	CRUSH	FOLLOW	MOVIES	STAR
AUDIENCE	CULT	HERO	MUSIC	SUPPORT
AUTOGRAPH	DEDICATED	IDOL	OBSESSION	TEAM
BAND	DESIRE	INTENSE	PATRON	TELEVISION
BASEBALL	DEVOTED	INTEREST	PLAYER	WEBSITE
CELEBRITY	ENTHUSIASM	LIKE	POLITICS	WORSHIP

The Lord of the Rings

```
V S L V A D U Q O Z B P I P P I N Y G E G C X C E
S A S A M W I S E I V O M C I P E O N O H N I N R
B E Q T R S X I F G I M L I T Y O T V A N G C A I
O N V K I N G L A R A G O R N N S P R E A D D M H
J O C L V B A M Y T H O L O G Y E A U M L V O U S
O R D O E D B Y R O T S T L D R C I T L E S D R B
U U H H N O H O E R U T A R E T I L K N A R Q A W
R A B A D E P I H S W O L L E F N M T L A R R S I
N S G I E P R M E E D W A R V E S U O G O F F Y Z
E M U L L O G I P V H T S I U V R G O R G T C N A
Y P S P L B L E N O I T C I F E E N D M O R D O R
B O D S K O O B Y G O L I R T L U S T I B B O H D
```

ADVENTURE	ENTS	GONDOR	MORDOR	SAMWISE
ARAGORN	EPIC	HOBBITS	MOUNT DOOM	SARUMAN
BILBO	EVIL	ISILDUR	MOVIES	SAURON
BOOKS	FANTASY	JOURNEY	MYTHOLOGY	SHIRE
BOROMIR	FELLOWSHIP	KING	NOVELS	STORY
CHARACTERS	FICTION	LEGOLAS	ONE RING	THE HOBBIT
DRAGON	GANDALF	LITERATURE	PIPPIN	TOLKIEN
DWARVES	GIMLI	MAGIC	POPULAR	TRILOGY
ELVES	GOLLUM	MERRY	RIVENDELL	WIZARD

The Old West

```
K S S E S R O H E R O R N T B A C O N O S T E T S
A U E V Y C C C H O I K H A C I E N D A E V I R D
Q R E T A W A W N G L H S I Q S Y A I T R E S E D
U W H I S K E Y I O O M T R T S R D U A U I S Y U
T N I A R R E T S L R C A A L E O Y P K T X T C S
B J F B Z I S S S A D B M L P N T M K P S N I O T
S R U P S Y A T E H N W P S E R I F P M A C U Y Y
B C A T T L E R U S T L E R S A R F P B P O C O M
A D T U R R I H P H D D D S U H R V O Q E R S T M
N D P M O F A B I L E N E H T M E O E D O R I E A
K E R I F L E O G D A D W M U S T A N G H A B M O
D U E L T A X M W L E R E I N S H S A D D L E M R
```

ABILENE	COYOTE	HACIENDA	MOUNTAIN	SADDLE
BACON	DEPUTY	HARNESS	MUSTANG	SPURS
BANK	DESERT	HERO	PASTURE	STAMPEDE
BISCUIT	DESPERADO	HIDE	PRAIRIE	STETSON
BOOTS	DRIVE	HOLSTER	REINS	TERRAIN
BRONCO	DUEL	HORSES	RIFLE	TERRITORY
CAMPFIRE	DUSTY	LAND	ROAM	WATER
CATTLE	FIREARM	LARIAT	RODEO	WHISKEY
CORRAL	FORTS	LASSO	RUSTLERS	WILD WEST

Botanical

```
E P G R E B U T R R H V F L O W E R G E N E T I C
W I E H L A I N N E R E P A W L L Y F U N G U S P
O S M S B Y S E U S D G R P C B C T M D H K A C O
O T O C O N O M T P Y E E B U O A K O O T U U Q Q
D I Z I O E A A S G L T L W A E T S L L T T M F C
Y L I B M R M L N G I A I U P C P Y I N I A T U C
R K H B A E M I G O N T N U V E E S L C W X N L S
A J R U N R T F L A N I B T R O C O L E D O O A O
V Y B L N T K E P P E V T M L F E E U L D N R Y I
O C N B U N I T R O G E N S R E R W Y S I O A C L
W P A C A F K X A R E H T N A S T E M N S M N S O
N I E P L A M G I T S O P M O C V S G P O Y G S X
```

ALGAE	COMPOST	FLOWER	OVULE	SILT
ANATOMY	CORM	FRUIT	PEAT	SOIL
ANNUAL	COTYLEDON	FUNGUS	PERENNIAL	STAMEN
ANTHER	CROWN	GENETIC	PETIOLE	STEM
BARK	CUTICLE	HERBACEOUS	PISTIL	STIGMA
BASIC	CUTTING	HUMUS	PLANTLETS	TAXONOMY
BULB	EMBRYO	MONOCOT	RECEPTACLE	TUBER
CASTINGS	ENDOSPERM	NITROGEN	RHIZOME	VEGETATIVE
CLONING	FILAMENT	OVARY	SAND	WOODY

Bones

```
D K X K N K E S N T Y R U L N A L U B I F E Y V A
Q N K J M P K M U C C H F P N C N D C V R T S A C
J J A W A S I P U I F U E I R L O A E U I T C H T
M V G H K N O N J V D M M M J O L R T S R E F T Y
S R S R E O M O T L O A U F L C T C N O A P E G G
P A C R A D I O S E L N R B I E U E N E M L L N I
J L A O W N C R V P R A I U B R D G C J C Y A E K
F L P X T E Y J O E M N M R T A I B I T T K L R G
Z E U E R T D R T E M R A S T N E M A G I L E T O
N T L G A I O S T J G E D L Z F R E D L U O H S F
I A A V E U B X H G E I N E K O R B T K F G N O L
E P I H S U P S U P P O R T E N I P S Q K O W L H
```

ANATOMY	FEMUR	KNEE	POROUS	STERNUM
ANIMAL	FIBULA	LEG	PROTECTION	STRENGTH
ARM	FRAME	LIGAMENTS	RADIUS	STRONG
BLOOD	HAND	LONG	RIB	STRUCTURE
BODY	HIP	MINERAL	SCAPULA	SUPPORT
BROKEN	HUMAN	MOVEMENT	SHAPE	TENDONS
CALCIUM	INTERNAL	NECK	SHOULDER	TIBIA
CAST	JAW	PATELLA	SKULL	ULNA
DENSITY	JOINT	PELVIC	SPINE	VERTEBRAE

Wood

```
Q X U R Z R K Y E P E H T D I W N Y R R Z I T H F
O Z H F E M C M R F L M I B G L T S E R O F R C T
Q J I E U I A Y Q R T M A M I L J T B S O Q C M O
N W N C A R P E N T E R P T V I I D M Z U U N O A
D E U U F N N Q L N C H E D E M X P I N E O G S O
V U P R K H S I S P D U C E R R G P T H M P H H C
L T T P N T S I T A A S R E T N I L P S H A P E N
R Y U S O G O X O U H M T T I G R A I N P R E C Q
O M U C T N L H P P R E Z L S N Y N L B A R K B B
A P K Z S E I D O O W E L O X N G K E D P P C K V
Y Z M A F L D V S H E E T S L O O T E H E M A A V
X U C W C F N R D C F I R B L U K C E D R O J S X
```

ASH	DECK	JACK	PINE	STOCK
BARK	DIMENSIONS	KNOT	PLANK	STUD
BEAM	FELLING	LENGTH	ROUGH	TERMITE
CARPENTER	FIR	LOG	SAP	TIMBER
CEDAR	FOREST	MAPLE	SHAPE	TOOLS
CHERRY	FRAME	MATERIAL	SHEET	TREE
CHOP	FURNITURE	MILL	SOLID	VENEER
CONSTRUCT	GRAIN	OAK	SPLINTERS	WIDTH
CUT	HOUSE	PAPER	SPRUCE	WOOD

With Power

```
A G N I R E W O T E D I C T A T O R E N G I N E O
E M E R P U S N N E N I E G D E L W O N K E P N M
Z G I A N T U A D F R O V E R R U L I N G V O E R
G A B L E O C E L B T O R N A D O L E K P I T R O
N U T A M I C U S E L C S U M E L A G A T T E G T
I P D A R I E K A U Q H T R A E V A W I D C N Y S
S Y R R S N S M I N D H I M P R E S S I V E T D U
O A U I C E S I D O O L F M S T R O N G A F R R B
P H O E R R F G K R S F O R C E P H T I A F I U O
M N E E U Q U H I F U C O M M A N D I N G E T T R
I T R A I N L T N E D I S E R P R E V A I L S S F
J R O R I P Y Y G C I M A N Y D E N W O N E R F E
```

ABLE	ENERGY	IMPRESSIVE	PARAMOUNT	STORM
AUTHORITY	ENGINE	INFLUENCE	POSITION	STRONG
COMMANDING	FAITH	KING	POTENT	STURDY
COMPELLING	FLOOD	KNOWLEDGE	PRESIDENT	SUCCESSFUL
DECISION	FORCE	LEADER	PREVAILS	SUPREME
DICTATOR	GALE	MIGHTY	QUEEN	TORNADO
DYNAMIC	GIANT	MIND	RENOWNED	TOWERING
EARTHQUAKE	HURRICANE	MUSCLES	ROBUST	TRAIN
EFFECTIVE	IMPOSING	OVERRULING	STEADY	WAVE

Around the Park

```
P T R Z H S C T S F E K G Y T P E T S A T H T A P
L T C E T O R P E L P R E E R E O K D S Y A I D J
W L I R C X A V P Z E H X H A B I T A T B R T O V
R P O N D R E O R E E D E G I F A M I L I E S O K
N P S R O N E S N E R G R W T K U C E X R L E K N
S U P L T P M A K E V A C A R S I S G O L A R D S
L R F U X S T F T S A R I T E B E N C H A X O F T
I D Y J B U M A D I J D S M E S I K G N T I F X K
D Z L M R L W R Q T O E E N I H S N U S D N A L P
E O T E C H I L D R E N Q V S T R A I L T G A T L
J H G L I B O C M I T S D I K Q F A R E A W H J R
D W A M S F N S A D A T F T O R U A I G C O S G M
```

AMUSEMENT	EVENT	GARDENS	PATH	SLIDE
AREA	EXERCISE	GRASS	PEOPLE	SPORTS
BENCH	FAMILIES	GREEN	PETS	STROLL
BIRDS	FAUNA	HABITAT	POND	SUNSHINE
CHILDREN	FIELD	HIKING	PROTECT	TABLES
CITY	FISHING	KIDS	PUBLIC	TRAIL
DEER	FLORA	LAKE	RECREATION	TREE
DIRT	FOREST	LAND	RELAXING	WALK
DOG	FUN	NATURE	ROCKS	WATER

Using a Mouse

```
B G B L E B X L W V J D R A G G X M N Z W Y G I V
U S E L E C T I S N R E S A L C I H P A R G E N P
M A R A U D R M L A R E H P I R E P C O R D E F L
C O P B A E A G O V M O V E T C U R S O R R C R Q
L L T P C L T B D I R E C T I O N S W O R R A A X
L R I I L R Y O C G C P M V H C E T I G O L F R N
O A V C O E H R O A O O V A I C I M O N O G R E U
R E P S K N O H B T N Z N T C H A R D W A R E D T
D L N T F S O L K I H D Y A L P S I D B U T T O N
H E S Y O E E S T O P T I C A L I U G A M I N G I
S L U F T P E O I N P U T H R K C A R T H G I L O
S O T O K D R E M O T E M T U G K O U G F R V S P
```

ACCESSORY	CURSOR	GUI	LIGHT	PERIPHERAL
APPLE	DESKTOP	HAND	LOGITECH	POINT
ARROW	DEVICE	HARDWARE	MICROSOFT	REMOTE
BALL	DIRECTIONS	INFRARED	MONITOR	ROLL
BLUETOOTH	DISPLAY	INPUT	MOTION	SELECT
BUTTON	DRAG	INTERFACE	MOVE	SENSOR
CABLE	ERGONOMIC	KEYBOARD	NAVIGATION	SMALL
CLICK	GAMING	LAPTOP	OPTICAL	TRACK
CORD	GRAPHIC	LASER	PAD	WIRE

Weekend Activities

```
P R Y U V J S S T F H G C G L S W I M M I N G A G
B E A C H B E A C C O G N A E L C O B C D U U W O
S O C I A L R C O N E O Q I O R D X I P S F N I M
T R B L R R U E S S O J T G Z E R N L P P A R K P
E E U A T K T D A I D I O B E I C A Y M O W G E A
E T N U M R N O P K V L T R A I N G N W R H E F N
S G A N B E E Y O I F P F A P L R A M D T L S A C
R O A D I M V C T N R G A M E D L J G U S W J M H
E V I R D S D C N W S T G H C R U H C R E N N I D
L K F Y A L A Z Y O G N I P M A C U Q Q O S K L J
A L A C S G Z O Z L C N O I S I V E L E T E U Y C
X A Y B F Z I L N S N L I F P Z L T R A V E L M D
```

ACTIVITIES	CONCERT	FUN	NAP	SLEEP
ADVENTURE	DATE	GAME	ORGANIZING	SLOW
BAKE	DINNER	GARAGE	PARK	SOCIAL
BEACH	DRIVE	GOLF	PICNIC	SPORTS
BREAK	ERRANDS	HIKE	PLAN	SWIMMING
CAMPING	FAMILY	LAUNDRY	PROJECT	TELEVISION
CARTOONS	FOOTBALL	LAZY	RECREATION	TENNIS
CHURCH	FREEDOM	MOW	RELAX	TRAVEL
CLEAN	FRIENDS	MUSEUM	SHOP	TRIP

Trusted Adviser

```
T D L I P U P A T R O N C O A C H E L Y T S O H L
Y F A T H E R E D L E L U F S S E C C U S R E N O
X T W E S E O R E H U C K T P E C I V D A O K Y D
A N O G L H G P Q R P O I O C T U T O R D S N T I
D E L G N I R U T R U N N T S U P E R V I S O R D
T I L H O A A S S U C S I D N P R H E U R E W A F
R T O P C L M E N C O U R A G E L T I E E F L D R
E A F T I O S X B R E L E D O M R A S T C O E I I
P P I F T C A S S I S T U D E N T P M N T R D T E
X C I H H M S R E N I A R T D L O M P R I P G I N
E E E D I U G I C O U N S E L O R E T A O P E O D
D R R O T A C U D E B T N A D I F N O C W F K N V
```

ADVICE	DISCUSS	FRIEND	MOTHER	QUALIFIED
APPRENTICE	EDUCATOR	GUIDE	NURTURING	SPONSOR
ASSIST	ELDER	HEROES	PATIENT	STUDENT
COACH	EMPATHETIC	IDOL	PATRON	STYLE
CONFIDANT	ENCOURAGE	INSTRUCT	PEER	SUCCESSFUL
CONSULTANT	EXPERT	KNOWLEDGE	PRACTICE	SUPERVISOR
COUNSELOR	FATHER	LEAD	PROFESSOR	TRADITION
DIRECT	FOLLOW	MODEL	PROGRAMS	TRAINER
DISCIPLE	FORMAL	MOLD	PUPIL	TUTOR

Kites

```
H Y X Z I K Q F W P O L E S O A R V B N K R S T F
S H F G V N R V P O O W S A T N K N O T O H A B D
P R L B E A C H C D H O B B Y R E J C D N L I A T
W G F R M Y C T D D C D I A C K I L S P P U L L L
V I U E L P K A G I L A K S W B S N D D A W T K S
R N N Y C J D N T D A E J L L R N B G N I R P S G
Y E M D W N U S U I Q M I O I E L L G P A K K G D
F P P L E G A O G G O F U E W I T E T H E R T
Z B W A G L L I G H T N I N G Z S O N F X D I V E
A B Y P P C T I H O U T S I D E L O D E K F C S E
U N S F I Q W A D D W B F S D W S G U S T A O L F
K Y F A E U W F P E P C X Y F E Q L Q E U G B C Z
```

BEACH	FIELD	KNOT	PLASTIC	STRING
BREEZE	FLOAT	LIFT	POLES	STUNT
CLOUD	FRAME	LIGHTNING	PULL	SUN
DELTA	FUN	LINE	RODS	SWOOP
DESIGN	GLIDE	MEADOW	RUN	TAIL
DIAMOND	GUST	NOSE	SAIL	TETHER
DIVE	HANDLE	OUTSIDE	SKY	VACATION
DOWELS	HOBBY	PAPER	SOAR	WIND
DRIFT	KIDS	PARK	SPRING	YANK

Rules and Regulations

```
O N E K O R B I Y W O L L O F D E T S O P E A C E
S Z J L U E E R I T D L B Y T Q N N G P D R A U G
Y T E F A S C T Q I E E O C Z E F O G O V E R N Y
S O U B B M P R S P D I U O M Z W I O Y U V N B C
T C C E R L R C O I R D C H H A U T H O R I T Y I
E O O H I W I O E F N O S O L C S C U S T O M S L
M D M A D P N N F O N I T R S R S E T A T C I D O
L I M V L B C K T N E M E E B E R U D E C O R P
E F A I E E I W R U I E N D C G U I D E L I N E I
A I N O K S P O P C L B N R A T D D O C T R I N E
D E D R Y T L A N E P U A O F R Q U I E T B O O K
S D X A I R E T I R C Y U H G N I K J E M A G T J
```

ADMINISTER	CONDUCT	FOLLOW	LAW	PROCEDURE
AUTHORITY	CONTROL	FORMAL	LEADS	PROTECT
BEHAVIOR	CRITERIA	GAME	OBEDIENCE	PUNISHMENT
BEST	CUSTOMS	GOVERN	ORDER	QUIET
BOOK	DICTATES	GUARD	PEACE	SAFETY
BRIDLE	DIRECTION	GUIDELINE	PENALTY	SCHOOL
BROKEN	DISCIPLINE	HABIT	POLICY	SOCIETY
CODIFIED	DOCTRINE	JUDGE	POSTED	SYSTEM
COMMAND	ENFORCE	KING	PRINCIPLE	UNDERSTOOD

Water Slides

```
E E C T U R N S A C L O O P A R K S C H O T G I B
B B F U W T O X T M I W S P L A S H T N R N R T U
R W W B P S T O V I L R R R V U E V M P J E A S L
R E A E L O U S D J N D E A T U N N E L C M P W L
S E X T W Q O R I N O E C S E X I G O R U E H A E
T H U G E M U L F W I A R R O A L N E S E T V G T
E H Z M I R B A N A T M U D R R G A E D G I F U W
E E R S U M M E R I C S F R L W T M L Y N C Q A Q
P D D I W I L D O K I E U L D I E K A R W X Y N R
C I M S L I P N K E R T W D O N H T A L F E V V C
K R S Y L L A T L L F K Q N T W U C H U T E J H T
O J Y I L B T P V J X H I Q Q B T R N O T G Q G V
```

AMUSEMENT	FLOW	LONG	RUN	THRILL
BIG	FLUME	LOOP	SLIP	TUBE
BULLET	FRICTION	PARK	SPEED	TUNNEL
CARNIVAL	FUN	PLUNGE	SPLASH	TURNS
CHILDREN	HOT	POOL	STEEP	TWIST
CHUTE	INDOOR	RAFT	SUMMER	VACATION
DOWN	KIDS	RECREATION	SURFACE	WATER
EXCITEMENT	LEISURE	RESORT	SWIM	WET
FAMILY	LINE	RIDE	TALL	WILD

Seasonal

```
U Z N R S X T I U R F A L L N S P E C I A L A A E
P M U S I C D I O G N I R R U C E R S O L K V E H
O P A F R T O X M V V O D H U N T I N G S A R R Y
P R L S L R X S V E P C I L C Y C N A O C T E S L
G D R A E O E N R G F F B T N M U T U A I H U M R
T N V A N V W P Q E R R S S A L C L T S M H T M A
I I I I I T A E E T C N A U S R Z I T Y O A S S E
U W U H H N S E R A O U E M P L O Y M E N T E A Y
G Q B U S H E S L B T H D D E N L C J P O D V L F
E A F G N I H T O L C E K O R E N J E F C P R E D
R E M M U S F Y F E Z F D H R A C O L D E G A S C
Y Y G E S P O R T S P R I N G P G B W E A T H E R
```

AUTUMN	EMPLOYMENT	GRASS	PRODUCE	SUMMER
BUSHES	EQUINOX	HARVEST	RAIN	SUNSHINE
CLASS	FALL	HOT	RECURRING	TIMEFRAME
CLOTHING	FASHION	HUNTING	REPEATED	TREE
COLD	FISHING	JOB	SALES	VACATION
COSTUME	FLOWER	LEAVES	SPECIAL	VEGETABLE
CYCLIC	FRUIT	MEAL	SPORTS	WEATHER
DECORATION	GAME	MUSIC	SPRING	WIND
ECONOMICS	GARDEN	PLANTS	STYLE	YEARLY

Life of Crime

```
N F G N I L A E T S E G A M A D K B Y R U J R E P
D O N O S R A T R U O C I J B I I A S C Y Y H R R
R R I P A I N G N I L G G U M S D T P L T E O M I
U G L T R A J Z U Y R E B B O R N T E I L B M S S
G E B U R G L A R Y N O L E F E A E E T A O I I O
S R M R E O T E R R O R I S M S P R D T N S C L N
R Y A Q S S T A L K I N G S Q P P Y I E E I I A B
Q W G Y T X W X N O I S A V E I O N R P D D D A
Q U W Y R O S S E C C A G S E C N E G I L G E N I
A J P A R O L E G A R E D N U T G J Y N E C R A L
M U R D E R E Y W A L W T W G N I T H G I F X V O
D U A R F T F E H T I A B U S E D R E C O R D U I
```

ABUSE	DISOBEY	FORGERY	MURDER	SMUGGLING
ACCESSORY	DISRESPECT	FRAUD	NEGLIGENCE	SPEEDING
ARREST	DRUGS	GAMBLING	PAROLE	STALKING
ARSON	DUI	HARASSMENT	PENALTY	STEALING
BAIL	DWI	HOMICIDE	PERJURY	TERRORISM
BATTERY	EVASION	KIDNAPPING	PRISON	THEFT
BURGLARY	EXTORTION	LARCENY	PROBATION	UNDERAGE
COURT	FELONY	LAWYER	RECORD	VANDALISM
DAMAGE	FIGHTING	LITTERING	ROBBERY	WARRANT

Yard Work

```
R F C C I V L V D N E D R A G O I T A P L A N T S
S H R U B S T E X C A V A T I O N I T R O G E N E
B L S E T A R E A N L B O I E U I R V U K C E D P
U M I P Z Q S O D T A E R F S U E O C N Q C G M L
R U N A R I M E R G W B V O L T C S R I K I G A U
G L S R R I L E N F N A B E A O J E A N N C N N G
K C E F O I N I N H M I T E L D W S B G Q D I U S
C H C Y O C W K T B O P D E N I L E G R S H M R L
T I T N H O K A L R W E O R R C N E R C A E M E B
R N S I M H O S E E E H N O A I H G A S N B I A Q
J G N I P P I L C W R F I L L K N P S F N C R T Q
K G A T E E D I C I T S E P E J E G S T H A T C H
```

AERATE	EDGING	INSECTS	PESTICIDE	SHRUBS
BARBECUE	EXCAVATION	LANDSCAPE	PLANTS	SOD
BENCH	FERTILIZER	LAWN MOWER	PLUGS	SPRINKLERS
BRICK	FILL	LEVELING	POOL	THATCH
BROADLEAF	FLOWERS	MANURE	PRUNING	TIES
CLIPPING	GARDEN	MOWING	RAIL	TRENCHING
CRABGRASS	GATE	MULCHING	RAKE	TRIMMING
DANDELIONS	GRUBS	NITROGEN	ROCKS	WATERING
DECK	HOSE	PATIO	ROSES	WEED EATER

Do a Dance

```
N M B E O L W M A B M A S L A S Q U A R E Z P S I
T A E B R C A B T O G N A D N A F D S C W R E E L
U M C I U U N I U H U L A M R O F H N H A F T E N
S B W N J V T E C N A D P A T O I A F A L A S N H
J O M P A C V L M O N R E D O M D S B R T O K I Y
K Z O O Z C O B U A S Y A B M K J M S L Z W C L W
J S T H Z G O S E C L Y H Y L G U B R E T T I J E
U T I P G G E N T D B F P O X R L T C S R M U S Z
B A O I F L X X T U A B F B P O L K A T B P Q P T
P N N H Y Y M O V E M E N T B A L L R O O M X K F
R G W T D A N C E R S E L D I S C O U N T R Y E J
Y O S W I N G P N U N T S H U F F L E V I J F D H
```

BALLROOM	CULTURE	HULA	MOTION	SHUFFLE
BEAT	DANCERS	JAZZ	MOVEMENT	SOCIAL
BUNNY HOP	DISCO	JITTERBUG	POLKA	SQUARE
CANCAN	EXPRESSION	JIVE	QUICKSTEP	STYLES
CHARLESTON	FANDANGO	LEAD	REEL	SWING
CLOGGING	FLAMENCO	LIMBO	RUMBA	TANGO
CONTEST	FOLK DANCE	LINE	SALSA	TAP DANCE
COSTUMES	FORMAL	MAMBO	SAMBA	TWIST
COUNTRY	HIP HOP	MODERN	SHIMMY	WALTZ

Lighthouse

```
M G S T T E Z W R E G K Y S H I P E P N J I O E N
O R O B R A H A R N D M Q U A E D F E J Y Z K T E
M T K F A M L V S O A G G N I N R A W D B M H X N
A A A V V O D E O I T H G I R B D S Y A I G T M O
E M R L E L L A X T E C N A T S I D B M I U N A T
S P O I L T O S N A H R E P E E K U M L A N G I S
C O A S T N A U B G N G S L G N I T A T O R Q N T
B T I C L I F F S I E D I E F L I H P A L A K E O
P M A L L O M I F V M R R N D E W O C K F S B C W
B K A O H P O E B A R O Q I S T R U C T U R E J E
K N R B B E E P S N H L N K A T L O Z H A A Z A R
D D I C X R B P Z S I G G L Z Y R S G C N W T Y C
```

ALEXANDRIA	DISTANCE	MAINE	REFLECTOR	SIGNAL
BOAT	FOG	MARITIME	ROCK	STONE
BRIGHT	GUIDE	NAVIGATION	ROTATING	STRUCTURE
BUILDING	HARBOR	NIGHT	SAFE	TALL
CAPE	KEEPER	OCEAN	SAILOR	TOWER
CLIFFS	LAKE	OLD	SAND	TRAVEL
COAST	LAMP	POINT LOMA	SEA	WARNING
DANGER	LAND	PORT	SHIP	WATCH
DAYMARK	LIGHT	REEF	SHORE	WAVE

SUVs

```
K X G S T Q H U M M E R E D N A L H G I H H L X N
K T S E R E V E D A B D R E V O S S O R C G W Q A
E E H Q O E G S H T M O D X B U I C K R E Z A L B
F R K U P C D A Z R S D U C V P A T H F I N D E R
O R Y O S A J N O I P G R U C E T V I E N A K E U
R A R I S Y R T A X O E A R Y A S A S D R O C M B
D R O A A E S A N L R C N S O C P C H M E O K E U
S U D B P N E F R O T A G I V A N T A O S P K U S
P C E O I N G E L X A U O O N D A D I P E Y X E Y
B A O W J E E P R J G D O N E I A R O V E R F E E
I R A F A S X O E L E M E N T A N R O V A E D N E
T R O G U E N C L A V E V I P A T R I O T O L I P
```

ACADIA	DODGE	EXCURSION	OUTLANDER	SANTA FE
ACURA	DURANGO	EXPEDITION	PASSPORT	SEQUOIA
ARMADA	ECOSPORT	EXPLORER	PATHFINDER	SPORTAGE
BLAZER	ELEMENT	FORD	PATRIOT	SUBURBAN
BUICK	ENCLAVE	HIGHLANDER	PILOT	TAHOE
CAPTIVA	ENDEAVOR	HUMMER	RODEO	TROOPER
CAYENNE	ENVOY	JEEP	ROGUE	WINSTORM
CHEROKEE	ESCAPE	MATRIX	ROVER	XTERRA
CROSSOVER	EVEREST	NAVIGATOR	SAFARI	YUKON

Coffee Break

```
Y Y E T E D N A D O S W Z E E F F O C N I K P A N
W E X B R L J V R F R Y H J S P R N O C L O C K D
S G H L A E G N U O L E D N A A T I B E E I B A E
C I C T L R P U C G M A J Z G V S C Q M M L M R N
Z U T H L Z I A M J O A V U D I A C X L A E E D I
P E A S I I E S P R E S S O V G O U S C R K N K U
D Q U E N P S G T S A C S E R E R P K I A H I C R
F X E R A F S D T A W I L I V E N P C F C O Z A E
K A C F V D N U O R G E N L P S D A I N S T A N T
Q L C G C I N A E B T D N W U E N C T Y W T G S A
F E I E M O C H A W E R B Y C O E N I E F F A C W
S R U M D C H A I R S I R I T S V M C R E A M A L
```

AMERICANO	CHAIRS	FLAVORED	LATTE	RELAX
AROMA	CHIPS	FRESH	LOUNGE	ROAST
BARISTA	CLOCK	GOSSIP	MAGAZINE	SNACK
BEAN	COFFEE	GRINDER	MILK	SODA
BLACK	CREAM	GROUND	MOCHA	STIR
BREW	CUP	HOT	MUG	SUGAR
CAFFEINE	DECAF	ICED	NAPKIN	TELEVISION
CAPPUCCINO	DONUTS	INSTANT	NEWSPAPER	VANILLA
CARAMEL	ESPRESSO	JAVA	REJUVENATE	WATER

At Night

```
E M Y S T E R I O U S E V L O W E R E W J R Y A D
S R E T S N O M T S T A R S P I T C H Y Q P P Q F
N K M U R E S T A B U Z E T I R E D N O E B A R S
N O C T U R N A L F F N S V B L I L D E Z O O N S
E A O L P M I K N U D E S S E Y U O R U L G X Z L
R L Z M T H G X C D F S S E D N Q C S H S I X U W
M I D N I G H T L A M E L E T A I E F O S K S U O
P N D N P Y T F U O L A C U I H N N I O T E M A X
F M S N A G F I B N T B N A M X G C G T S T A P M
R N S U R C A H U E M N Q R E B R I I I O A E M I
B T C T T X L S R U O H D N K P E F L N H K R A D
E X C V Y P L A N E T S L E E P K R M G G U D L C
```

BARS	DARK	LAMP	OWLS	SILENCE
BATS	DIM	LATE	PARTY	SLEEP
BEDTIME	DREAMS	LIGHT	PEACEFUL	SLUMBER
BLACKNESS	DUSK	MIDNIGHT	PITCH	SNOOZE
CANDLE	EVENING	MONSTERS	PLANETS	STARS
CLUB	FROGS	MOON	QUIET	SUNLESS
COLD	GHOSTS	MYSTERIOUS	REST	SUNSET
CREEPY	HOOTING	NIGHTFALL	SANDMAN	TIRED
DANCING	HOURS	NOCTURNAL	SHIFT	WEREWOLVES

Sea Otters

```
R Y P F F O P U R T C L A M S H C J M O F E T Z R
F L I L E W A O W A N M R E H A B I T A T A S U E
U S N D E V C P L Y I K M Z N R Q J T I M K F E T
H I S E I K I I C W K U S Z O O K U R L A M I N A
V P U R S N F D S T S H O R E V T R A L S W A P W
T E L E B O I J O T Y R E P P I L S A R T A O L F
D N A G R H C R E B B U L B O N A S Y H I Q C L Y
G I T N O P O L Y G Y N O U S R K J X E S U I A E
Z R I A W H I S K E R S F O R A G E E V K A M K R
I A O D N T F L L A M S P E C I E S T T T L E P
J M N N A E C O Z G D H J U O T L A N R U I D W E
S D I E P S Z B V K E F L P H D B I F E H C A E B
```

ALASKA	CUTE	INSULATION	PAWS	SKIN
ANIMAL	DIURNAL	KELP	PELT	SLIPPERY
AQUARIUM	DIVE	KEYSTONE	POLYGYNOUS	SMALL
AQUATIC	ENDANGERED	MAMMAL	PREY	SPECIES
BEACH	FISH	MARINE	PUP	SWIM
BROWN	FLOAT	MUSTELIDAE	ROCKS	TAIL
CALIFORNIA	FORAGE	NO BLUBBER	SEA	WATER
CARNIVORA	FUR	OCEAN	SHARK	WHISKERS
CLAMS	HABITAT	PACIFIC	SHORE	ZOO

Transportation

```
T M T B I C Y C L E N A L P K E K E F S U I F Y V
M S Z H F B A L L O O N A V T Y K K Y O V E P R W
C S S E F R E I G H T Z D D V E H I C L E V I R D
N C M L S U B M A R I N E A K L K H B T S A Y E D
E X Y I M O T O R C Y C L E X L F C S R P K S F S
O L H C M Z P C K L A W S C P O V H O L A R Y A K
Q S E O H S W O N S G L G Q Y R U J T R O A I L I
S G T P P O R R A I L R O A D T H P G H W L T D S
D U B T R I C Y C L E S D D T S W I M B C A R S E
A M O E L C Y C I N U X J L N G L H U N X A G X X
L I A R O N O M C B D R E T O O C S T I G S Y O B
Z B T T H G H U E U N Z T L N J G L X S H N R U N
```

AUTOMOBILE	FEET	JOG	SCOOTER	TRICYCLE
BALLOON	FERRY	MONORAIL	SHIP	TROLLEY
BICYCLE	FLY	MOTORCYCLE	SHUTTLE	UNICYCLE
BIKE	FREIGHT	PLANE	SKIS	VAN
BOAT	GONDOLA	RAILROAD	SNOWSHOES	VEHICLE
BUS	HELICOPTER	RIDE	SUBMARINE	VESPA
CAR	HIKE	ROCKET	SUBWAY	WAGON
DOG SLED	HORSE	RUN	SWIM	WALK
DRIVE	JET	SAIL	TAXI	YACHT

Music Lessons

```
C R M S O N G S E L A C S H E E T V R D N A T S Z
O N A I P C W S X T H E O R Y P G U I D E J K E H
D B F D I Y R D E R U T S O P I R X I O L I G G G
A Q L S V A L C R E T G G N I G N I S W L W N N I
T R U Y E A H A C V N C D P Q F L F V L S I I I D
E M T H T N N H I I O I G G E P R A J A E H N T R
P A E I I I O C S W E E K L Y T N E D U T S E A H
M R C Q H R L A E R U H C U O B M E V A A E T E Y
U E U C D E R I S D J S R E N N I G E B R L S R T
R E T S A H G V B R S J Z U I M P R O V E Y I C H
T I U E P S C I M A N Y D F E O B O M Y D O L E M
P L A Y R L B Q B H C A E T E M P O I V O C A L C
```

ABILITY	DYNAMICS	MUSIC	RECITAL	STUDENT
ADVANCED	EMBOUCHURE	OBOE	REHEARSE	TEACH
ARPEGGIO	EXERCISES	PHRASING	RHYTHM	TECHNIQUE
BASS CLEF	FLUTE	PIANO	SCALES	TEMPO
BEGINNERS	GUIDE	PITCH	SHEET	THEORY
BREATHING	IMPROVE	PLAY	SINGING	TRUMPET
CHORDS	LISTENING	POSTURE	SKILL	VIOLIN
CODA	MELODY	PRIVATE	SONGS	VOCAL
CREATING	METER	RATES	STAND	WEEKLY

Artful

```
E Y L C O L O R E H C S E L B R A M H C T E K S I
O R N A M E N T E V I T A E R C L U F I T U A E B
S L E R N L C E D X W F R D Y N O I H S A F E N H
S E K T S D I I X Z Q I F R E D K P M G Z T S M Y
A W B I C L S F T N M U T P O S A R A N A S T O C
C E T S U O S C I D R S I N T R I G U I N G H V A
I J E T L H A C A N E E A S G Y L G C K N S E E R
P O L I P R L T I P E T D O I A T E N O M T T M V
B P L C T A C T A S E A T O R T R N B V Q A I E I
Y E A S U W U T I L U O R U M P E N J O Y T C N N
Y R B D R R D A L I H M M T P I C T U R E U S T G
M A Y R E T T O P P T D N A R B M E R P G E N R E
```

ABSTRACT	COLOR	FILM	MONET	PICTURE
ADMIRE	CREATIVE	FINE ART	MOVEMENT	POTTERY
AESTHETICS	DALI	FURNITURE	MURAL	PROVOKING
APPRECIATE	DESIGN	GENRE	MUSIC	REMBRANDT
ARTISTIC	DONATELLO	INTRIGUING	OPERA	SCULPTURE
BALLET	ENJOY	JEWELRY	ORNAMENT	SKETCH
BEAUTIFUL	ESCHER	LANDSCAPE	PAINTING	STATUE
CARVING	EXQUISITE	MARBLE	PHOTOGRAPH	TAPESTRY
CLASSIC	FASHION	MODERN	PICASSO	WARHOL

The Beverly Hillbillies

```
G I P U X Q A G R E E D Y P O L A J A M D N A R G
U S B X S O N E H C T I K R Y N U G T O H S E E Q
W C L A M P E T T S H S L I L R S R O B H G I E N
S L A M I N A D Y D E M O C L N A W E Y Q D C S A
E W B L O O D H O U N D F H I U Y T E R A O K S W
L Y A D I R E N E R Y A N Z B L R N E I U A C E Y
T M J M V F A M I L Y M I L L I O N S R N N A N R
T B J L P G O D A N C E K O L M E Y T G C L S N T
I L B A N K E R U R A L H C I T Y I A O T E D E N
V H U N T I N G N O S E M E H T N R T H A U S T U
R F O R T U N E N I R H T E J G O J E S K R A Z O
T R U C K A R A E B A C K W O O D S R E T T I R C
```

ANIMALS	COUNTRY	FORTUNE	KANGAROO	RURAL
BACKWOODS	COURTING	GRANDMA	KINFOLK	SECRETARY
BANKER	CRITTERS	GREEDY	KITCHEN	SHOTGUN
BEAR	DAISY	HILLBILLY	MILLIONS	SWAMP
BLOODHOUND	DANCE	HOLLYWOOD	MONEY	TENNESSEE
CALIFORNIA	DOG	HUNTING	NEIGHBORS	THEME SONG
CITY	DUKE	IRENE RYAN	OZARKS	TRUCK
CLAMPETTS	ESTATE	JALOPY	RERUNS	VITTLES
COMEDY	FAMILY	JETHRINE	RICH	WEALTH

Truck Driver

```
O S E M I N T E R S T A T E R M I N A L P B Y D C
I G T L E C R H T S E F I N A M A U B A U B I O X
D I N I N D U S T R Y K D J B F U E L L T E N R R
A R E V I E C E R L F L A T B E D L K H S T B O E
R G M D G G K R K O H K X R H V E C G E A B N T I
E I P O N A S E C G E T B O B T A I L I N G U C R
P B I C E R T L U B L A D O M R E T N I I O F A R
E B H K L R O I R O T N S A G R I E I S R H C R A
E R S O X U P A T O S K U O F T R A N S P O R T C
L F H B A M K R X K R E V I R D A O L K C U R T Q
S H I P P E R T O V E R S I Z E C O N V O Y S K H
G B T A N D E M B R O K E R S E R I T D A O R F Z
```

AIR BRAKES	CONTAINER	FUEL	PALLET	TANDEM
AXLE	CONVOY	GAS	RADIO	TANKER
BIG RIG	DEMURRAGE	INDUSTRY	RECEIVER	TERMINAL
BOBTAILING	DIESEL	INTERMODAL	ROAD	TIRES
BOX TRUCK	DOCK	INTERSTATE	ROUTE	TRACTOR
BROKER	DRIVER	JAKE BRAKE	SEMI	TRAILER
BULK CARGO	ENGINE	LOG BOOK	SHIPMENT	TRANSPORT
CARRIER	FLATBED	MANIFEST	SHIPPER	TRUCK STOP
CONSIGNOR	FREIGHT	OVERSIZE	SLEEPER	TRUCKLOAD

Electrical Power

```
U Z L K M L V I Y F O R D Y H T A E H O X K G E S
E R A L Q W Y O U T A G E P C E W D F L R S R X R
V D I Z H O M E S W A T T S R U I I J O V T Z G E
D S F E E J L X T U O K C A L B S S W R A R P R W
Z R T G G N Y R E V I L E D W M E T S Y S U L E O
Q R R O N A E S K V N X N I K Y E R O E T C A E T
J A E M R I T R J M D S N H T N G I X M F T N N H
I E W A L A G L G W U D O I L L I B W F E U E I G
S L O P T V G A O Y S Y C N A D N U D E R R J L I
D C P I P O L E S V T I U C R I C T W I R E S I L
Q U O L A N O I G E R A L O S F R E M U S N O C H
S N F F U T I L I T Y O E S E L B A C O A L C K I
```

AGING	CONSUMER	HOME	PLAN	SUPPLIER
AREA	CURRENT	HYDRO	POLES	SYSTEM
BILL	CUSTOMERS	INDUSTRY	POWER	TOWERS
BLACKOUT	DELIVERY	LIGHT	REDUNDANCY	UTILITY
CABLES	DISTRIBUTE	LINE	REGIONAL	VAST
CIRCUIT	ENERGY	MAP	SOLAR	VOLTAGE
CITY	FUEL	NETWORK	STATION	WATTS
COAL	GREEN	NUCLEAR	STORAGE	WIND
CONNECTED	HEAT	OUTAGE	STRUCTURE	WIRES

Sounds

```
M Z Y D H W I T G L O W Y C N E U Q E R F G B K P
H Z G M Z C H Y Q N I D L Q I D A H D X B A H H C
P S R V O U T T A V G M Q S I U C E O Y R H Y R S
K S E C N E L I S G N I K L A T C F C R W S A O E
M W N D A I P S P E R C E P T I O N I L I S T E N
G M E I T R A N S V E R S E B L I E T C H O G M S
Q R R S T E R E O F T O P E U P R X S R V N N U E
C T W A V E P T J D F P L T Z M J T U T A G I L C
L E V E L P G N I R O H I O Z A A N O I S E G O I
A V I B R A T I O N S O U N D T R A C K Y O N V O
P M K T N E M U R T S N I E I P T R A N S M I T V
A S Q W P R E S S U R E Z C U H U B O O M U S I C
```

ACOUSTIC	DECIBEL	LOW	RING	TALKING
AIR	DIN	MICROPHONE	SENSE	THUNDER
ALARM	EAR	MUSIC	SILENCE	TONE
AMPLITUDE	ENERGY	NOISE	SINGING	TRANSMIT
BARRIER	FREQUENCY	PERCEPTION	SOFT	TRANSVERSE
BOOM	INSTRUMENT	PHYSICS	SONG	VIBRATION
BUZZ	INTENSITY	PIANO	SOUNDTRACK	VOICE
CLAP	LEVEL	PITCH	STATIC	VOLUME
CRASH	LISTEN	PRESSURE	STEREO	WAVE

Physical Fitness

```
W C S P O R T S K A E R O B I C S E S N E C Q H R
I A O E X E B I K I N G H Q I R I H E A T W S R A
Z F T M L A R W H Y D R A T E R E Q M E S T D M Y
R Z C C M B Z Y K J U M P B O A U A R L R A Z Y D
V V S J H I A G E N R U I L L I M D A E R T L G O
C U H N O L T T J S A F A T P K S T T G E G R A B
M L U R E G I M E M N C H M S W Q C E G N E T I D
D R A T O E L G E G C I E T E L H T A I E Z C A Y
K D I S C I P L I N E N A A U C A M K N D E N I R
A U G V S W E I G H T V T R E F I L S G P C G Y L
T R O F F E R F R R O W I N G W A W S S E N T I F
U S Q U A T S P U H S U P J S W O R K O U T X I I
```

AEROBICS	DIET	GREENS	LEOTARD	STRETCH
ATHLETE	DISCIPLINE	GYM	MUSCLE	SWEAT
BICEPS	EFFORT	HEALTH	PUSHUPS	SWIM
BIKING	ENDURANCE	HYDRATE	REGIME	TREADMILL
BODY	EQUIPMENT	IMAGE	ROWING	VEGETABLES
CALORIE	FAT	JOG	RUN	WALKING
CLASSES	FIBER	JUMP	SALAD	WATCH
COMMITMENT	FITNESS	LEAN	SPORTS	WEIGHT
DANCE	GRAINS	LEGGINGS	SQUATS	WORKOUT

Environmental

```
G L O B A L R E X R Q A J X W N I A R E T A W H W
N O K R F D E R E G N A D N E C O S Y S T E M O H
I O B E S M O G E O T H E R M A L L I P S S M H N
M C I U W M S F U M E S D A N I M A L S E C A U A
R E O S Y G O L O R D Y H I O H L Q V L L B R W T
A A S E O Z E S T U A R I E S T D G A I I W I T U
W N P A G R P F D Z U S N N C A U T M T V Z N B R
J U H R G H E Z M T F O R E S T S A A Y G R E N E
V C E B E A U T I F U L T F H A T T G F U T U R E
I E R R E N E W T O Z O N E O E C L E A N M B S V
N F E R T I L E P I R L X C P R E S E R V E F I L
V P S J G Q N A Z P L A N E T O X I C L X G I G A
```

ANIMALS	ECOSYSTEM	GAS	MARINE	RENEW
ATMOSPHERE	ENDANGERED	GEOTHERMAL	NATURE	REUSE
BEAUTIFUL	ENERGY	GLOBAL	OCEAN	SMOG
BIOSPHERE	EROSION	GREEN	OIL	SPILL
CLEAN	ESTUARIES	HABITAT	OZONE	SURVIVAL
CLIMATE	FERTILE	HOME	PLANET	TOXIC
COASTAL	FORESTS	HYDROLOGY	PRESERVE	WARMING
DISASTER	FUMES	LIFE	PROTECT	WASTE
DUST	FUTURE	LITTER	RAIN	WATER

Science Fair

```
M W R L S L A I R E T A M A G N E T S U C C E S S
D O Z L O K C D N Q U B A C T E R I A C I D L M T
E F T O B O R D N U O S K H N X Y G O L O I B O Y
E A H I C P H Y S I C S C E O G U E R U L I A F A
P C P F O R E W O P T N E M I R E P X E S H I S L
S T S E T N O C O M P A R I S O N O B B I R R T P
N O B H C R A E S E R J E S U W N C R Y S T A L S
A R V I N F E R E N C E P T L T H G I L Y E V U I
D S K R O W M A E T H O O R C H O N A C L O V S D
B A G R A P H S U M M A R Y N N O I T C A E R E K
M E T H O D A S E L E C T R O N I C W I N N E R D
I D E A T T D G N I T S E T C A R T S B A W A R D
```

ABSTRACT	CONTEST	GRAPHS	PHYSICS	SOUND
ACID	CRYSTALS	GROWTH	POWER	SPEED
ANALYSIS	DATA	IDEA	REACTION	SUCCESS
AWARD	DISPLAY	INFERENCE	REPORT	SUMMARY
BACTERIA	ELECTRONIC	LIGHT	RESEARCH	TEAMWORK
BIOLOGY	EQUIPMENT	MAGNETS	RESULTS	TESTING
CHEMISTRY	EXPERIMENT	MATERIALS	RIBBON	VARIABLE
COMPARISON	FACTORS	METHOD	ROBOT	VOLCANO
CONCLUSION	FAILURE	MOTION	SCHOOL	WINNER

Baseball Fans

```
T S G A E S U Q M I P Y G T L O Y C R O W D T Y S
H E E Z L Y E C N G N S E I R E S R N L I O T L E
R I L V B P T A Q B D G S Y C K A Z M Z M E U D W
O U T E A I D E S I R N L F W O L G Z H L G W T L
W R D D C R T N H O D M E O I O N Y U E G A P G S
A G R R L A B Y O P N P G P V E D T V E R T E M W
L N O E E T S A R M E I V C L E L I R U O F A N S
K I C D A E D T T O A N W M A L S D N A R G N Y I
R N E I T S E F S N T I N N Q I U S B U C B U N T
C N R L S O R T T S A C D A O R B B L M M T T K E
P I R S N S H S O R I O I N N P D O D G E R S K A
P P C H E E R I P M U C H V D T R I P L E N P Z M
```

BAT	CROWD	GRAND SLAM	PIRATES	TAG
BRAVES	CUBS	HIT	RECORD	TEAM
BROADCAST	DIAMOND	HOTDOG	REDS	TELECASTS
BULLPEN	DIZZY DEAN	INNING	RUN	TELEVISION
BUNT	DODGERS	LEAGUE	SEASON	THROW
CABLE	FANS	MLB	SERIES	TRIPLE
CHEER	FIELD	OUT	SHORTSTOP	UMPIRE
CLEATS	GIANTS	PEANUTS	SLIDER	VICTORY
CONTRACTS	GLOVE	PENNANT	SLUGGER	WALK

Get Outside!

```
J L G E F A W N Z M S R E V I R O C K S G U B U C
D R E O L D F Y C U O Z R L S A M N D L P W U M D
Q R E A E S S E N R E D L I W E X A K C P F H L W
T U W C R T K H J E X A H C A E B T L G L M E Z O
D N Z O C S J N R M B L S D E H T U A O I I A R O
Z N T E N O T B U T I K O I K R S R W S F S M C D
U I S K N S S N O M A W G N I D D E L S S T E B S
B N E C O O K O U T P O S C H E R A R K R A P G Y
I G R A P P F Z I H I I Y T N S M H O F N H R A A
X A O R A W X N E T Q C H P B I R D S H V I K G J
K K F T X K G H A C L L R C N I A R L I L F Z S K
V W L E R O L P X E K A L A W D P F W L F W V S Q
```

ANIMALS	EXPLORE	GRILL	PARK	SOCCER
BEACH	FIELD	HIKE	PATIO	SUN
BIRDS	FISH	HUNT	RAIN	SWIM
BREEZE	FLOWERS	INSECTS	RIVER	TRACK
BUGS	FOOTBALL	LAKE	ROCKS	TREE
CAMP	FOREST	LAWN	RUNNING	TRICYCLE
CHIPMUNKS	FRESH AIR	MEADOW	SKATING	WALK
CLIMB	GARDEN	NATURE	SLEDDING	WILDERNESS
COOKOUT	GRASS	OCEAN	SNOW	WOODS

Have a Ball

```
O Z B Y T R A P J Q H B V Y C N A F B C Q Y E K L
D O A Z T L A W N N O I T A T I V N I G O U U R Z
Z P N X C I S U M G F O R M A L N D R O O M I Y B
C E D O R O D A R T S E H C R O I D E L E W M Q J
Y R R S H O N A E D T D D O I E G A E A T T N U G
L A I C O S C T N H J X N L C L H P L R T P A B F
X M N F I E N E G N E A L O N E T P B U E F V D K
P U K O F I I U U O I I R R M G J E M G U L A C N
P O N U U R A T G P T S S K S A M R E U Q O L H W
K Y L Q F L K N O O A J R E N N I D S A I O E A T
W W I K X Z A V C G S G N I R T S D N N T R T I N
N F K D A T U X E D O Q J O D A N C E I E Y J R X
```

BAND	DINNER	FORMAL	MUSIC	QUINTET
CHAIR	DRINK	FRIENDS	NIGHT	ROOM
CINDERELLA	EAT	GOWN	OPERA	SOCIAL
CORSAGE	ELEGANT	GRACEFUL	ORCHESTRA	STRINGS
COTILLION	ENSEMBLE	INAUGURAL	PAIRS	TANGO
DANCE	ETIQUETTE	INVITATION	PARTY	TUXEDO
DAPPER	FANCY	LAUGHTER	PIANO	TWIRL
DATE	FLOOR	MANSION	POLKA	VALET
DIAMONDS	FOOD	MASKS	PUNCH	WALTZ

Monsters

```
D G C I H H A R D Y H M L V S V A M P I R E T N A
W R A I T H L S C A R Y A E E D Y R Z O M B I E G
K I A E V D I N O S A U R R E S E T O D S N A K E
S F C G H P E I C G A P U V T B T M Y T H I C A L
Y F O K O U N E K N E T I I S R I G O T A D N R I
M I M L D N I U A N A L C U O N R G X N Q D F K W
M N U D K S H C T E G A R G O Y L E F L E G E N D
U R T K S L O R R S L E O T P M A M M O T H G R R
M B A E U N O C I I B B A H S R R O R R O H I M P
D Y N H D L O R C R L U O E M O N G C E N T A U R
J V T A L J E H E I R N Y P R A H W C C M D N C A
Z C M P N N Z C N A G C N M I E R G O J R Y T A S
```

ALIEN	DEVIL	GRIFFIN	MINOTAUR	SCARY
ANACONDA	DINOSAUR	GRYPHON	MUMMY	SERPENT
BIGFOOT	DRAGON	HARPY	MUTANT	SIREN
CENTAUR	FOLKLORE	HORROR	MYSTICAL	SNAKE
CERBERUS	GARGOYLE	HYDRA	MYTHICAL	TROLL
COCKATRICE	GHOST	IMP	NESSIE	VAMPIRE
CREATURE	GIANT	KRAKEN	OGRE	WRAITH
CTHULHU	GNOME	LEGEND	PREDATOR	YETI
DEMON	GOBLIN	MAMMOTH	SATYR	ZOMBIE

Lighting

```
E L R D L G D T D C H S T H G I R B R R Q T T H G
L A T E M L I R R A L O S A P E C A L P E R C N T
G H T S T T A W O G G X U D F I K C D Z B R I P B
E P E I H N J W U C M O E S D D I K E Y O T O E T
K R T G M Z F L T B G T G J E A T G X T T W N G H
H I I N R E P G D L N K N S S E C R I I E N T A G
K N M W A O R D O U I D I W S H H O F R D E L T I
F Z L G S D O I O B G O L I E R E U K U K O D L L
J K C A R T N M R A N O I T C E N N O C G G L O W
O R O Q M N R E T N A L E C E V E D O E B M L V B
A A C L L P Q I P H H F C H R O N S N S W E R C S
O D Y N T N B I P H I C Q E Y T K P L Y D U F W L
```

BACKGROUND	FITTING	LANTERN	PLUG	STRIP
BRIGHT	FIXED	LED	POWER	SWITCH
BULB	FLOOD	LIGHT	RECESSED	TIMER
CEILING	GLOW	METAL	REPLACE	TORCH
CONNECTION	HALOGEN	MOUNTED	ROOM	TRACK
CORD	HANGING	NIGHT	SCREWS	VOLTAGE
DARK	HOUSE	OUTDOOR	SECURITY	WALL
DESIGN	KITCHEN	OVERHEAD	SOCKET	WATTS
DIM	LAMP	PENDANT	SOLAR	WIRE

Playing Football

```
D H V Q G E V I R D Y T L A N E P Z T I L B U S X
R N H K E N S E S R E V E R M O T I O N F L B J G
O W E N C L I N E B A C K E R T F Y R U J N I J S
O O M T W A B K E R G C S E N S R S E L D D U H I
K D I R H O B I C F E Q W M E O U L C E N T E R D
I H T E E G D R D O F F E I M P T F E N O Z D N E
E C F T L D I T E U L O E T E L O F I T N E S S L
L U L U M L S T S N A B P R N A R E V O N R U T I
K O A R E E T H R R R D B E I O T D E F E N S E N
C T H N T I K C I K I O R V L G S C R I M M A G E
A D L E I F D I M R W F C O L L A B T O O F A N S
T U P R I G H T S L T I M E O U T E R I P M U S W
```

ASTROTURF	FANS	INJURY	PENALTY	SUPER BOWL
AUDIBLE	FIELD GOAL	KICK	RECEIVER	SWEEP
BLITZ	FIRST DOWN	LINEBACKER	REDSHIRT	TACKLE
BLOCKING	FITNESS	LINEMEN	REFEREE	TIGHT END
CENTER	FOOTBALL	MIDFIELD	RETURNER	TIMEOUT
CORNERBACK	GOAL POST	MOTION	REVERSE	TOUCHDOWN
DEFENSE	HALFTIME	NFL	ROOKIE	TURNOVER
DRIVE	HELMET	OFFENSE	SCRIMMAGE	UMPIRE
END ZONE	HUDDLE	OVERTIME	SIDELINES	UPRIGHTS

Stars

```
O O X I N E O H P E R S E U S C O R P I U S P X G
S R A T S M S R A S A U Q V I R G O A T R E C A L
S I R J G U I S O P H I U C H U S L D S A L E V S
E O M A W L D C R J X N Y L A L U C E P L U V L P
R N U U M U L U G N A I R T D B A I P I S C E S A
P G T R I C E L I N I M E G E C R S A R O R U A C
E H U I S I I P K U R N A N M A Y U N I V E R S E
N O C G V T F T C O R V U S O G L G S U E H P E C
S U S A G E P O C E N T A U R U S U N A D I R E E
C R A T E R E R E S O C A R D U S J H U C O M E T
G C D W A I E P O I S S A C N O R M A K S L H G U
U T M T T L D C E L E S T I A L I U Q A R B I L S
```

ANDROMEDA	CETUS	HERCULES	PEGASUS	SERPENS
AQUILA	COMET	LACERTA	PERSEUS	SPACE
ARIES	CORVUS	LIBRA	PHOENIX	STARS
AURIGA	CRATER	LYNX	PISCES	TRIANGULUM
AURORAS	CYGNUS	LYRA	QUASARS	UNIVERSE
CASSIOPEIA	DEEP FIELD	NEBULA	RETICULUM	URSA MAJOR
CELESTIAL	DRACO	NORMA	SCORPIUS	VELA
CENTAURUS	ERIDANUS	OPHIUCHUS	SCULPTOR	VIRGO
CEPHEUS	GEMINI	ORION	SCUTUM	VULPECULA

Toyota

```
S Z V Y E F N Y Y A R I S T R A P R I U S U V M D
N U V H V G R W V E H I C L E J I M P O R T G O N
G D G O I O Y K O T J P B C L D G P O Y Z Y W T A
Q I L S T G O F W O R L D W I D E Z P S T O B O R
X G E C A C H Q C O R O L L A U L A U I E E T R B
Z D A N V B T L D L O D I R B Y H X L T Q D F U F
F F R G O C A U A L E U E A L G E A A E E O A A A
U E D I N M C B F N L V D N E L U D R J R R L N S
E A N E N T O S M O D E L S G Q R A Q A O S C N F
P Z U R I L M R G E L E C T R I C O M P A C T E E
M U T O G L A O K K C U R T V E N P L A N T W I L
T B N F Q K R J N O I C S E L A S E E N D J W S N
```

AUTO	ENGINE	LEXUS	QUALITY	TACOMA
BRAND	FACTORY	LOGO	RELIABLE	TERCEL
CAR	FOREIGN	MODELS	ROBOTS	TMC
COMPACT	GLOBAL	MOTOR	SAFETY	TOKYO
COROLLA	HIGHLANDER	PARTS	SALES	TRUCK
DEALERS	HYBRID	PLANT	SCION	TUNDRA
DESIGN	IMPORT	POPULAR	SEDAN	VEHICLE
DRIVE	INNOVATIVE	PRIUS	SIENNA	WORLDWIDE
ELECTRIC	JAPAN	PRODUCTION	SUV	YARIS

Starts with U

```
I U L Q U N A W A R E Q N D O Q L M Y S U N T I L
Y B E T A M I T L U N D R E S S X X U P W A R D E
Q J V O C C N L N N U U N A B L E S E P W Q Z U U
U L C U P S I D E I U I R G N M Q T U U C A V V Q
B N L A U S U P R C N S V A L N A P Z P E Z H U I
J D A O L N U S B O I U I E N I R E V O C N U N N
W S R U R E L K M R T R N N R I E E R N H N N I U
X F G E P N I I U N L E S S G S U S U T K W C F N
D L T I S S U T K U V I U H E C E M T N S R L O E
Y T M J O U E B N E K L T F J E H Z O U D P E R A
U I X S Y D I T N U I G U N I O N W B R Z E U M S
S P A E N G O U E G R U N T Y I N G P N A B R U Y
```

UGLIER	UNDER	UNIT	UNTIE	UPSTREAM
UGLIEST	UNDRESS	UNIVERSE	UNTIL	UPWARD
UGLY	UNEASY	UNKNOWN	UNTO	URANIUM
ULTIMATE	UNEVEN	UNLESS	UNTYING	URBAN
UMBRELLA	UNHAPPY	UNLIKE	UPON	URGE
UNABLE	UNICORN	UNLOAD	UPRIGHT	USE
UNAWARE	UNIFORM	UNROLL	UPSET	USING
UNCLE	UNION	UNSEEN	UPSIDE	USUAL
UNCOVER	UNIQUE	UNTIDY	UPSTAIRS	UTTER

Pirates

```
B M L M M E S W O R D W F F E P D W I U T F Q X P
R N J C L O Z B G C R L O B T T R C H C T A R C S
C K F P I I T E K S U M O U V S A R K I D L O H K
D R P F V C A N N O N T K O N P E M O C S I R B I
C S O G O R G L H R K L L E T D B N T B A K R C R
J B D P C K P X F I E Y R A W V K D S S B T E A M
O G I T E P W Y L G N U I O S E C R N W R E T Y I
B V Y S A A V L U G Z N P C L S A X A O O I R A S
Y T S A N R E M O I O N R T O S L F E H M R F Y H
R Z E O U R O L E N U E T I B E B U M I S A C D V
G Z S C H O D S L G W A B U L L E T C M U T I N Y
G U S D B T D R A J B C J Q D S B S T R O N G D L
```

ALE	CAPTAIN	GOLD	NASTY	SEIZURE
ATTACK	COAST	GROG	OCEAN	SHARK
BATTLE	CREW	GUNPOWDER	PARROT	SKIRMISH
BITE	CROWS NEST	HOLD	RIGGING	STRONG
BLACKBEARD	CUTLASS	KILLER	ROBBERY	SWORD
BOAT	DIAMOND	LOOT	ROPE	TERROR
BOOM	DRUNKEN	MEAN	SCIMITAR	VESSELS
BULLET	FIRST MATE	MUSKET	SCRATCH	WHISKEY
CANNON	FLAIL	MUTINY	SCURVY	WOUND

Fun Car Trips

```
X K Y S T R U C K S E E R T P E D S C E L P U O C
Y A A E R S P Z F N W I L D L I F E V A L L E Y S
I S W D A N T D C O U N T R Y E R E H W Y N A U N
V P Y A V Q E F P I C N I C N U R X J S H Z N P O
G H B N E E R G L T H D T J S Y I P L O U H I K C
B A M B L I N G M I A R O I W X A L E R U R B I F
T L S J E I N T G D O Y E H U W I O E R T R N O O
N T I N G I C H U A U L E M I H W R R A C E N U K
H M D N R I W E D R S R R G N I S I U R C Y T E G
D S I U S A W A F T E R N O O N E N M S V I E W Y
B S O U Y J H S G N I L D W A D U G N I N R O M M
K T M S D G V Y N C M O V E W O L S N G I S E A T
```

ADVENTURE	CRUISING	HILLS	SCENIC	TREES
AFTERNOON	DAWDLING	JOURNEY	SEAT	TRIP
AMBLING	EASY	LEISURE	SEDAN	TRUCKS
ANYWHERE	ENJOY	MORNING	SIGNS	UNHURRIED
ASPHALT	EVERYWHERE	MUSIC	SINGING	UNRUSHED
BYWAY	EXPLORING	OUTING	SLOW	VALLEYS
CAR	FRIENDS	PICNIC	TOURING	VIEW
COUNTRY	GAS	RELAX	TRADITION	WHIM
COUPLE	HIGHWAYS	ROAD	TRAVEL	WILDLIFE

Our Voices

```
W W J D M L E B D W W B Y P R E G B T K F Y K P X
T O N E V O L U M E S A D M F Q M O G Y S E V Y A
L A C I S S A L C T U S A Y P S A R K V M N H R Y
O B L J R I C H E A M S X I T L R A C G O I O G T
E P O K S R G N S L C B E E K E E S R A O H N N T
D D I O W J I H H U W R N V T U T A L F T W E A E
W U U N M N R T L C C O F T Q L T E S K H C Y G R
C N Y M I I U I A I R K U S A I D E T I C X E S P
D V Y M L O N P N T G E L R N O U S W A N I D O A
Y C E L M E N G D R I N Y G O L R F F U R G H F G
T F L N I A H S W A E N T Y K S U H I G H B A T Y
X H L J T Z B C R I X S G D E E P I T C H G U O R
```

ACCENT	FEMININE	LARYNX	RICH	TENOR
ANGRY	FLAT	MASCULINE	ROUGH	THICK
ARTICULATE	GRATING	MOUTH	SAD	THROAT
BASS	GRUFF	OPINIONS	SHRILL	TONE
BOOMING	HIGH	PIERCING	SMOOTH	UTTER
BROKEN	HOARSE	PITCH	SOFT	VENT
CLASSICAL	HONEYED	PLEASING	SOUND	VOLUME
DEEP	HUSKY	PRETTY	SQUEAKY	WHINE
EXCITED	IRRITATING	RASPY	TALK	YELL

Pediatrician

```
E B R O M U H V N G S R W V O U G N I N E E R C S
V A C C I N E S T I N E E D L E L A T I P S O H I
I B I T F M O T D N Q Z E F L A C I D E M M S N D
R Y L V R E O I N F E T L O O H C S E R P K J S N
H L L T I N A N T E A C A R E E R I S A R U P T P
T U N G E G F T I C I E S G D Z B S S E R G O R P
M F E R N A E O U T E T K E F L O S C Y N Y P A T
R P S O D G V D U I O J A I L M I O J V H K K H E
A L S W L I E D T O L R N P N O R H O J I P C C S
W E I T Y N R L T N A F N I N D D O C T O R E I T
D H F H C G H E I G H T S I S Y L A N A S I H Q S
E X A M G N I R A C E C I F F O T H G I E W C K X
```

ADOLESCENT	DIAGNOSE	HEIGHT	KIND	RECORDS
ANALYSIS	DOCTOR	HELPFUL	MEDICAL	SCREENING
BABY	EDUCATE	HOSPITAL	MONITOR	SICKNESS
CAREER	ENGAGING	HUMOR	NEEDLE	TESTS
CARING	EXAM	ILLNESS	OFFICE	THRIVE
CHARTS	FEVER	INFANT	PATIENT	TODDLER
CHECK	FLU	INFECTION	PHYSICAL	VACCINES
CHILD	FRIENDLY	INJECTION	PRESCHOOL	WARMTH
COMPASSION	GROWTH	INJURY	PROGRESS	WEIGHT

Winter Wonderland

```
L A V I V R U S L E I G H B L U F E C A E P R H J
I Z A B F Y H C N U R C A L M K I G S T S E R O F
G S L C R W U O R E C B S I P R R S Z I I G X L W
H W L C O I K L E R E I I Z D A T H J N L S D L E
T O E A Z L G D H A K R C Z N N R B D O L E S Y A
S O Y R E D I H U B A D G A I G E E V E C R N D T
E D Q D N L C T T B L S E R W E E E D E O V L C H
R S F I A I I A S I F R P D E R S D M O Y T P M E
E V C N T F C O Y T W T B S Q V I B D R I F T S R
N X U A U E L C Q S O G O P I N E T R E E S J B B
E V B L R N E W I O N O C X G R U E L P O E P C C
M O O S E F S C F Y S D B S N O W F A L L F F G K
```

BEAUTIFUL	CRUNCHY	FROZEN	PEOPLE	SLEIGH
BIRDS	DECEMBER	GLOVES	PINE TREES	SNOWFALL
BLIZZARDS	DRIFTS	HOLLY	RABBITS	SNOWFLAKE
BOOTS	ELK	ICICLES	RANGER	SURVIVAL
BRIGHT	EMPTY	LIGHTS	REINDEER	VALLEY
CALM	EVERGREENS	MOOSE	SCARF	WEATHER
CARDINALS	FIR TREE	NATURE	SERENE	WILDLIFE
COAT	FOOTPRINTS	OUTDOORS	SILENCE	WIND
COLD	FOREST	PEACEFUL	SLEDDING	WOODS

The Legend of Bigfoot

```
D H A I R Y E G R A L A E R U F S M H D F M R F Q
N E C N E D I V E M U S E U M I O H I Y C O U S I
E R U T P A C Q H T Y M S H G N M O D A I U T R X
G U F H C T A U Q S A S N H K F N A D M F N V E T
E T B E C A L L E G E D T E M A I X E E I T X T E
L A I A R Z G I A N T I Y E M K V E N R T A S N E
V E P S D O O W R M N T A U R E O S P I N I E U F
S R E V E I L E B G A N H U O I R T V C E N A O O
K C D K F M D K S L A N R U T C O N M A I S R C N
T S A E B L A L L I R O G E Y O U U N N C E C N O
W S L Z I S E I R O T S Y Z F X S Z S J S X H E D
J Q N W O N K N U C F E T R A C K S O T O H P N R
```

ACT	EVIDENCE	HAIRY	MUSEUM	SEARCH
ALLEGED	FAKE	HIDDEN	MYSTERIOUS	SIGHTINGS
AMERICAN	FEET	HOAXES	MYTH	STORIES
BEAST	FOLKLORE	HUMANOID	NOCTURNAL	TALL
BELIEVERS	FOOTPRINTS	LARGE	OMNIVOROUS	TRACKS
BIPEDAL	FOREST	LEGEND	PHOTOS	UNKNOWN
CAPTURE	FUR	MEAN	REAL	WILDERNESS
CREATURE	GIANT	MONKEY	SASQUATCH	WOODS
ENCOUNTERS	GORILLA	MOUNTAINS	SCIENTIFIC	YETI

Doggy Names

```
F G L H G R U K T W I N S T O N O M A N N I C P C
P L D A J I K K E Y Z X T P B D I M B J L O R E X
I K J L J R N I D H I D R A A A O O I A C I Y M E
K H X V R T T G Y C U L R O S R I L C O N B T P P
C E K A J D H B E Q E N X J V H K L Y C E D S O I
M K P F M Q B I K R E T S U B E A Y E L D A I S Y
M U I J T A X V O Y E O I H I J R S L Y Y I M T N
V D A I L I T U M E R P K Z A I S E R L H M E N N
O C A E D O A U S S H S P L L D B J A S P E R L E
K E X G B W K B O A A M B E R U O D H V R P J N P
N F F Y I Z X Y K C O R Y S P B Y W Y B U D D Y M
X X Z X H L N R T Q S H E B A J S A S A M Q N U I
```

ABBY	BUSTER	HARLEY	MURPHY	SCOUT
ALEX	CASEY	JACK	PENNY	SHADOW
AMBER	CINNAMON	JAKE	PEPPER	SHEBA
BAILEY	COCO	JASPER	PRINCESS	SMOKEY
BANDIT	DAISY	LADY	REX	SPARKY
BARNEY	DIXIE	LUCY	RILEY	SPOT
BEAU	DUKE	MAX	ROCKY	TASHA
BELLE	FIDO	MISTY	ROVER	TOBY
BUDDY	GINGER	MOLLY	SAM	WINSTON

Sophisticated

```
X D F C Y A C H T S W H G U K W F H V N B K Z L X
S P I H S B T L S M O R P P E N D A N T S M J A E
T E B A L L R O O M S P A S A S M L E A F A W T Z
A V E N T I U A E T R E E E E I D I A M O N D S N
H W N D U N F S C E H O K N P C N A A K L S E Y N
S E G E X K F S M E H E O A I A T T N K L I S R V
E D A L E J L I F S L T S L C S I K I C T O I C V
H D P I D R E S S E S E E P T T U C H N P N G R E
C I M E O R S L A M T C T U U L S O C O G E N O H
T N A R U A T S E R A D I W R E L C M S N C S W C
A G H F N W O G O L D J E W E L R Y U I E V E N T
W E C R I B K V O I Q L O B S T E R W A L A G I T
```

BALLROOMS	CROWN	GOLD	PAINTING	SHOES
BRACELET	CRYSTAL	GOWN	PENDANTS	SILK
CAKES	DESIGNS	HATS	PICTURES	SUIT
CASTLE	DIAMONDS	HOMES	PLANES	TRUFFLES
CHAMPAGNE	DRESSES	JEWELRY	PREMIER	TUXEDO
CHANDELIER	EVENT	LACE	PROMS	WATCHES
CHINA	FUR	LIMOUSINE	RESTAURANT	WEDDING
CLOTHES	GALA	LOBSTER	RINGS	WINE
COCKTAIL	GEMSTONES	MANSION	SHIPS	YACHTS

Whistles

```
E D T X B V E T A Z M O B C R A E H E V S Q G Y M
K O J S N O I S E S U B B H G I C F L T P N R A O
L S O L Z B F T H N H T U D N A M M O C I I E Z I
N R C D A A K R K W U C C S O X Q Y E N L T E N W
R T Y Q N L I O E U O T T C S K T Y R L K M D I X
P C N A Q L E P T Q O R M I L I T A R Y O U N G F
C V R B L O W S T I U A K S P E W U S U S D J U G
B I O L A F O U L M N E L Z F H P P T T M Y Y A T
I A S O T R P L E H C I N A R D G H R D R N M R N
T P W U E Q L N E A D B S C R E C I L O P E A L W
T F O D M S T O R E K T B I Y M A V H G J T L N C
I T V N C C P O R V J Y B U A L A N G I S L L A C
```

ALARM	DOG	INSTRUMENT	NOISE	SPORTS
ALERT	FOUL	KETTLE	POLICE	START
BALL	FREQUENCY	LIPS	RACE	TEA
BIRD	GAME	LOUD	REED	TIN
BLOW	GYM	MELODY	SAFETY	TOY
BOAT	HEAR	METAL	SHRILL	TUNE
CALL	HELP	MILITARY	SIGNAL	WARNING
COACH	HIGH PITCH	MOUTH	SLIDE	WIND
COMMAND	INDUSTRIAL	MUSIC	SONG	WORK

Smartphones

```
F R U S R R L S A R E M A C H A T E X T B P O F C
L I A M E D E L E G O C X M X L K E P N I K S I J
L N T W K T T C A R T N O C C B O T O Q M L I Z S
V G S V A V O R B C U B W N O L O Y R H B E G G C
B N H R E M O M U U I T U W V U B B T C A D N T R
A R B G P T C D E L T M C W E E E A A U T I A U E
K I O A S C C X E S B T F I R T N G B O T O L E E
V S N W I P R O C E S S O R P O O I L T E R A S N
R Y L S S E L E R I W A P N F O H G E D R D R A C
W S U P N E P P P E O O G G S T P S I N Y N M C I
H M D P H D A O L N W O D E Y H E V L O T A D K W
R C Q A Z D O Q A G L L A M S E R V I C E F O A X
```

ALARM	CAMERA	EMAIL	PICTURES	SMALL
ANDROID	CARD	GIGABYTE	PORTABLE	SPEAKER
ANSWER	CASE	GPS	PROCESSOR	STORAGE
APPS	CHAT	MENU	RING	SURF
BATTERY	COMPANY	MESSAGES	SCREEN	TEXT
BLUETOOTH	CONTRACT	MOBILE	SERVICE	TOUCH
BROWSE	CONVENIENT	MUSIC	SETTINGS	VIBRATE
BUTTONS	COVER	NUMBER PAD	SIGNAL	VIDEO
CALL	DOWNLOAD	PHONEBOOK	SKIN	WIRELESS

At the Lake

```
B D F L S S S E V A W R H M N Q M B S P M A C U D
O X E H U K P P X Z P E C E T J D O B H L T K Y N
D F O C Y R E T A W W I L E V A R G T H C A E B A
C R I C K E T S P R S P C A B I N S G S T O N E S
E K A Y A K S P R E E I F S W I M M I N G R X T E
C F R G T V H P O T L C U X K U E B G N I T A K S
O U T D O O R S P R B N O I T A C A V S E L S M S
F K V C M N D Y E E B I B D G R K C K E N P I K P
T I P E R I F L R A E C O L X Y O R Q N H S R A M
T Z S J Q Z A L T T P C A O T M A S T U R T L E S
U O F H B X C H Y Z K R T D W P R E E D S K C O R
F R I S B E E F I L D L I W J V N B I R D S A Q T
```

ALGAE	DOCK	MARSH	REEDS	STEPS
BEACH	DRAGONFLY	OUTDOORS	RELAX	STONES
BIKING	DUNES	PARKS	RESORT	SUNBATHE
BIRDS	FIRE PIT	PEBBLES	RETREAT	SWIMMING
BOAT	FISH	PICNIC	ROCKS	TURTLES
CABINS	FRISBEE	PIER	SAILING	VACATION
CAMP	GRAVEL	PLANTS	SAND	WATER
CRICKETS	HOME	PROPERTY	SHORE	WAVES
DECK	KAYAKS	RAMP	SKATING	WILDLIFE

Pets

```
E S A E R J C L F R E T T I L J P U P P Y Y Z R A
F V G L R O N D E N J O Y M E N T A R A N T U L A
G A O O L U R P Y G A R E K E A G H R E J R N U D
C H M L D I T M G W A Y H X D D N R O A U E E H O
R X A I B I H L U N Z O L O O H I S S R K D U A P
E R M S L D A C I I U V O I S T N C T T S E T M T
T G T E N Y F R N S R F H I Z A I C I K O E E S I
A O S U O E E Y E I T A F I K A A C B N G R R T O
W R R L R T T H A E H D U E Q T R G B U E B E E N
P F Q R E T O T P P L C S Q S X T D A O W N E R Y
P G E V A L L P I O S V K L A W G E R B I L U A H
K T K X D P E E G K S S N J R R O S J D D F I C K
```

ADOPTION	DOGS	GUINEA PIG	MEDICINE	SNAKES
AQUARIUM	ENJOYMENT	HAMSTER	NEUTER	SPAY
BIRD	EXOTIC	HORSE	OWNER	STORE
BREEDER	FAMILY	HOUSEHOLD	PARAKEET	TARANTULA
CAGE	FERRET	KITTENS	PARROT	TRAINING
CARE	FROG	LITTER	PET FOOD	TURTLE
CATS	FUR	LIZARD	PUPPY	VETERINARY
CHINCHILLA	GERBIL	LOVE	RABBITS	WALK
COLLAR	GOLDFISH	LOYAL	REPTILES	WATER

Runner

```
K P L L H E A R T R A T E U G I T A F C R W N R C
A E W Y H T L A E H E X T U O K R O W E T G J O J
I N J U R Y P E J I E N D O R P H I N S N E C A R
A E I W X E C Q D R D P W L E E T A V I T O M D S
H R J M R N U U C A R D I O N N S T R I D E S P E
E G E I A G N I T E P M O C D U A T H L E T E G O
T Y N T T S P A C I N G J U L S N U R G N O L H
A G S I I I S M O V I N G N R M O E T U O R N G S
R I M A N L U E N O H T A R A M S O L I T A R Y R
D E Z G S S E N T I F E W H N S E L C S U M I L E Y
Y S T R E N G T H S L L I H C T E R T S G N U L N
H N Q Y X Z F F H X B H A A E R O B I C W A T E R
```

AEROBIC	ENDURANCE	HEART RATE	MOTIVATE	STAMINA
ATHLETE	ENERGY	HILLS	MOVING	STRENGTH
CARDIO	EQUIPMENT	HYDRATE	MUSCLES	STRETCH
COMPETING	EXERCISING	INJURY	PACING	STRIDES
COOL DOWN	FATIGUE	LEAN	RACE	TAPERING
DIET	FITNESS	LONG RUNS	ROAD	TEMPO
DISTANCE	GAIT	LUNGS	ROUTE	TIME
ELITE	HAMSTRING	MARATHON	SHOES	WATER
ENDORPHINS	HEALTHY	MILE	SOLITARY	WORKOUT

Christmas Memories

```
A C A H S C S F Y Q A Q C M S S A M T D V M S Y M
O C M P M P G G X G F V P E Y F W X T T T Z U G I
C E L E B R A T E Z R S G N I K C O T S T H G I L
O Q S C K P H N F N I E C I S U M R B M O O Y V K
C S V K A P A R A D E I P I C T U R E S I P H E G
Y E T R A D I T I O N R C C F G N M S I I A C U N
L S W E E X C I T E D E O E A O O E F H N P A S I
S N H S T F I G U H S T S S L R I Y S J Q D M L P
U E C A E P L A U G H T E R I K D R E E S D E L P
Z N V J R V D N J Y I A R E O T O S X N R G R E A
N E P O K E L O U V P B S O C W Y T O Y S P A B R
I C E P L A Y E E F F O C I G A M W B R E T N I W
```

BATTERIES	COOKIES	JOY	MUSIC	SHARE
BELLS	ELVES	LAUGHTER	NAPS	SNOW
BOWS	EXCITED	LIGHTS	OPEN	STOCKINGS
BOXES	FESTIVE	LOVE	PARADE	TOYS
CAMERA	FRIENDSHIP	MAGIC	PEACE	TRADITION
CARDS	FUN	MASS	PICTURES	UNWRAP
CELEBRATE	GENEROSITY	MEMORIES	PLAY	WINTER
COCOA	GIFTS	MESSY	PRESENTS	WORSHIP
COFFEE	GIVE	MILK	REINDEER	WRAPPING

Motorcycles

```
Z P X A M X E F R E P L C A T T O U R W F B O A V
I I P M U J L I C E N S E G A X S I D E C A R P N
A T O O O S Y A Y E D W E E O W K G L A S S E S X
T L E X T P R T C W X I S V H G I L M K R A P C V
L Z D R I V E Y P I P C R G O W G N O L E A P O W
J I A K G F L D Z O M O I I U L U L D D S S O O K
G P V J A C K E T H A O V T N F G C E S I J H T H
B V I S O R C S S D E B N E I K M E E S U F C E T
R D X L Q B I K E R O H K O N N P N R C R F L R F
E U G Q K M U P I O U A X A C S G M F R C M O W A
Y E A G M Z Q T T H R O T T L E N G I N E P J W S
V D N S Z Q J S W B U L C C R O T O M T S T A R T
```

BIKER	ENGINE	JACKET	RIDER	STOP
BOOTS	EXCITING	JUMP	ROAD	STRAP
BRAKE	FAST	LICENSE	SAFETY	TANK
CHOPPER	FREEDOM	MOPED	SCOOTER	THROTTLE
CLUB	FUN	MOTOR	SEAT	TIRE
COURSE	GLASSES	PARK	SIDECAR	TOUR
CRUISER	GLOVES	PASSENGER	SPEED	VISOR
DRIVE	GOGGLES	QUICK	SPORT	WHEEL
ECONOMICAL	HELMET	RACE	START	WIND

Elementary School

```
G S U P P O R T C T W L E G D E L W O N K C K K I
W N A U P G O T Z O E T J A L P H A B E T N C Y E
U R O N V Y U M N A M P E N J I S R E B M U N U F
G C I S I S G I R E Q P O S T E R O N O T E P A D
I T R T S T R N D U D S U E T Y Y I U L B O O K S
O I E K I E I L I A D U B T T S C V M X C C M S T
X S K N H N L Z A N N O T D E S K A E R A S E R H
X S R C G C G P E N A C H S A R T H R E A D I N G
G U A H L I P I J R S R E D L O F E A E Q J Y X I
U E M A U L R Q D R A O B K C A L B C S T A E S L
T S A L E F N O V E L Z Z U P C R A Y O N I S V Q
D I X K H Q A D S D R O W I N D O W S T A P L E R
```

ALPHABET	ERASER	LIGHTS	PUZZLE	TEACHER
APPLE	FOLDERS	LITERACY	QUIZ	TESTS
BEHAVIOR	FRIENDS	MARKER	READING	TISSUES
BLACKBOARD	FUN	NOTEPAD	SANITIZER	TOY
BOOKS	GLUE	NOVEL	SEATS	TRASH CAN
CHALK	GUIDANCE	NUMBERS	STAPLER	WHITEBOARD
COMPUTER	KNOWLEDGE	NUMERACY	STENCIL	WINDOWS
CRAYON	LEARNING	PEN	STUDENT	WORDS
DESK	LESSON	POSTER	SUPPORT	WRITING

Leadership

```
N I A T P A C D B S A P O S T Y L E P E O P L E F
T Q Y U R S E I C U T R O N A E S D K G Z I A F A
I R O B O U O S T H G R A W V S N M C A C T I O N
G R U O M P E H N A A T O I E A P A A R A P R L O
G O R S O E O V N O R R T N M R P N B U S O O L I
L L O S T R O I I O I C I M G L O A D O T L T O S
H E C Z I V Z C P T E S O S S J S G E C R I N W I
K D A T O I V M U J U C I M M U I E E H E T E P V
N I Y D N S I U B B M C W C E A T R F I N I M L G
L U N G E O N O I T A G E L E D I A X E G C P A U
E G R G P R E S I D E N T X C D O L T F T S G N T
P E W A B I L I T Y T I R G E T N I P S H C A O C
```

ABILITY
ACTION
AUTHORITY
BOSS
BUSINESS
CAPTAIN
CEO
CHARISMA
CHIEF

COACH
COMMAND
COURAGE
DECISIONS
DELEGATION
DEMOCRATIC
DIRECTOR
EXECUTIVE
FEEDBACK

FOLLOW
GROUP
GUIDE
IMPORTANT
INTEGRITY
KING
LEADER
MANAGER
MENTOR

OBJECTIVE
ORGANIZING
PEOPLE
PLAN
POLITICS
POSITION
POWER
PRESIDENT
PROMOTION

ROLE
STATUS
STRENGTH
STRONG
STYLE
SUPERVISOR
TEAM
TRUST
VISION

Gathering Together

```
S C H O O L C O M M O N V H C G E L V G F K D A Y
O P A W F A M I L Y S K B G O P A I N E C S Y Z H
C U Z E R E S I D E N T S V I V L I L X E S T M E
I O T I C H U R C H Y H E H I L T L N R N T I E C
A R N E T W O R K B A R S T A E O U O T T O R M A
L G C U L T U R E R N N S G E W Y T X Q E O U B L
V A E J V O N L I M I E E M S E S U O H R R C E P
A T D N S O O N E K F S N H M F R I E N D S E R C
L H A E I N G N P R O X I M I T Y R U L E S S S I
U E R G G L T N U L C P S E I T I V I T C A N B T
E R E Y T I N U C I L B U P T O G E T H E R B F Y
S R A N E L P O E P T Z B L O C K R O B H G I E N
```

ACTIVITIES
AREA
BELONG
BLOCK
BUSINESSES
CARING
CENTER
CHURCH
CITY

CLOSE
COMMON
CULTURE
FAMILY
FELLOWSHIP
FESTIVAL
FRIENDS
GATHER
GOVERNMENT

GRASSROOTS
GROUP
HOUSES
INTEREST
KINSHIP
MEETING
MEMBERS
NEIGHBOR
NETWORK

ONLINE
PEOPLE
PLACE
PROXIMITY
PUBLIC
REGION
RESIDENTS
RESOURCES
RULES

SCHOOL
SECURITY
SHARING
SOCIAL
STORES
TOGETHER
UNITY
VALUES
VILLAGE

Very Bright

```
O L T H S G Z S H I N E O N S E Y E S B X A E D I
S T J A U G R T M Q W Y C G D R R G N I H T O L C
H S E L I M S U J I I H H J E I O W O L G O A O Y
U R W L N K T D S G E B I F F W V S I L V E R G L
R F E S E D H E W S U L L T C H R I S T M A S E U
C E L P G V G N O O M E D U E G M R O E H O U D T
C P S A P J I T B O C L R N B L O A L W F C N Z V
X Z S R S R L S N T S M E B A R O T P O O O A Y Z
M N L K X H Q I I M W F N T R C N S X R M L R E Z
H D N D Y C T O A O O R E I G L A R E A E O L P B
X W H A L O N R R N N M M U R E T T I L G R Q E P
E P Z Y R H T E E T S M H B M H E D C A R S T W Y
```

BEACH	DIAMOND	GOLD	NEON	SNOW
BULB	EXPLOSIONS	HALO	PROFESSORS	SPARK
CANDLE	EYES	IDEA	RAINBOWS	STAR
CARS	FIRE	JEWELS	REFLECTION	STUDENTS
CHILDREN	FLASH	LIGHT	SHINE	SUN
CHRISTMAS	GENIUS	METAL	SILVER	TEETH
CLOTHING	GLARE	MIRRORS	SKY	TELEVISION
COLORS	GLITTER	MONITOR	SMART	WHITE
DAY	GLOW	MOON	SMILE	YELLOW

Roller Skating

```
E B R S U A B I L S K A T E S E L X A P T Y W T N
O K N E T P A N F L O O R B S T O P P E R T O H Z
W U C T W Q L D X O A Y I N L I N E M J N I O R U
F M T A W O A O D X U B B C G S C E U L P L O S F
F C J D R Q N O I T A T O R K J E R J R D I N D A
F W I B O T C R T O E S F C E C Y G E H O B M I L
L L H S K O E C R K T P A I S D O C A X Y A T K L
I A H E U G R Q C U K N I R T I I N R L E T U S O
G T M P E M B I M U S E C A L S D W C I L S R D Z
H N L C I L T E C L O C K W I S E K A R B A N A N
T E D E E P S H A R D W O O D D E A D A N C E P P
S R A Y L O V Y U Z P L N Z H E L M E T F D P G S
```

ALL AGES	DATES	HOLD HANDS	OUTDOOR	SNACKS
ARCADE	DERBY	INDOOR	OUTFIT	SPEED
AXLES	DISCO BALL	INLINE	PADS	STABILITY
BALANCE	EXERCISE	JUMP	PARTY	STOPPER
BRAKES	FALL	KIDS	PRECISION	TICKET
CLOCKWISE	FLOOR	LACES	RENTAL	TOES
COSTUMES	FUN	LIGHTS	RINK	TRACK
COUPLES	HARDWOOD	LIMBO	ROTATION	TURN
DANCE	HELMET	MUSIC	SKATES	WHEELS

Rainforests

```
Y F C E S O I K W H C V A C L I M B O F N E Z S J
O G S L S D R I B I R L A J P E S N A I L J L A F
K I H I N S E C T S T S Y A S A O P P I H O G R E
V N R D N P G O H S P I D E R S D P R X T U O D N
H W U O A B X U L I E P G M K D I N A H A G T R W
V C B C T E E F B L D S A E O N V G O R I L L A A
D L S O U A E E I K Y D T T R S O A U C D E P Z H
P N A R G R G T T Z I H B U S H Q M R A A U U I R
I D M C N V P I Y L F R E T T U B U P K N N M L V
Q Q Q S A E W G L G E K N E T E K C I R C A A O B
F P A R R O T O T L R A I N H C P B A T R E E S Y
X A R B O C H I M P A N Z E E L A C I P O R T I S
```

AARDVARK	BUGS	FERNS	LIZARD	REPTILE
ALLIGATOR	BUSH	FLOOR	MONKEY	SHRUBS
ANACONDA	BUTTERFLY	FROG	MOSQUITO	SLOTH
ANTS	CHIMPANZEE	GORILLA	NET	SNAIL
ARMADILLO	CLIMB	HIPPO	ORANGUTAN	SPIDERS
BAT	COBRA	IGUANA	ORCHID	TIGER
BEETLE	CRICKET	INSECTS	PARROT	TOAD
BIRDS	CROCODILE	JAGUAR	PUMA	TREES
BOA	EXOTIC	LEOPARD	RAIN	TROPICAL

Garage Sale Purchases

```
K U M A N I N F C M B L A N K E T S J Q T O G K Y
Y M W E G A T N I V H Y E E U L E L P R E M I I B
T B Q L R A R K T G P M R M S C A V E K I S F J B
R M P C D E T A D T U O B E N M F T A R P Y T E A
I X C Y F S T I B T Q R I A P U N S R D U O S W H
K Q B C H T J R S O E V I S R A P O C L O T H E S
S A B I E D Z O O L O L E N L E R U S A E R T L W
E H R R C E C P L M P K I P E T T D Q K B D A R O
O T E T I Y W A L P F T S K Z S S T N A P R B Y L
H D I L U A C O A P U Z Z L E S E I Z I V E L V L
S I T O F R H L R R X P O S T E R K P U R S E W I
I T N J G F O C E N O H P K U T E N S I L S T O P
```

APPLIANCES	DRESS	MOVIES	PUZZLES	TIE
ART	FIGURINES	OUTDATED	RETRO	TOYS
BICYCLE	FRAYED	PANTS	SHABBY	TREASURE
BLANKETS	FURNITURE	PHONE	SHELF	TRICYCLE
BOOKS	GIFTS	PILLOWS	SHIRT	TRINKETS
CHAIR	JEWELRY	PLANTER	SHOES	UMBRELLA
CLOTHES	KEEPSAKE	POSTER	SKIRT	UTENSILS
COSTUME	LAMPS	POTS	TABLE	VINTAGE
DRAPERY	MIRROR	PURSE	TATTERED	WORN

Enriching

```
S Y R O T S M O I P I H S D N E I R F A M I L Y U
L A T Q U O T E Y U Z L A I C I F E N E B O O K E
U E V I V L T E P O H H G N I T A V E L E T G E G
P T D I S C R I P T U R E I E G N I H C I R N E A
H H E O O O E T A T I D E M F W H N N E P Q I T S
O O E A M R R P H T I T M A N T R A D N O M R E S
L U F P L E H E R F R Z I S P I R I T U A L U V E
D G I U R Y L A N O I T O M E U F E T A V I T O M
V H L U W A S O F E H C K O D Y S P E A K E R L S
B T T P I R C M R S G L G N I Y A S S E C C U S F
U A S U P P O R T S T R E N G T H F U R O T N E M
N R E E H C I S U M R K G E S R E V A M X B D K N
```

ART	ENDURANCE	LIFE	NATURE	SPEAKER
BENEFICIAL	ENRICHING	LOVE	NURTURING	SPIRITUAL
BOOK	FAITH	MANTRA	PRAYER	STORY
CHEER	FAMILY	MEDITATE	QUOTE	STRENGTH
COMFORT	FRIENDSHIP	MENTOR	ROLE MODEL	SUCCESS
CONFIDENCE	GENEROSITY	MESSAGE	SAVIOR	SUPPORT
EDIFYING	HAPPY	MOTIVATE	SAYING	THOUGHT
ELEVATING	HELPFUL	MOVIE	SCRIPTURE	UPHOLD
EMOTIONAL	HOPE	MUSIC	SERMON	VERSE

Dog Behavior

```
Q B C E L J D Z F J Y C F Y N P T S U I C L A V L
E Q H B I A P E T R T A S B J P A W S I M B W G L
Q V L R A Y P J C C I M T D P D Y K W P S L H G S
P W O U T N U H A P E E L S R P D Q X H A S B X M
H O W L H L A G Q L X T N O U T R I C K S N I F F
E C G H D S R N L A W X O D S W I M M I N G S F O
E R T S E S S I K L Z L I R S G N I P M U J H E O
L A C A T C H T E D I G T C P H K A S O G E A T D
B Y O T R A I N I N G G O S G N I L L O R T K C S
N D F X B C N A G K U M V U E P N P E R I D E H P
P O L U L E S P H X E F E N U R G N I N I H W D K
F B A R K G Z L G Y T U D O P Z O K G R O W L I V
```

BARK	DUTY	HUNT	PET	SMELL
BATH	EATING	JUMPING	PROTECT	SNIFF
CATCH	FETCH	KENNEL	REST	STAY
CHASE	FOOD	KISSES	RIDE	SWIMMING
COME	FRIENDSHIP	LAP	ROLLING	TAIL
DEVOTION	FUN	LOVE	RUN	TOY
DIG	GROWL	NAPS	SCRATCH	TRAINING
DRINKING	HEEL	PANTING	SHAKE	TRICKS
DROOLING	HOWL	PAWS	SLEEP	WHINING

Homecoming

```
R D V D Q A R A L L Y J G I C G E W C F A L L Q W
E A D G U E C N A D R E S S G E E Y G G I L X E C
T T S T U D E N T S Y T L A Y O R T N P A O E O L
U E U N A U C F A R N O S T A L G I A B C K R C A
R M I Q T I O A R P A R T Y P P R S F E E O U C S
N O G A O R L S C H E D U L E E T R L N N B T A S
N C O A M U L G M B J A I P H E P E D A O H L S M
U L R A M M E L A C O U R T K R B V T O B B U I A
F E L N U E G M K T A C A C I R P I C N I C C O T
F W I S D N E I R F E G I N A O O N W O R C I N E
M S I B W G N E V E N T C T G N N U H S P O R T S
A C X Y C G R F O Q U E E N P R O M D N A D K S N
```

ALUMNI	CROWN	FRIENDS	PEP	SCHEDULE
AUTUMN	CULTURE	GAME	PICNIC	SPORTS
BALL	DANCE	GATHERING	PRINCE	STUDENTS
BONFIRE	DATE	KING	PROM	TAILGATE
CELEBRATE	DRESS	MUSIC	QUEEN	TICKETS
CLASSMATES	EVENT	NOSTALGIA	RALLY	TRADITION
COLLEGE	FALL	OCCASION	RETURN	UNIVERSITY
CORONATION	FLOAT	PARTY	REUNION	WEEKEND
COURT	FORMAL	PAST	ROYALTY	WELCOME

Silk

```
V P O P U L A R O B E N G N I V A E W P L H G D R
S L V H A V E J A P A N S H E E T S T N A P H T O
C G S A R T V V J K I M O N O I S R H S R K T E B
A H K C L O T H I N G B I N P R M A S E V L H X X
R P I S Z U T E N S L W O D Y E D E T L A Y R T Q
F L R N H W A I R O N I G H T G O W N I E E E U F
V K T O E I P B U N H E L Y K N F R R T N Q A R A
Q S R O T S M S L S T D P A S I A E N X F L D E B
H X A C H E E M A E O R D X B L T D B E I O Q N R
S B D O G J I F E D O E K E E A T N S T C E S N I
K Q E C I J P N R R M S R K M Z T U Y R U X U L C
O F E V L R E D I P S S T R O N G N E V O W U K C
```

ASIA	FASHION	MATERIAL	SCARF	SUIT
BLOUSE	FIBERS	NIGHTGOWN	SHEETS	TEXTILES
CHINESE	INSECTS	PANTS	SHIMMER	TEXTURE
CLOTHING	JAPAN	PATTERN	SKIRT	THREAD
COCOONS	KIMONO	POPULAR	SMOOTH	TRADE
DRESS	LARVAE	PROTEIN	SOFT	UNDERWEAR
DYED	LIGHT	QUALITY	SPIDER	VALUABLE
EXPENSIVE	LINGERIE	ROBE	SPINNING	WEAVING
FABRIC	LUXURY	SATIN	STRONG	WOVEN

Horse Shows

```
V G F B S L A D E M F X Y Q S G M U E S R U O C E
P D R D Z Z F U H W R C N Y H M O N E Y V P M U J
D E E R B W N K D K O B O D E D I R H A W A R D D
D N N E I V U A T I D N P M L L I K S E S P O R T
C R W S C B A V I B E H O E P F H H C B L J F T T
C E O S A N B U L R O N L I Q E S L G O A M R S M
I T N A E R A O L W T D C K P U T N E R A A E K J
J S U G C P H R N T D S K E R M I I E C I T P T D
V E T E L R O I U A I L E B N C A N T L N L N T N
W W P E A I R C S D A N S U A A A H E O R E I N W
C B V K S Z S H O W N P G R Q B M R C W R B F A P
L J L R S E E H P T N E V E G E G D U J M B M U T
```

ARENA	COMPETITOR	EVENT	OWNER	SADDLE
AUDIENCE	CONTEST	FENCE	PERFORM	SHOW
AWARD	COURSE	HELMET	PONY	SKILL
BIT	DISCIPLINE	HORSE	PRIZE	SPORT
BREED	DRESSAGE	JUDGE	RACING	TAIL
BRUSH	ENDURANCE	JUMP	REIN	TRAILER
CHAMPION	ENGLISH	MANE	RIBBON	VAULTING
CLASS	EQUESTRIAN	MEDALS	RIDE	WALK
COAT	EQUINE	MONEY	RODEO	WESTERN

The Old Testament

```
S G I I O A M M F M C R C H T U R L L E I H B W E
I K R A X M I C J I N R R E U I V W F S J O E E G
S T H Z G E J E H O V A H A I N A H P E Z S Z S Y
R E E S L G V C U U I P N A H T A N R L J E R E P
A S X R D J A E E N O J H A C I M U S C K A A R T
E T S E K L X H B R O N M N M E S A U I X J O P N
L H Y B A O C O P S C O V E N A N T E N S V J E S
E E F M D A W J E R I C H O L U L L I O E E O N K
U R I U I S Y P R B G E N E H A I M E R E J N T I
M F S N A U H S O J N A M P E L B I B H Y O A E N
A Y P L A G U E B O C A J F H T E S J C A E H Q G
S E S E G D U J M A W Q Y V K X K W Z H F L E R S
```

ARK	ESTHER	JACOB	JUDGES	PROPHET
BIBLE	EVE	JEHOVAH	KINGS	PROVERBS
CAIN	EXODUS	JEREMIAH	MALACHI	RAINBOW
CANON	EZEKIEL	JERICHO	MICAH	RUTH
CHRONICLES	EZRA	JERUSALEM	NATHAN	SAMUEL
COVENANT	GENESIS	JOEL	NEHEMIAH	SERPENT
DANIEL	HAGGAI	JONAH	NOAH	SETH
EGYPT	HOSEA	JOSEPH	NUMBERS	SHEM
ESAU	ISRAEL	JOSHUA	PLAGUE	ZEPHANIAH

Factories

```
S E C A P X O D Q U G R X F K Z Y N A P M O C C P
T T Y E D M S Q E J O L A T E M P P L A N T R R A
O A A R Q B E W F Q O H O C V E H I C L E S O O R
B E F T O B Q L F R D E T R O I T H S G A D P Y T
O R A J I T U E I O S L O O T E I F R F U E Z E S
R C C S W O E Q C B U I L D I N G G E C R L B V E
Y R T S U D N I I A O L L G E I O T T A E B T N G
B V O E N R T S E L A M A S S L Y C T K T M Y O A
F T R C I O I T N E M Y O L P M E I A U J E I C W
A A Y O O F A L C E D D E T A M O T U A A S A T O
S F Q R N B L E Y B Q U X M U N M E T S Y S Y M R
T A E P E R H B N K C S E C N A I L P P A A W F K
```

APPLIANCES	CONVEYOR	INDUSTRY	PARTS	STATIONS
ASSEMBLE	CREATE	JOB	PLANT	SYSTEM
AUTOMATED	DETROIT	LABOR	PROCESS	TEAM
AUTOMOBILE	EFFICIENCY	LINE	PRODUCT	TIME
BELT	EMPLOYMENT	MACHINES	REPEAT	TOOLS
BUILDING	FACTORY	MASS	ROBOTS	UNION
CAR	FAST	METAL	ROTE	VEHICLES
COMPANY	FORD	OPERATION	SAFETY	WAGES
CONTROL	GOODS	PACE	SEQUENTIAL	WORK

Retirement

```
S S W I L L Y B B O H E A L T H S M A R K E T G C
S T S E N Y T P M E T S A V I N G S L A O G N W C
L I O K M V Y S R A E R O I N E S T E S S A E Z R
L F F C M O E W T I R D R Y M U S P M U L G M G I
I E Z I K S H S T N O I T A X A L E R V E T Y R P
B N X W N S E L T W U R G F P E N S I O N R A G R
U E X E D A A H N M A O I I O I L O F T R O P G O
D B P N V Y N S Y P E A C T M O N E Y L I M A F S
G X O B O R I C O B V N R C I N C O M E Q U Y W I
E B Q R E Z C L E V A R T P A Z G G E T S E N G V
T U F S E X A T T S U R T S D N E D I V I D F N D
N H T O R O R V V D Y G I H O O N X I V E H I S A
```

AARP	CAR	HEALTH	MORTGAGE	ROTH
ACCOUNT	DIVIDENDS	HOBBY	NEST EGG	ROYALTIES
ADVISOR	DOWNSIZE	HOME	PARTY	SAVINGS
ANNUITIES	EMPTY NEST	INCOME	PAYMENT	SENIOR
ASSETS	ESTATE	INVESTMENT	PENSION	STOCKS
BENEFITS	EXPENSES	IRA	PORTFOLIO	TAXES
BILLS	FAMILY	LUMP SUM	PRIORITIZE	TRAVEL
BONDS	FINANCES	MARKET	RELAXATION	TRUST
BUDGET	GOAL	MONEY	REST	WILL

Use a Tool

```
U R T J C Q T M I O T E X A L Z G D S J G Y U C D
G A B X D U I X E N L Q Q F N A G K H C N E R W W
K K P W O R K C E A D M B U Z Q T S O P R A H S G
M E X P E B I M C C S U A N I B Y H V E F I N K R
M Z R M A V U L X A I U S C R P V R E T U O R W L
D L A A E R O V L L R K R T H E M C L K H E D E E
Q K E D T T A H D G U P S I R I F E T C G T A L V
E Z M S Y C A T P R L K E O N I N F N N B L A D E
B K N H I N H L U I E V S N Y G A E U T R O W E L
F I G E D H E E E S R L W A T R B L M B M O O R B
D X J D O Z C R T L E B X L T E P O W E R C S J P
P E L K C I S O T K C R O W B A R J S W B O W B P
```

APPARATUS	BUILD	HAND	METAL	SHARP
AWL	CARPENTER	INDUSTRIAL	PLIERS	SHED
AXE	CHISEL	INSTRUMENT	PLUNGER	SHOVEL
BELT	CRAFT	KNIFE	POWER	SICKLE
BENCH	CROWBAR	LATHE	RAKE	TASK
BLADE	DEVICE	LEVEL	RATCHET	TROWEL
BOX	DRILL	MACHINE	ROUTER	WELDER
BROOM	EQUIPMENT	MAKE	RULER	WORK
BUFFER	FUNCTIONAL	MEASURING	SCREW	WRENCH

Face the Music

```
S Y A S D U B R A E V A T C O P R Q P Q S V F J O
Q H V O C A L H J B M L T Z F O R M K X O Q G T J
O T A A D W N D B E A T N Z J P I N H C U I Q E K
I G T R C C R C S C F E E A E R U S A E L P H G C
E N O H P O R C I M D M M J C F G S Y C A U D I O
O H J S C E U S D N T Y Y U F O S R A Y S D K N R
C E O E R C S S O S G H O D L E U D O N Y E S S H
R J R B Q A M A T N W R J J T O E N Y O Y R C E C
M Y M E L O D Y F I G D N T V N V G T M V N I T T
C I N C T Y O D N E C S E R C O N C E R T E R O I
T O F O V S C A L E L S M E D L E Y A A Y G Y N P
T J I B U S H R D Z Z C Y H C A R P N H X X L I L
```

ACOUSTICS	COUNTRY	HARMONY	NOTES	SCALE
AUDIO	CRESCENDO	HEADSET	OCTAVE	SHARP
BEAT	DANCING	JAZZ	PITCH	SONGS
CADENCE	EARBUDS	KEY	PLEASURE	SOUL
CASSETTE	ENJOYMENT	LYRICS	POP	STEREO
CHORD	FORM	MAJOR	RAP	TIMBRE
CLASSICAL	FUNK	MEDLEY	RECORD	TONE
CLEF	GENRE	MELODY	RHYME	VOCAL
CONCERT	GROOVE	MICROPHONE	ROCK	VOLUME

Physics

```
L R A E L C U N J Z K P N S P W K L A W S Q E F E
S O R R G R E E K B U O Y A N C Y W A T U H L T D
T M C E E L E C T R O N R S M I M V V A W A E Y K
U Y H P O S O L I H P H E S U A E E N A C C G H F
D V I U V O E A A E K L V W T S S T R I H R A I O
Y S M Y F E T A L T C B O H N R U I S N E I S S R
T P E C N O C Y R I I R C S E M S Y O N T S M T C
I E D L M A O A T C K V S V M T H L E R I V O O E
V E E S A B T R P I H A I F O P O G E O M E T R Y
A D S N S H A U N S L N D T M G W N N T E W I Y A
R R K X S P T G R C U G L M Y L I G H T H E O R Y
G O P T I C S C Y E M E C H A N I C S C I E N C E
```

ARCHIMEDES	ELECTRON	LAWS	OPTICS	SPEED
ARISTOTLE	ENERGY	LIGHT	PARTICLES	STUDY
ATOMS	FISSION	MASS	PHILOSOPHY	TECHNOLOGY
BOYLE	FORCE	MATH	PHYSICAL	THALES
BUOYANCY	GEOMETRY	MECHANICS	QUANTUM	THEORY
CLASS	GRAVITY	MOMENTUM	RELATIVITY	TIME
CONCEPT	GREEK	MOTION	RESEARCH	UNIVERSE
DISCOVERY	HISTORY	NATURE	SCIENCE	WAVES
EINSTEIN	INERTIA	NUCLEAR	SPACE	WORKINGS

Enjoyable Activities

```
P T S E C R A F T Y D A N C E I P U Z Z L E S E W
G J T H D N S G U F X J O G G I N G G B B C O O K
C I E G L L A B T N I A P N T O N N U O I U F K A
I S H N P A C T I V I T Y U I I I O T N W R Z G
S B R I D G E N H S J H Y S U P L K S J V G G G O
U L E X K A T H A Y T L R Q M D S A R E E N N Y
M E M A L E A S M L U E I A I T N M E W N I I I O
O V I L R A E T R D V T C N A M R Y A E T L T K J
T A T E L M R E A I N I G M Y H W L D L I C I A N
I R S R A Q C P D A K C P G P C V F I R N Y R B E
P T A G N I T N I A P S L E D O M U N Y G C W X X
R N P T I N K R O W D A E B G S Q M G N I N N U R
```

ACTIVITY	CAMPING	FLY MAKING	JOGGING	QUILTING
ANTIQUING	CHESS	FUN	KNIT	READING
ART	COOK	GAMES	MODELS	RELAXING
ATHLETICS	CRAFT	GYMNASTICS	MUSIC	RUNNING
BAKING	CREATE	HAM RADIO	PAINTBALL	SEW
BEADWORK	CYCLING	HIKE	PAINTING	STAMPS
BOOKS	DANCE	INTEREST	PASTIME	TRAVEL
BRIDGE	DIVERSION	INVENTING	PETS	WRITING
BUILDING	ENJOY	JEWELRY	PUZZLES	YOGA

Dresses

```
K P V C C G K N N W B O D I C E A P H C R U H C L
A K K P G J Y F I T T E D S C Q G W A T R I K S T
U G L A M O R O U S S S E R D N U S K R X K H H J
U G N I H T O L C I D W C W S P U J A L T O Y Y M
J B A P T I S M G O L O N G O A T T A K R Y C I C
W Q J N J R S N Y D C R A X L L E M T T G U N T O
V K S T Y L E S I T W K D S V F R F T N E I A S L
W K D T A R C P T U L S T B F O O N I E C I F F O
N X L C F W C A M L Q A B A F I E W R M P A R W R
J Z E I I I A R E U E E T L I V O O E R E M M U S
U C K E S O H T H L J B S L E L G G O A P G V W V
H Q Q N I T A S P C I R B A F D U M X G Z M B J H
```

ACCESSORY	COCKTAIL	FORMAL	MINI	SILK
ATTIRE	COLOR	GARMENT	OFFICE	SKIRT
BALL	DANCE	GLAMOROUS	PARTY	STRAPS
BAPTISM	DESIGNER	GOWN	PLEATS	STYLE
BELT	EVENT	HEM	PROM	SUMMER
BODICE	FABRIC	HOSE	SATIN	SUNDRESS
CASUAL	FANCY	JUMPER	SEQUIN	TAFFETA
CHURCH	FITTED	LACE	SHIFT	WORK
CLOTHING	FLOWING	LONG	SHORT	WRAP

Volunteerism

```
P U O R G L M I S S I O N T B J J K I P L J S S
H O N G O E E T H Y G F R O B A L C V W P T A T L
O I S O D C N E P E T S S E L F L E S I S N C E E
U U H I I E U M S O C I A L S I M E C I O E O A G
R C C V T T F E S D L K R O W O S H S N W S U C N
S A R A S I A R M I L I T A R Y U S P X H U N H I
L E N N J O V G E H U G T A H R A R E T S A S I D
S O Q D C Z G E I E P R L I C C O E C N I C E N E
D L O Y R A T N U L O V T H C F H P U E D M L G E
E Y T I V I T C A P B A D L I S K I L L S N E S F
E A H A R P V Y R V N O I T A C U D E M A G I V E
N J L A O F F E R N A S A U D X M D V M F V J K C
```

ACTIVITY	DONATE	HELP	NGOS	SELFLESS
AID	DRIVE	HOURS	NONPROFIT	SERVICE
ALTRUISM	EDUCATION	KINDNESS	OBLIGATION	SKILLS
ASSIST	EMERGENCY	LABOR	OFFER	SOCIAL
CAUSE	FEEDING	MEDICAL	POLITICS	TEACHING
CHARITY	FREE	MILITARY	POSITIVE	TIME
CHURCH	FUN	MISSION	PTA	VALUE
COUNSEL	GIVE	MORAL	RESOURCES	VOLUNTARY
DISASTER	GROUP	NEED	SCHOOL	WORK

Gossipy

```
Z M L K M E D D L I N G V I C I O U S L A N D E R
Z T A T T L E A H H E A R S A Y T T A H C R K L G
U E N O H P C M E T G H R N O I T A T U P E R T D
B U O I L I E H A R B G N J N D I O L B A T B T L
S N S N H A L R B D V D O D U Q S U O I C I L A M
I K R T N D E F A M A T I O N S E C R E T B U R S
N I E I Y G B E B D I S C U S S R U M O R K F P O
J N P M G C R T B F C L I S R E K R O W O C T X U
U D A A Q P I R L R F Q P J G E N I V E P A R G R
R T X T S S T U E W H I S P E R O G N N E B U A C
Y E S E I L Y E J C O L U M N F F D D I R T H B E
N K K C A T T A Y R O T S C A N D A L U F R A E W
```

ATTACK	DIRT	INJURY	PRATTLE	STORY
BABBLE	DISCUSS	INTIMATE	REPORT	SUSPICION
BACKBITER	EARFUL	JUICY	REPUTATION	TABLOID
BUZZ	EXAGGERATE	LIES	RUMOR	TATTLE
CELEBRITY	GAB	MALICIOUS	SCANDAL	TRUE
CHATTY	GRAPEVINE	MEAN	SECRET	UNETHICAL
COLUMN	HEARSAY	MEDDLING	SLANDER	UNKIND
COWORKERS	HURTFUL	PERSONAL	SOURCE	VICIOUS
DEFAMATION	INDISCREET	PHONE	SPREAD	WHISPER

Bells

```
E P D M N D U G D W T T J P N E S P F G U Q W F U
I T D W J X B M E Y U I D I A X N C G H C L O C K
D O M G Q D A E A N Y D N A H C O N T E M P L E A
E O T M Y Q T L E E T S S S G L I B E R T Y L D N
O P S O T O P J K M W O A O T D S S E H I T O C G
T P K I N M X I I N U C N O E R S X U Z I O H Q N
U E J W S E R H L N E G R A L S U O S M N U H U O
Q C O S N T E A D R G B M K L W C M D N R O N C S
B R A S S A V M A L E L G N A I R T E C I V R E S
C L I S U L L M T K S W E I M N E R H N W T W B A
C B N N T J I E M V I R O N B G P Y H C T I P M L
A W Y B G C S R C R L L O T H Z B M T H Y L N B G
```

BIG BEN	CROWN	IRON	PITCH	SWING
BRASS	DING	JINGLE	PLAY	TEMPLE
BRONZE	GLASS	LARGE	RING	TIN
CAST	GONG	LIBERTY	SERVICE	TOLL
CERAMIC	HAMMER	MALLET	SILVER	TONE
CHOIR	HAND	METAL	SONG	TOWER
CHURCH	HIT	MUSIC	SOUND	TRIANGLE
CLASS	HOLLOW	NOTE	STEEL	TUNE
CLOCK	INSTRUMENT	PERCUSSION	STRIKE	YOKE

At the Sea

```
O I H N B M P A O N I H W E M C A P E B B L E S Z
A C U O O S C I S L F F U L B R E E Z E R E T A W
I R D L A I X J P T U N E N C N O I T A C A V L X
T U Z K T R T N U G I H L H I G H W A Y D L M T Y
L F R U S U J A D A Y U C N Q Y P U T U O D I Y M
C I H D O O T U X D Q A S W I M M I N G C U C F N
Q S H N T T P T N A E U C M K U S E E S K Z L A F
H X P A E G D I R B L V A H I O S E E R K O E U N
Z W I S R G W C R A L E I T T W T A V C R C A N B
U E R U T B U A H T W S R R I I S B B A O R O A D
P I H S D U O L C E R O Z C D C Y R J W W V Y R Z
Z V Z F T F Q R F W P B S E X P B V M B K J E L R
```

AQUATIC	CLOUDS	HIGHWAY	ROCKS	TOURISM
BAY	COVE	NAUTICAL	SALTY	TRIP
BEACH	DOCK	OCEAN	SAND	VACATION
BLUFF	DRIVE	PEBBLES	SEA	VIEW
BOATS	DUNES	PENINSULA	SHIP	WATER
BREEZE	FAUNA	PIER	SURF	WAVES
BRIDGE	FLORA	PORT	SWIMMING	WET
CAPE	GULF	RELAXATION	SWIMSUITS	WIND
CLIFF	HARBOR	ROAD	TIDE	YACHT

Moving Forward

```
L Y W L Y O S G R J I W S R Y P L A C U P A E L T
Z A G J R P K A T O R T R E T N A C V J M T S I M
F J S Z E I X S L I D E W P I V O T K X T H C E N
C T S Z P V W R U N S A D F P G A J Y E U N A N I
J U O S O A F A A E T S N P T R O R U F C N L B P
L I T U L D H F V H R J W C O T E O F N D J A Z S
G E X K R K K L T Y I S U I E D R L B E Z H T W L
P J Z C I C R F A R D U M M N I E A R D N U O B O
W M U M H I S S Y R E T T A P G M H V T N I R P S
F S O F W K L A B U Y A W S R B P S N E A K W Z H
P O J T I A G N O C S F D O L C X A U C L I M B D
L F L P S T O O C S O M C E K I H D T B T H M P A
```

AMBLE	HIKE	PIVOT	SNEAK	TIPTOE
BOOGIE	JUMP	RUN	SPIN	TRAVEL
BOUND	KICK	SALSA	SPRINT	TREAD
CANTER	LEAP	SCOOT	STEP	TROT
CLIMB	LOPE	SCURRY	STOMP	TWIRL
CONGA	MARCH	SHUFFLE	STRIDE	VAULT
DANCE	MEANDER	SKIP	SWAY	WALK
DASH	PATTER	SLIDE	SWING	WANDER
ESCALATOR	PIROUETTE	SLOSH	TAP	WHIRL

Memories

```
Q S T O R I E S G O N E N Y D X R C P I G T T I Y
M P G G N I D D E W T O P R G A G E G N N L E Z R
U E N F R E S H G A I P E K E C R L N E I I E P O
E C M O I R T G D T A M S D O S Q P I R V F W H S
B I Y O E R B T C H I L D H O O D O T U O E S D N
R A L L I R S E O N A L D N O F B E N S L I N P E
I L I B E R L T D G O L A I C O S P U A R E I T S
J V M C I F S E S H R L O S T U B N A E I S A D S
E C A F E P R V K T T O Y R O T S I H R E T T I B
S L F R A G M E N T E D F A D E D C F T C U E C F
L E G O O D E S S E R P E R E B M E M E R S R T L
F T Q V R P A S T I M E P P H P Z K A T R X M Z J
```

BIRTH	FOND	HISTORY	PERSONAL	SCRAPBOOK
BITTER	FORGOTTEN	HOLD DEAR	RECALL	SENSORY
CHERISH	FRAGMENTED	KEEP	REFLECTION	SOCIAL
CHILDHOOD	FRESH	LIFE	RELIVE	SPECIAL
EVENTS	FRIENDS	LOST	REMEMBER	STORIES
FADED	GONE	LOVING	REMINDER	SWEET
FAMILY	GOOD	MEMOIRS	REPRESSED	TIME
FIRST DATE	HAPPY	PAST	RETAIN	TREASURE
FIRST STEP	HAUNTING	PEOPLE	SAD	WEDDING

Fences

```
G I P X N P L O C K U S R D R A Y C T T S M A Y F
B A H G C W Y Z B P O L E E T P E G D E K E F U E
X M T U R Q N I A H C C X S D C M Y S P W A L L P
B E I E O U I P A E O J I F D R I U G A R D E N K
U R U L M C V G P R N E I G H B O R J M M N F P B
Q I I E C P Q O A U C T L C S H E B T P G U P A F
V W B C L L O T E T R I W C L E E T S S Z O R I W
S I D T K L I R X C E H S S A P S E R T E R I N O
T B L R S V X A A U T W G P M T L J M O I R V T O
O X E I E F A L R R E D O G I M S D N E G U A R D
X P I C K E T G Y T Y S T O N E A B R L S S C J S
G M F J Y T E F A S T M C P A K C L O S E H Y V V
```

ANIMALS	DOG	JUMP	POOLS	SURROUND
BARRIER	EDGE	LOCK	POST	TEMPORARY
BORDER	ELECTRIC	MESH	PRIVACY	TRESPASS
BRICK	FARM	NEIGHBOR	RAIL	VINYL
CHAIN	FIELD	OBSTACLE	RESTRICT	WALL
CLIMB	GARDEN	PAINT	SAFETY	WHITE
CLOSE	GATE	PET	STEEL	WIRE
CONCRETE	GUARD	PICKET	STONE	WOOD
DECORATIVE	HOUSE	POLE	STRUCTURE	YARD

Stay on Schedule

```
G K H Z A F E P Y S U B E C E L U D E H C S C Y H
L R K C O L C C T O O L S F F S T R E S S V Y F O
Z O O C T M L C I G X P S O F T W A R E U S A R N
X W U U J A E O E F P R L E E I A S R L M S D T G
L S R S T J W M C U F I G N C M C O D O T E E A C
X R D I O I I P O A S O T E T E H I N R R C T H N
W O U R G N N L M T T R D L I C X I E T H O A M B
N J P O U I Y E P N O I T A V I T O M N F R G A P
C M E T H O D T U J U T N O E O E Y I O T P E N O
G M E T S Y S I T G X Y L G R D Q Q W C Z P L A N
K S A T M A Y O E Z I N A G R O U S T R A T E G Y
X B U E K D Z N R O Y Y L R A E N I L D A E D E B
```

ALLOCATING	DEADLINE	HOUR	ORGANIZE	STRATEGY
BUSY	DELEGATE	LIST	PLAN	STRESS
CHART	EARLY	MANAGE	PRIORITY	SYSTEM
CHORES	EFFECTIVE	METHOD	PROCESS	TASK
CLOCK	EFFICIENT	MINUTES	PROJECTS	TECHNIQUE
COMPLETION	FAST	MONITOR	RIGID	TIME
COMPUTER	FOCUS	MOTIVATION	ROUTINE	TOOLS
CONTROL	GOAL	OFFICE	SCHEDULE	WATCH
DAY	GUIDE	ORDER	SOFTWARE	WORK

Creative Writing

```
B S R E M C S B R E V N N N O I T O M E R N E G P
Y Z D E T A L U C I T R A O F D B O O K G N O S U
G Z Q N R Z D I L L I K S I I C Z S E T T I N G B
C S F J N U L J M T A K C S D T H O U G H T S D L
T R E O T O T A E A J S U S E P C O N T E S T S I
A N E Y K O I A U C X K S E A N S E C N E T N E S
L O L A R D L T R T T S C R E E N P L A Y Q N U H
E I I B T O R P A E C I G P W O R D S F M H S K T
N T N L D I T A R R T A V X V N O I T N E V N I H
T C G E N D V S M O R I F E G A U G N A L R U A E
D I A L O G U E D A S A L Y S A T N A F F E O H M
J F B I O G R A P H Y E N I Z A G A M P R I N T E
```

ADJECTIVES	DRAMA	HAIKU	PARAGRAPHS	SETTING
ARTICULATE	EMOTION	IDEA	PEN	SKILL
BIOGRAPHY	ENJOYABLE	INVENTION	PLOT	SONG
BOOK	EXPRESSION	LANGUAGE	PRINT	STORY
CLASS	FACTUAL	LITERATURE	PROSE	TALENT
CLIMAX	FANTASY	MAGAZINE	PUBLISH	THEME
CONTESTS	FEELING	NARRATION	REFLECTION	THOUGHTS
CREATIVE	FICTION	NOUNS	SCREENPLAY	VERBS
DIALOGUE	GENRE	NOVEL	SENTENCES	WORDS

Languages

```
U N H G E O R G I A N A I N O T S E M R M J N G V
W K A T T I B E T A N A I B R E S A A U E A A E W
E Q R I K A N O R W E G I A N E N K C S H P I R E
L I F A N E N G L I S H O I N D O N E S I A N M R
S T H G I A E C L U P W L O A R A U D I N N A A B
H A I S L N M R N D E Q T R E I G K O A D E U N E
C L H A I W I O G M R N I A V U Q S N N I S H H H
E I T H U N G A R I A N N T T U R K I S H E T S C
Z A A Q I U N T N C N K A R C I D N A L E C I I N
C N R P E R S I A N T L O S L O V E N I A N L L E
S P A N I S H A F W O P U N J A B I T H A I J O R
Y W M I L A G N E B M A L A Y H C T U D R U A P F
```

BENGALI	ESTONIAN	ICELANDIC	MANDARIN	SERBIAN
CANTONESE	FINNISH	INDONESIAN	MARATHI	SLOVENIAN
CATALAN	FRENCH	ITALIAN	NORWEGIAN	SPANISH
CROATIAN	GEORGIAN	JAPANESE	PERSIAN	THAI
CZECH	GERMAN	KOREAN	POLISH	TIBETAN
DANISH	GREEK	LATVIAN	PORTUGUESE	TURKISH
DUTCH	HEBREW	LITHUANIAN	PUNJABI	UKRAINIAN
ENGLISH	HINDI	MACEDONIAN	ROMANIAN	URDU
ESPERANTO	HUNGARIAN	MALAY	RUSSIAN	WELSH

New Year's Eve

```
A Y T R A P C R O W D S H I S T O R Y R A U N A J
B A L L S D R O P H I Y K A A D Y I T H G I N M V
A C Z I E T A R B E L E C R S T N E V E R E E B H
C U L C M M F T Y D K C M E O I C E R Z W M R O O
S O N G G A T H E R I N G S B W N E I Y O R E A I
U A N Q A H F C A A L A G O G R E G O R I A N U F
D S I W O L E L R K N V D L I H W R I M F D N E K
O C G R M M C V C N Q R T U C O K E I N K N I G N
O I N K B K J O U A I E F T L U S J P F G E D S J
F S I E C H L A H N X S G I T T E F N O C L M D W
D U R I F C L Z K O Q B N O I T I D A R T A G I L
L M D P T O A S T N L O G N I N N I G E B C H A T
```

ALCOHOL	CONFETTI	EVENT	HAT	PARTY
ANNUAL	CROWDS	FAMILY	HISTORY	RESOLUTION
BALL	DANCE	FIREWORKS	HORNS	RING IN
BEER	DATE	FOOD	JANUARY	SINGING
BEGINNING	DECEMBER	FRIENDS	MEMORIES	SONG
CALENDAR	DICK CLARK	FUN	MUSIC	TIME
CELEBRATE	DINNER	GALA	NEW YORK	TOAST
CHEER	DRINKS	GATHERINGS	NIGHT	TRADITION
CLOCK	DROP	GREGORIAN	OBSERVANCE	YEAR

Remember These TV Shows?

```
G S B U R C S N W O T M O O B H C Y S P K E P F B
J E K A W A S D L H A N N I B A L A V E M I R P T
N X W Q H N E R R U M M I R G N I S S I M F D H H
S T I P H X G E E O D O L L H O U S E E L G G A Y
R R L F T A S N N N K W M E A S T W I C K I P M E
G A F E L H L K I O T N E B N I K I T A L P E V N
X S R J O O N C H L T R U E B L O O D N Y N O V T
O A E L N M W C A G P S A U D I R T O T T L H L I
M E D I U M I N G T I U I P U S C O O A G C U G H
A E C A F R U S E X R R O L S J M W L I N C F X W
D T C L E R K S D E R A L C E D N U B P U Q F U C
Y E O J T W S L O S T Y Z S M F B Z Q T H Q M I X
```

ALCATRAZ	CULT	GRIMM	MEDIUM	SCRUBS
ALPHAS	DEXTER	HANNIBAL	MENTAL	SURFACE
AWAKE	DIRT	HAPPY TOWN	MISSING	TEEN WOLF
BENT	DOLLHOUSE	HUFF	MONK	THRESHOLD
BIG LOVE	EASTWICK	HUNG	MOONLIGHT	TRUE BLOOD
BLOOD TIES	ELI STONE	JERICHO	NIKITA	UNDECLARED
BOOMTOWN	EXTRAS	JOEY	PARTNERS	WEEDS
CLERKS	GIRLS	LOST	PRIMEVAL	WHITNEY
COUPLING	GLEE	MAD	PSYCH	WILFRED

Toy Collection

```
Z B T X C P N M S T I C K E R S T E K N I R T H M
D U O V I O D U C K L S K O O B U S N O Y A R C V
Y S P A G S Y H M E C E P L U S H P S R P R R X Z
R D N A T K C U R T H A D M C F U E E U K M R Y L
H O W O N C H P B I Y I J O G E L N P R K Y F L E
C P O I E O M A R K E R S E M B I P C F H M P O G
V L L O D L R I T R O T L G R R E C O R D E R P G
P S C N Q B E N S S U Z A A U T O B O R I N R H N
C L G Z I B G T S M Z H M G E Y N I N T E N D O Z
D L S E N A L P E U F R I S B E E H N J D R Z N E
B Q L I M L R S P N I F N V I H V G S T E S A E T
A Z G E U L T T L T B R A E B H N C N Q I R L C L
```

ANIMALS	CAR	HATS	PIANO	STICKERS
ARMY MEN	CLOWN	JACKS	PLANES	SUPERHERO
BALL	COSTUME	KITE	PLUSH	TEA SET
BARBIE	CRAYONS	LEGO	PUPPET	TOP
BEAR	DOLL	MARBLES	PUZZLE	TRAIN
BLOCKS	DUCK	MARKERS	RECORDER	TRINKETS
BOAT	FIGURINE	MODEL	ROBOT	TRUCK
BOOKS	FRISBEE	NINTENDO	SLINKY	WAGON
BUS	GAME	PAINT	SOLDIERS	XYLOPHONE

Hot Tub

```
T T C F K O R E U L E N I R O L H C O V E R N G R
P K Y F D O U E R R F O R E L A X G N L Z D U L S
H S U M M E R T J S E I E E F Q S D N E I R F E V
J Q M A E T S S D U O T C L T S I W E M P G H W R
O K N I R D E C P O V A A E B L R C I J R A H O I
B C A M N L H G U I O E K W N A I J I M E A T T T
E A N A C L T R M R D R N T O C Y F A T S T W I I
Z D P S Q Z O F P U R C A A I I L O T C S U K S O
A Q U S Q I O O L X Z E B E T M F O J C U A I U L
G M Y A F B S R P U S R N H C E B J S N R Z L T A
Y V E G N I B M U L P D C T U H Z M B E E H Z P G
S T R E S S Y H B U B B L E S C Q R O O D N I I G
```

BUBBLES	FOAM	LIGHT	PRESSURE	SPA
CHEMICALS	FRIENDS	LUXURIOUS	PUMP	STEAM
CHLORINE	FUN	MASSAGE	RECREATION	STRESS
COVER	GAZEBO	MUSCLES	REJUVENATE	SUCTION
CURRENTS	HEAT	OUTDOOR	RELAX	SUMMER
DRINK	HOT	PATIO	ROMANCE	SWIMSUIT
ENCLOSED	INDOOR	PLASTIC	SEAT	TOWEL
ENJOYABLE	JACUZZI	PLUMBING	SOAK	WARM
FILTER	JET	POOL	SOOTHE	WATER

Be Happy!

```
N V K E P L A Y L E V I L O A I A W M E R R Y T K
C E L I M S F H A V J Z F C F A M I L Y O Z A D H
E I P R O U D T U I O J E P O H P A V P Q E K E P
D C T G N P N L G V V U W L L M T N A R B I V L R
D E S E Q P I A H A I B S D N E I R F P D R E K S
C D I T G O K E E C A I E G D D V C U D U A T C S
X H Q F A R T H R I L L E D A M E I I M S M H I T
S D I N S T E N J O Y A B L E C O N T E N T G T Y
B E V P Z I I N G U H N G N I S G N D I W G I L N
G V M B P V T C E S I T L N O P T I M I S M L S N
Y O R A H E T A N I M A T E D C Q S U O Y O J E U
I L T H G I R B S U R P R I S E D E K O J J P B S
```

ANIMATED	FAMILY	JOLLY	LOVE	SMILE
BRIGHT	FRIENDS	JOVIAL	MERRY	SUNNY
CHIPPER	FUN	JOYOUS	NICE	SUPPORTIVE
COMIC	GAMES	JUBILANT	OPTIMISM	SURPRISED
CONTENT	GLAD	KIDDING	PLAY	THRILLED
ECSTATIC	HEALTHY	KIND	PLEASED	TICKLED
ELATED	HOPE	LAUGH	POSITIVE	UPBEAT
ENERGETIC	HUG	LIGHT	PROUD	VIBRANT
ENJOYABLE	JOKE	LIVELY	SATISFIED	VIVACIOUS

Outdoor Survival

```
E T T Y O U R J L N K F L I N T R A C K I N G L P
L S L U M O O M T A K N I H T O U T D O O R N R C
L A N G I S P X P N A R I V P A M B D I X N A L E
I I V T Y D E R A P E R P R A N O I T A U T I S P
K S G F E D A N G E R T I C D Y I A T R G M F C C
S H C I C U E U F M M K H S G G O G T B O A O G
N E W I T T H K A D I R E C T I O N S I L M M E A
F L W I T E N N N T W S O Y V L I G N I P P A R T
S T C A W C R E I O I U H A S K W G A I A T N U H
W E A T H E R V S Q T N N I O S Z G N S F S A T E
O R E S C U E A E S U S G O N J E G S A F E L A R
V L V O W A J U N G L E C P T G N I K I H T P N Q
```

ARCTIC	DRINK	JUNGLE	PREPARED	TARP
BOY SCOUTS	EATING	KNOTS	PRIMITIVE	TECHNIQUE
CAMPING	FISHING	LIGHTER	RESCUE	TENT
CLIMBING	FITNESS	MAP	ROPE	TEST
COMPASS	FLINT	NATURE	SAFE	THINK
COOKING	FOLIAGE	NAVIGATION	SHELTER	TOOLS
CPR	GATHER	OUTDOOR	SIGNAL	TRACKING
DANGER	HIKING	PLAN	SITUATION	TRAPPING
DIRECTIONS	HUNT	PRACTICE	SKILL	WEATHER

Sisterhood

```
X S I M I L A R B Q Q D O O H D L I H C P S V Z E
G D I Q C R C I L O H T A C O V Y S D N E I R F C
I A E B G N I W O R G C C O N N E C T I O N T F I
R U F V L O E L T T A T H N L G J G R T U R N O V
L G E F O I R I V A L R Y F U X N O I T A L E R D
S H T N E T N R E N E T S I L I M E C I C V V E A
E T E A E C I G K T B F D D R E S H T R O N N V B
L E R M R I T O S S O A E A M T E V O L U J O E U
A R N O A R K I N M N M C N U R T U R I N G C R F
M S A W H F S U O C D I Y T I R O R O S S N I W T
E G L M S O N J E N M L X S T N E R A P E U G R A
F I Z B S E C R E T S Y H W Y T L A Y O L M Q T Q
```

ADVICE	CONFIDANT	FOREVER	LOYALTY	SIBLING
AFFECTION	CONNECTION	FRICTION	MEMORIES	SIMILAR
ARGUE	CONVENT	FRIENDS	NUNS	SISTERHOOD
BOND	COUNSEL	GIRLS	NURTURING	SORORITY
CARING	DAUGHTERS	GROWING	PARENTS	TATTLE
CATHOLIC	DEVOTION	GUIDANCE	RELATION	TIES
CHERISH	ETERNAL	KIN	RIVALRY	TRAIT
CHILDHOOD	FAMILY	LISTENER	SECRETS	TWINS
COHORTS	FEMALES	LOVE	SHARE	WOMAN

Hot Lava

```
F I E R Y Z G N I V O M O W K E D C S X M A E T S
L I Y Z N G C E L S E M O D Y R X Y E C I M U P G
U S C F O S O T E N P L N X A G W P M G N T Z U P
I L R E I O O L F E G M I Z B U B B L I N G L R Z
D A A P L D L O O L D K A N T E T N U O M A S E V
R N T O E A I M F E O H T L E C N E I C S P R V M
J D E M S G N L A H G W N A A X S U O C S I V O P
I A R P N O G D O T S P U M S V K O N A C L O V S
S W H E A T L C H S L B O G H D A N G E R B T N V
T P O I F Y C I O I S E M A L F D L I Q U I D E R
Z U I I A W A H T R A E S M O K E X P R O C K V Y
S X I B L V R W P G S S S A C F C T N V U Y Z G Z
```

ASH	ERUPT	HAZARD	MELT	RED
BUBBLING	EXPLOSION	HEAT	MOLTEN	ROCK
BURN	FIERY	HOT	MOUNT ETNA	SCIENCE
COOLING	FLAMES	ICELAND	MOUNTAIN	SMOKE
CRATER	FLOW	IGNEOUS	MOVING	SOLIDIFY
DANGER	FLUID	ISLAND	OOZE	ST HELENS
DEADLY	GEOLOGY	LAVA LAMPS	ORANGE	STEAM
DOMES	GLOW	LIQUID	POMPEII	VISCOUS
EARTH	HAWAII	MAGMA	PUMICE	VOLCANO

San Diego

```
C I Y T N U O C C H A R G E R S X H M S N A E C O
A H M Y M O I O O E P M A L S A G B T B W G Q X C
I S S S H F I V Z A I N O I T A C A V I S I T G I
W I U S I Z Q D D L S M C L I M A T E C K T S B X
R N P C S R P J I L E T Z E T E L A J O L L A P E
U A A P T Y U T P S R W J G U N I V E R S I T Y M
R P D X O R A O A L E O X O G B I P E O P L E I U
F S R W R R O S T A S R W L E S N O Y N A C S C S
W N E D Y M W P T U I O P A N Y A B P A C S B I E
D S S H T A H H N B U I C N E Y V I M D I H O T U
T C B O R D E R I N R H I D L S Y T R O L L E Y M
U X V M Q R E T A W C G F T I J U A N A H I L L S
```

BAY	COUNTY	MEXICO	POINT LOMA	UCSD
BEACH	CRUISE	MILITARY	PORT	UNIVERSITY
BORDER	GASLAMP	MISSION	PRESIDIO	VACATION
CANYONS	HILLS	MUSEUMS	SEAWORLD	VISIT
CHARGERS	HISTORY	NAVY	SPANISH	WARM
CITY	HOT	OCEAN	SUN	WATER
CLIMATE	LA JOLLA	PACIFIC	TIJUANA	WEATHER
COAST	LEGOLAND	PADRES	TOURISM	WEST
CORONADO	MESAS	PEOPLE	TROLLEY	ZOO

Nonverbal Communication

```
Q I Q S O J K E I N T O N A T I O N Q L Q M P I P
Y O K P G O X N R E L Y T S P Z D A N C E O X W N
R W B I O C T M R U P M E F R P Z Z U S S V S W T
H O R L N U S P J A T T I T U D E A S T S E Z A G
U E E T I E R G T C W S I L E N T A U H V M W V F
G V D T M E S N W O R F E S M G G R R I A E O E R
L P I J T O J I B D U Y Y G U E E I F A L N R E T
A O U N K H T T C E B C E R D A E H S I N T D K U
N I I I Y N D I P S Y C H O L O G Y M J P C L A L
C N O D O W I R O Z A S K N O I S S E R P X E H I
E T D R V R N W I N C L O T H I N G S T R E S S R
S N D Y D I S K W M T X E D M D B A C L A U S I V
```

ACT
APPEARANCE
ATTITUDE
BOW
CLOTHING
CODE
CUE
DANCE
EXPRESSION

EYE
FROWN
GAZE
GESTURE
GLANCES
HAND
HEAD
HIGH FIVES
HUG

INTERPRET
INTONATION
INTUITION
KINESICS
LIPS
LOOK
MESSAGE
MOTION
MOVEMENT

NOD
POINT
POSTURE
PSYCHOLOGY
SHAKE
SHRUG
SIGN
SILENT
SMILE

STRESS
STYLE
TAP
TOUCH
VISUAL
WAVE
WINK
WORDLESS
WRITING

It Stings

```
E T S T I N G R A Y R E P P E P R A H S A R T D T
L O S I N G H O Z I S E E Y J Q N T H I S T L E D
B H E O J R T U C R N D K N N E T T L E U N O Z S
I S K D E V O E N A A F I C Z L L I U Q D H H C D
N H I I C D N H M Z C H E M I C A L S R S B O A R
N D P N T T K S T O C C O C U T L H Y I Z R C T O
E A S E I L F E S R O H R Z T C S S F F P A L F W
E R J P O A Y P U B T C E S N I K N Y I I B A I L
D T E U N Y R A S U N B U R N I O E O R J S U S L
L D I T S I E R P R O N G U N I T N I O P E H H A
E P Q B C S B C O N W X X P L A T Y P U S Y W V G
U J C A C T U S M W G U P S A W D D H D E E B Z O
```

ALCOHOL
ANT
ARROW
BARB
BEE
BITE
CACTUS
CATFISH
CENTIPEDE

CHEMICALS
CUT
DART
DRY SKIN
EYES
HORSEFLIES
INFECTION
INJECTIONS
INSECT

IODINE
JELLYFISH
LIONFISH
LOSING
NEEDLE
NETTLE
PEPPER
PLATYPUS
POINT

PRONG
QUILL
RASH
RAZOR BURN
SCORPION
SCRAPES
SEA URCHIN
SHARP
SHOT

SPIKE
SPUR
STICKER
STINGRAY
SUNBURN
THISTLE
THORN
WASP
WORDS

Food Production

```
K F E N E R A P E R P O H C G D P R O C E S S U L
R I M E P W F U V S E F J A N Y T E F A S I W R O
W S U L V N Q S I M E A G N I D N I R G Y H E U F
A H S B S I F A T R E C C W K F S T H C G D E A O
R A N A N Q R N I A U T O M A T I O N Y U E T L O
E R O H L A E M D G V O H K B F K E C C G N E A D
H V C S Y Z S Y D U H R N O I T I R T U N I N M I
C E B I O F H Z A S D Y F C D C O I D P O H E I N
T S P R E S E R V I N G I A I P O B O I L C R N N
U T F E L B A T E K R A M F S N E G A K C A P A E
B T D P R O D U C E L K F I L T L A S L A M N C R
U P R Y G O L O N H C E T I U R F W N E T S A T I
```

ADDITIVE	CONSUME	FRESH	METHOD	RAW
ANIMAL	CROPS	FROZEN	NUTRITION	REDUCTION
ARTIFICIAL	DINNER	FRUIT	PACKAGE	SAFETY
AUTOMATION	EFFICIENCY	GRINDING	PERISHABLE	SALT
BAKING	FACTORY	HARVEST	PLANT	SUGAR
BOIL	FAST	HYGIENE	PREPARE	SWEETENER
BUTCHER	FEED	MACHINE	PRESERVING	TASTE
CAN	FISH	MARKETABLE	PROCESS	TECHNIQUE
CHOP	FOOD	MEAL	PRODUCE	TECHNOLOGY

National Parks

```
C S Y Q M A N A G E M E N T E T I M E S O Y V O C
I E C A M P E R S R E E T N U L O V R A N G E R S
N K N S T S E R O F U G R E E N T I N D O H G O R
E A E H Q S A F E T Y B Q U U V N S O S I R T M E
C L G E V E R G L A D E S M T F E I I S T E L O S
S E A N G N I P M A C N E Y E A M T T E A D E U C
L V C A N R S L A M I N A D T J N O A R C W V N U
I A R N I E R I F R T F E E S T R R E G U O E T E
A R E D G D P R E S E R V E L I E S R N D O S A D
R T S O D L A N D M A R K S C C V G C O E D O I I
T B O A O I X Q P L S K R A P R O T E C T I O N U
Y Q J H L W Y E F I L D L I W N G K R I V E R S G
```

ACRES	FEDERAL	LAKES	PRESERVE	SCENIC
AGENCY	FEES	LANDMARKS	PROTECTION	SHENANDOAH
ANIMALS	FIRE	LODGING	RANGERS	TRAILS
CAMPERS	FOREST	MANAGEMENT	RECREATION	TRAVEL
CAMPING	GETTYSBURG	MONUMENTS	REDWOOD	VISITORS
CLEAN	GOVERNMENT	MOUNTAINS	RESCUE	VOLUNTEERS
CONGRESS	GREEN	NATURE	RIVERS	WILDERNESS
EDUCATION	GUIDE	NPS	ROOSEVELT	WILDLIFE
EVERGLADES	HISTORICAL	PARKS	SAFETY	YOSEMITE

Waves

```
S H S C S P O K S K Z M F U N G M E N Q G D G S T
T S E F U E P X U A B B D O T M A O L J Y D N A S
M T H L N R T G R E E T I N G J I C T C C E I M C
T G M R L I L M F P A T S N S T G C O I I R T I I
E Y T I C O L E V F C R P N C K N G R U O T A W S
G O V D O D Q H D E I L E A I P I E L O S N R S Y
W R N E D U T I L P M A R E T K D Y N T W T B A H
E A E S A G U F P C W F S C P C N B W A I A I J P
H D T T N L E L A K E A I O O B A D H O M M V C N
Y I I E F R E R H R K C O H S F T O O B W R E E Y
Q O L T R F I R Y G R E N E R X S O C H C A E B L
N R E T T A P T J B Q Q G E N Z S G A Y L O O P G
```

ACOUSTIC	EQUATION	MICROWAVE	PHYSICS	SHOCK
AIR	FLUID	MOTION	POOL	STANDING
AMPLITUDE	FUN	OCEAN	RADIO	SURF
BEACH	GOODBYE	OPTICS	REFLECTION	SWIM
BOAT	GREETING	PARTICLE	REFRACTION	TIDE
CRASH	HAND	PATTERN	RIDE	TIME
CURL	HELLO	PEAK	RIPPLE	VELOCITY
DISPERSION	LAKE	PERIOD	SAND	VIBRATING
ENERGY	LENGTH	PERMANENT	SEA	WATER

Pack a Bag

```
B T F B K H R W H P K A S R K Z I T I N E R A R Y
A M Y K S P A M M I O T W K C A P A N T S A F V J
J T I U S M I W S R E B U S I N E S S O A P A O G
G D R A H V E H I T U N D E R W E A R C K E U N A
K B I P L O Y D O P H Z O K O Y P E Q G H R I I T
G X P V A C A T I O N S L E E H W L G A N L P J N
W S R A I J T D O C U M E N T S E S S A L G N W O
P K C Q D D A E A F I L K O T V R Z L O G E L K U
A C F R C D E M K D K N O C A S H I R T S G W C Z
R O E I R O E R A C T T E R E P P I Z O H C U O P
T S C Q L R M D U S A R T I S H O E S T O W E L S
S K K C A L B B Y S H J U C K Z C O A T O E E F V
```

BLACK	DIVIDER	JOURNAL	POUCH	TOOTHPASTE
BRUSH	DOCUMENTS	LOCK	ROLLING	TOTE
BUCKLE	DRESS	LUGGAGE	SHIRTS	TOWELS
BUSINESS	FILL	MAPS	SHOES	TRAVEL
CAMERA	GLASSES	MEDICINE	SOAP	TRIP
CHECK	HAT	PACK	SOCKS	UNDERWEAR
CLAIM	HEAVY	PADDED	STRAP	VACATION
COAT	ITINERARY	PAJAMAS	SWIMSUIT	WHEELS
COMB	JACKET	PANTS	TAG	ZIPPER

Wives

```
S J L T R A M S I L L Y L D N E I R F P U I W Z T
A W G F Y P P A H U G G A B L E G N A D Y R C I D
J I H R E C C Z N E Y C N D G M N K E L E F H A W
F S C E O M L O T E V L O U E N P D E G N W E A K
N E I D R G I D N I K I I O P V I V U M O K R C R
A L T N G N S N E F C J T M K C O R T R H M I L O
N B N E A I T N I U I E O I A L A T I N I K S A O
J A A P N V E A T N G D M T S F E R E P E N H S C
Z R M S I O N E A Z E L E G A N T D I D S T G S E
A O O U Z L S D P Z H D D N O B E F I N J N N Y G
C D R R E N T R A P Y D A E T S S S O R G U I O D
A A G O R G E O U S T A B L E T E E W S B F T A C
```

ADORABLE	CONTENT	FEMININE	LISTENS	SILLY
ANGEL	COOK	FRIENDLY	LOVELY	SMART
BOND	CUTE	FUN	LOVING	SOFT
BRIDE	DEDICATED	GORGEOUS	ORGANIZER	SPENDER
CARING	DEVOTED	HAPPY	PARTNER	STABLE
CHERISH	ELEGANT	HONEY	PATIENT	STEADY
CLASSY	EMOTIONAL	HUGGABLE	ROMANTIC	SWEET
COMPANION	ENDURING	INSPIRING	SENSITIVE	WARM
CONFIDENT	FAMILY	KIND	SIDEKICK	WISE

Pop Music

```
X N P K L I S T E N V I P E U A D W O R D S N A F
C G L F E C Y B R L I O F R C Y Q X S J G V S J J
S A A M G N I L A E P P A U I D A O L N W O D C S
T I Y G R M O U B U C A D T T A U D O R A T I U G
A H S E L A S H L B B N Y L E N D S T S T R A H C
R Y D T W A A A P J U P O U G C I A B S T C P H E
S O R E C O R D Y O P B Q C R E E A D C I H P A S
M U I E Y D I F F E R E N T E B N K E Y B O A R D
P N V N B K Y U P U R C V Z N D C L N Q A R L M E
Y G O I D A R N E V I T I T E P E R H G A U B O A
I V O C A L S E G A S S E M U X L Y R I C S U N S
W R D H G N I S P I D V Y P W N I D C O O B M Y Y
```

ALBUM	CHORUS	FANS	MODERN	SALES
APPEALING	CONCERT	FUN	PEPPY	SING
AUDIENCE	CULTURE	GUITAR	PERKY	SOLOIST
BAND	DANCE	HARMONY	PLAY	SONGS
BASS	DIFFERENT	KEYBOARD	POPULAR	STARS
BEAT	DOWNLOAD	LISTEN	RADIO	TEEN
BUBBLY	EASY	LYRICS	RECORD	VOCALS
CASUAL	ELECTRIC	MESSAGES	REPETITIVE	WORDS
CHARTS	ENERGETIC	MICROPHONE	RHYME	YOUNG

Binoculars

```
X X J T S U J D A Z R I E G N A R W D E P T H P Y
I Y T N S M A L L P M W S E B T W O B I R D N R Y
Q U T S O C O N I A O C S D W M F A R I U W A I J
Z Y N I I Y D G O V W I S Q B O L P R A T P S E
K F I Y L T S E N U P S E T E U F O L D I N G M T
Q I Z P A I R S M K T T Z R V S D O Z L G M N S H
S N E L B P B G E A K E I E N H N K I L Q A I T G
W G A L I L E A N R A L U C O N O M A D P R T R I
E A T R E V O C T I P S H N S E I S L J U E N A S
I M T N E Y E K I S Y M O O N L S E U O E M U P N
V B D C U P Z I B R O P I C L L I U T S Q A H J R
G Z B T H U O M T S L J S Q V F V Y X F O C A L W
```

ADJUST	EYE	IMPRESSION	PAIR	STRAP
ALIGNMENT	FAR	LENS	POWER	TOURIST
BIRD	FIELD	LOOK	PRISM	TRIPOD
BUSHNELL	FOCAL	MAGNIFY	RANGE	TWO
CAMERA	FOLDING	MILITARY	SEE	VIEW
CONCERTS	GALILEAN	MIRROR	SIGHT	VISION
COVERT	GLASS	MONOCULAR	SMALL	WATCH
DEPTH	HUNTING	OPERA	SPYING	ZEISS
DISTANCE	IMAGE	OPTICS	STABILITY	ZOOM

Expensive

```
D N O I S N A M R H H J H C A J H G O L D P F C I
F P H T D P I N S U R A N C E R E E L O A N A R T
S L S H E S I E E B P E T S D O C T O R D T U O N
T U N C T N N Y L U R R E Y R E G R U S E N I F E
O M T A L O V M C S Z U G L H E N T L O B S T E R
C B K Y T I E S Y I L T E A Y N I T W E D D I N G
K E M S R T S E C N A I L P P A C C I D E N T T N
S R M K A I T I R E W N L T X L H O U S E O Y R X
A E I L V U M B O S Y R O O G P S E X A T M S I F
G H S I E T E B T S E U C P O R M U N I T A L P M
V K J S L M N O O K R F S O V I L U X U R I E S A
F I J H V U T H M U N H L L E A T H E R S D N O B
```

ACCIDENT	DOCTOR	INVESTMENT	METALS	SPA
AIRPLANE	FINES	JET	MISTAKES	STOCKS
APPLIANCES	FUND	LAPTOP	MOTORCYCLE	SURGERY
ART	FURNITURE	LAWYER	PETS	TAXES
BONDS	GEMSTONES	LEATHER	PLATINUM	TRAVEL
BUSINESS	GOLD	LOAN	PLUMBER	TRIP
COLLEGE	HOBBIES	LOBSTER	POOL	TUITION
DENTIST	HOUSE	LUXURIES	RENT	WEDDING
DIAMONDS	INSURANCE	MANSION	SILK	YACHT

Woodworking

```
R B M A C B V L H I N G E R T I M S L K D U G X J
B E A A S A I I O D A C L I C C S C L L O Z C Q A
P U T T C L A W S A N S W J V H W R I B O A R D O
M L I U E T A B L E S A W F E I H A R D W O O D A
Z R A L O S N B F B S N R A F S T P D K T L A G V
G I G N D R I J O L I D H C N E B E X Z F D N V R
R W Q N E I O T L A I P B E V L Z R G R O O V E E
V T A T I I N O R S E A S O N I N G B S S E M N B
R B T S N V R G T O R P D A D O I A W L T M N E M
K A F T G C R O G K M E G U O G D S Q U A R E E U
P W S J S I N A N Y C R O S S C U T L H G D J R L
S Q M P K K J Z C A Z D S Y T C T F F R A M E E P
```

AWL	CARVING	FRAME	JOINT	SANDPAPER
BALSA	CHISEL	GOUGE	KNOT	SCRAPER
BAND SAW	CROSSCUT	GRAIN	LUMBER	SCROLL SAW
BARK	DADO	GRIT	MITRE	SEASONING
BEAD	DOVETAIL	GROOVE	MORTISE	SOFTWOOD
BENCH	DRILL	HAMMER	PATTERN	SQUARE
BLADE	FACE	HARDWOOD	PLANE IRON	TABLE SAW
BOARD	FENCE	HINGE	RASP	VENEER
BUILDING	FLUTE	JIGSAW	ROUTER	VISE

Verbs

```
L U P U S C V S V X A S Y K B D D K F P K L D E S
J D P V P M U J M W L E L E C E H T Q Y U P L S W
K V E T R E B M E M E R X C A R R Y Z E X K O E I
F B E M O O Z V L B X E V I D C Z E N C C T H O S
H A L T M J U G G L E T Y R M L B D O I R D S E H
Y K S Z I E K N I T R A L O I C B O T T E R N G G
E E H T S N O K N V C R T R R R L L U O E U U J L
K I R C E P U A A D I O R H E T E P E N H O R V Q
T L A N T N R X W W S C B L R M S X O S C V P P N
A P J P L A Y Z U K E E Z I R O M E M B S E P W X
E O T I U Q W Y I O D D B K L A W A D C E D A V Y
Y K U G W I D P A O I U O R P I T C H K G Y H D C
```

ADMIRE	DEVOUR	HIT	PITCH	THROW
BAKE	DIVE	HOLD	PLAY	TICKLE
BLESS	ENJOY	JUGGLE	PROMISE	TOSS
BOUNCE	ESCAPE	JUMP	QUIT	UNITE
CARRY	EXERCISE	KEEP	REMEMBER	WALK
CHEER	EXPLODE	KNIT	RUN	WATCH
COUGH	FASTEN	MEMORIZE	SELL	WISH
DECORATE	GUARANTEE	NOTICE	SKIP	YAWN
DESTROY	HAMMER	OBEY	SLEEP	ZOOM

Grandparenting

```
I F D F V G R Y A S E T H Q A M D J F N G S W N L
I C M G U K N Y V G E R U T L U C K Y K Y I L O I
C F F R W N L J G A H S A A L A I C E P S L F I O
R O A A A R T M C O E Q N C S N O I T I D A R T P
E L M N E W N H E I L R O T S E C N A Q G N E A S
D K I D R H E H R M E A B P F L Q S J E O R L C H
L S L M U V I O U T O S E I K O O C H O M E A A A
O E Y A T F T S A G E R S N U R E S P E C T T V P
V L A K R S A P T M S H I D E L K N I R W A I M P
E I D R U I P G A O I L C E B G N I K A B M V Q Y
U M Y D N A C G N N R Z R D S E R U T C I P E X R
X S X G N I V I G O H Y S U P P O R T R E A T S I
```

AGE	FISHING	HISTORY	NURTURE	SPOIL
ANCESTOR	FOLKS	HOME	OLDER	STORIES
BAKING	FUN	HUGS	PATERNAL	SUPPORT
CANDY	GAMES	KINSPERSON	PATIENT	TEACH
CARE	GENEALOGY	LEARN	PICTURES	TRADITIONS
COOKIES	GIFTS	LOVE	RELATIVE	TREATS
CULTURE	GIVING	MATERNAL	RESPECT	VACATION
ELDERLY	GRANDMA	MEMORIES	SMILES	WARM
FAMILY	HAPPY	NANNY	SPECIAL	WRINKLED

Have Some Gum

```
W Y L N S T U C K R R Z M E L O N W P S S W X C D
N P E L M J C H L M G U M B A L L S O U R T O E A
N P V Q Q I S P P E H S P D S R T A N G Y L N Z W
X R A E H Q N P H G A G E T L G T C C A O T L B C
M Y T C Y C I T R U S N O M A N N I C R Y A D I H
G H G U K E I O H V N I B T T S E P F N C E R T E
P M S B C K S T T R R V U R S F T U E I R S E E W
Q T E E W S A K O O Z A B I Y R L Y P G C E P U A
D R Y R R E B V U C Y R B D R U P O I J T I P Q N
D P B E R F A N Z U H C L E C I R B K C E V A A G
Z T N B K L D S Q U A R E N A T U R A L H O R L F
V Q K I F K P D K C I T S T T Y D N A C M M W P T
```

ARTIFICIAL	CINNAMON	FLAVOR	PACK	SUGAR
BAZOOKA	CITRUS	FRESH	PIECE	SWEET
BERRY	CLEAN	FRUITY	PLAQUE	TANGY
BIG RED	COLORFUL	GNAW	ROUND	TASTY
BITE	CRAVINGS	GUM BALLS	SORGHUM	TEETH
BREATH	CRYSTALS	MELON	SOUR	TRIDENT
BUBBLES	CUBE	MINT	SQUARE	TROPICAL
CANDY	DENTYNE	MOVIE SEAT	STICK	WAD
CHEW	DRY	NATURAL	STUCK	WRAPPER

The Simpsons

```
C W N K S J X I L P M T R X M F A M I L Y M U O J
O M R B U R N S V Y Z U C B S C H O O L G F G S S
O J L E I G G A M D A E P A K H C V S Q U W R R C
H T L E M S S X U O P D P R I M E T I M E I O E R
O G A Y N I L O A B D T A N B J U N C A S G E D A
O J B H T N L P V A N B A E O N A O H R T G N N T
W S W C A R Y H X E A O K Y H P M S I G S U I A C
V M O T H E R O O P R T R G U E L L L E T M N L H
B M N I L H F N P U G T U H D I E E D B A H G F Y
P Z S M I T H E R S S O S Y F V S N R T R E M O H
J V L A S A L F F U D E T X H O O V E R A L P H A
O X R C A F I Q U I R K Y E M M Y D N U C L E A R
```

ANIMATED
APU
BARNEY
CHILDREN
COMEDY
DOUGHNUTS
DUFF
EMMY
FAMILY

FATHER
FLANDERS
FOX
GRANDPA
GROENING
GUEST STAR
HOMER
HOOVER
ITCHY

KRABAPPEL
KRUSTY
LENNY
LISA
LOVEJOY
MAGGIE
MARGE
MILHOUSE
MOTHER

MOVIE
MR BURNS
NELSON
NUCLEAR
OTTO
PEABODY
PRIME TIME
QUIRKY
RALPH

SAXOPHONE
SCHOOL
SCRATCHY
SELMA
SITCOM
SMITHERS
SNOWBALL
WIGGUM
WOOHOO

Well-Known Brands

```
P D V D Q C L O R O X S N A D I D A S E Q G W X J
H O Y S X E N E E L K I C B O D G L P Y R D N T R
C G A E J A L O C S N F A O C O L N D P A L I I Q
O E A I N G J Y H T R Y E C K V S O U W L K K D L
Q A N T N S Y A E A E C S K E E U M N S F E E E G
R Y I A O I I N V R A A L O R O T O M E M L K D U
Q A R E L R D D R B B A S Y S C R A Y O L A M V C
N W U H D O A E O U I H S R T T H E G A P Y S J C
E E P W N D Q D L C H E E R I O S I K L J F T O I
Q T K R A F T E E K S R U I F O R E E B O K A X B
D A A R V U S P T S O G G K N K F S B R K C I U B
Y G P B Y T S E R C T E L Y T Z T C D D H A N E S
```

ADIDAS
AJAX
APPLE
BAYER
BIC
BUICK
CHEERIOS
CHEVROLET
CLOROX

COACH
COKE
COLGATE
CRAYOLA
CREST
DAWN
DELL
DISNEY
DOCKERS

DOVE
FORD
GATEWAY
GATORADE
GUCCI
GUESS
HANES
HEINZ
KLEENEX

KRAFT
MOTOROLA
NIKE
NINTENDO
OLD NAVY
PRADA
PURINA
REEBOK
SAMSUNG

SONY
SPECIAL K
STARBUCKS
THE GAP
TIDE
TOSHIBA
TYLENOL
WHEATIES
WRANGLER

Chow Down!

```
P F O R Q V C N U N E M O U T H F U L S S W X E P
A M D Y M M U Y I J D S A F F R O N E E W P Y V R
S E I G T R U F F L E S Y O J N E L L K E R R A Y
T S E R N M R D F I L E T S I R E B C T E U A R H
A C T I H H E E L B I D E X T C A U M S T B N C K
K A T L W S G T M O C T O T T T D I T E R B I A C
Y R E L S A R S G N I Z I T E P P A V O M W L N A
T G M E I O U A J R O V R G H X U B W A D A U D N
L O R D F Q B T O K U K E S G R O N L N L C L C Y S
A T U M C X M V Z Y S V E K A C I S A V O R Y F G
S W O H C N A Z Z I P R X N P E S S E I K O O C N
M C G G U F H T O T F C T W S R E P A C H I P S X
```

APPETIZING	COMFORT	ENJOY	MENU	SELECT
BROWNIES	COOKIES	ESCARGOT	MOUTHFUL	SHRIMP
CAKE	CRAVE	FAVORITES	PASTA	SNACK
CAMEMBERT	CULINARY	FILET	PIZZA	SPAGHETTI
CANDY	DELICIOUS	FRESH	RESTAURANT	SWEET
CAPERS	DESSERTS	GOURMET	SAFFRON	TASTE
CAVIAR	DIET	GRILLED	SALTY	TRUFFLES
CHIPS	DUCK	HAMBURGER	SANDWICH	VEGETABLES
CHOW	EDIBLE	LAMB	SAVORY	YUMMY

The Addams Family

```
V G L Y S H O M E R T Q P A N C H O C T C D O A H
X H I E V R V M Y C E H F R E N C H R Q A G I C F
W Z G L E E A S L L O D A N C T I A M U L C I E A
H W H S M W E M K J L O I N O L I E G A I R R A M
A E T G J O H N A S T I N P D N O H D T Z B E H I
L A B U G T U J V M Y S U R S S T T R A A C F S L
L L U P L L E B Y A D S E N D E W O H C R O I I Y
O T L L O L Y O U R A N G L R J M G A I D K C Q E
W H B A O E C A R A M I A A D R O M U H N C U I N
E Y E N M B F O U O T M G R S N O I T O P G L J O
E T L T Y K O O P S K I D S G V A I L E H P O A M
N D X S Y L I L U R C H C T I W P C R E E P Y F R
```

BELL PULL	DAUGHTER	HOMER	MACABRE	PUGSLEY
BELL TOWER	DOLLS	HUMOR	MARRIAGE	RICH
CANDLES	FAMILY	JOHN ASTIN	MONEY	SPIDER
CARA MIA	FRENCH	KIDS	MORTICIA	SPOOKY
CHILDREN	GLOOMY	LIGHTBULB	OCTOPUS	TRAINS
CIGAR	GOTH	LILY	OPHELIA	WEALTHY
CLOTHING	GRANDMAMA	LIZARD	PANCHO	WEDNESDAY
CREEPY	HALLOWEEN	LUCIFER	PLANTS	WITCH
DARK	HAND	LURCH	POTIONS	YOU RANG

Champagne

```
C M C F T O E T I H W W E R R J Y S I H A D H O I
L M R H O N O N C O A S I M A L G C S W E E T L I
X I E P A A E M Y L G E O F A L E H Y R C N Y S J
A M V E S R K M C P X N T T A R L E W N L I I T K
N O I T C U D O R P K S I S Y E W E A D U F D W S
E S T U U W H O E E T N S T B T D R C B X I S R K
W A S L M O S N N I F M I A S D F S O J U B H R Y
Y C E F L V S P P N F L L P I A E T E Q R B O A J
E Y F H O I A S P R A Y I N G P T C I U Y C B E S
A J H T V N Y O D U N Y G Q A L A L T U C N A L B
R O S E E P D Q V C E M R E K D A W D R P M C Y
S C D W X W P A R T Y G G N L O D R V X I W Z Q A
```

ALCOHOL	CORK	FRANCE	MIMOSA	SPRAYING
BLANC	DATE	GLASS	NEW YEARS	SWEET
BOTTLE	DRY	GRAPES	PARTY	TASTING
BRUT	EXPENSIVE	ICE	PINK	TIPSY
BUBBLY	FANCY	ITALY	POP	TOAST
CELLAR	FERMENT	LABEL	PRODUCTION	VINE
CHARDONNAY	FESTIVE	LIQUID	QUALITY	WEDDING
CHEERS	FINE	LOVE	RED	WHITE
CLEAR	FLUTE	LUXURY	ROSE	WINE

Motivating

```
F H F Y L I M A F I N I S H U N G E R S F L I R D
B D L E G E V E I H C A Q X A S K T N E M E V O M
R I E P D R X T N E T N I L X S X P I E M T E I E
D P S E L U E T G Q R W P C P U O L E C E N N V E
X K U R N E C N E D O S I E U S E Y O D T F O A F
U Y P S Y C A A E R U S A L I B A G U H L P C H R
P D E O H H O S T L N K K T L C N T U U T P A E E
T R T N C B I U U I E A I U T I I S E I R F U B D
D A N A O R X M R R O V L I T T I N M O P O S J A
C W A L E M I T D A E N O I T A C I D E D C E B E
R E W O P T X L A O G N V A S E S S E C C U S I L
P R A I S E F U T U R E L M F M O T I V E S T S J
```

ACHIEVE	DESIRE	FOCUS	MOVEMENT	PROD
ACTION	EDUCATION	FUTURE	NEED	PUSH
ATTITUDE	ENCOURAGE	GOAL	OPTIMISM	REWARD
BEHAVIOR	ENERGY	HUNGER	PERSONAL	SELF
BELIEF	ENTHUSIASM	INFLUENCE	PLAN	SPEAKER
CAUSES	EXTERNAL	INTENT	PLEASURE	STIMULUS
CHANGE	EXTRINSIC	LEADER	POSITIVE	SUCCESS
COGNITIVE	FAMILY	MONEY	POWER	WANT
DEDICATION	FINISH	MOTIVE	PRAISE	WILL

Disc Golf

```
M C S G W J F T J C T X E F F Y N F R A Q U Z A H
B K I O P C F B R E A D M I B Z U E R M Y F Z A I
B S E L O H O L O R R T O U R N A M E N T P Q C V
G H A U M F R W O E G E L L O C O P S T L U D A S
A Y R W F B E T D G E F R I E N D S E H A T I M C
M S F T L A H H T R T I T T E K S A B P N T S P T
E U I U Y C A R U C C A D O B L P C Y T E E C U O
P M S G I K N O O T E L P R S O C O A L P T O S S
N M E E N H D W L R A I U A I C T R E V I R D H L
X E E U G A E L C O N L O N R B O M I A Y M P L H
V R R A J N G E G P E V T V F I J R P C R W A J V
F U T I L D R E R S N K J K S S P E E D L F F F Z
```

ACCURACY	COURSE	FRISBEE	PENALTY	SPEED
ADULTS	DISC	FUN	PIN	SPORT
AIM	DRIVER	GAME	PLAY	SUMMER
BACKHAND	FALL	GOAL	POINT	TARGET
BASKET	FAMILY	GOLF	PUTT	TEE
BIRDIE	FLYING	HOLES	RECREATION	THROW
CAMPUS	FOREHAND	LEAGUE	RULES	TOSS
CIRCLE	FREE	OUTDOOR	SCORE	TOURNAMENT
COLLEGE	FRIENDS	PAR	SIGNAGE	TREES

Fast Cars

```
V G Z L L I R H T U R B O S R A E G X L Q F B P T
B A D E L A C S P U E S E S Z E N V M U Y H F F O
A S L M L C X K Y T S S X Q T Y H O I J A G U A R
N M O U O R K E T G P M P G C E T C D R W T B S Q
W O P S A M R E I R O O E Q I O K S S S D R S T U
Z O T C I B V L L A R O N M R S W C P R A N N L E
P L E L C R L S I N T T S U A H X E I K O H I Z J
Y Q E E O Y Z E G D S H I D R C E G E T R P M R A
Y S H C T U L C A P C X V E R D H S S J X J B E O
Y J H A C C E L E R A T E D E E N I G N E A L W Y
F T H R O T T L E I R S H I F T P I N T A K E O Q
O W G V L Y O Q L X H I T R E V I M Y E C I R P F
```

ACCELERATE	EXPENSIVE	MILES	QUICK	SPORTS CAR
AGILITY	FAST	MOTOR	RACE	THRILL
BRAKES	FERRARI	MUSCLE CAR	REV	THROTTLE
CLUTCH	GAS	NIMBLE	RIDE	TICKETS
CORVETTE	GEARS	PISTONS	ROADWAY	TORQUE
COSTLY	GRAND PRIX	POPULAR	SHIFT	TURBO
DRIVE	INTAKE	PORSCHE	SLEEK	UPSCALE
ENGINE	JAGUAR	POWER	SMOOTH	VALUABLE
EXHAUST	MACHINE	PRICEY	SPEED	ZOOM

147

Calendars

```
M N V M P I C T U R E S D E C E M B E R A Z T E C
E C S L O O H C S E L A T I G I D A T K H T P L R
M P H S F J O Q I B O C G A R S O B L E E B I B M
E K J M E A N E L M D N W E E K L Y L K Y T S A E
T F Y C B N A F R E E I U P G B K L C Z U J T T E
N O D W R U I I A V S D T M O B E O A R U O N N T
W A L L U A T S N O K E A O R N P N G N N V E I I
Y U L L A R P C U N M U K C I R T I E M O C V R N
A D W P R Y Y A L B G E X C A I C A K D O S E P G
M N R F Y L G L E U D Y O E N A O N Q L M N R D S
T I M E U T E R S M S Y Y E L O C T O B E R T E U
L H A J C E L T I C M O E L U D E H C S V Z A H P
```

ACADEMIC	DAY	HELLENIC	MAY	POCKET
APRIL	DECEMBER	HINDU	MEETINGS	PRINTABLE
AUGUST	DESK	HOLOCENE	MONTH	SCHEDULE
AZTEC	DIGITAL	INCA	MOON	SCHOOL
BABYLONIAN	EGYPTIAN	JANUARY	NOVEMBER	SEPTEMBER
BOOKED	EVENTS	JULY	OCTOBER	TIME
BUSINESS	FEBRUARY	JUNE	PERSONAL	WALL
BYZANTINE	FISCAL	LITURGICAL	PICTURES	WEEKLY
CELTIC	GREGORIAN	LUNAR	PLAN	YEAR

Christmas Decorations

```
E R W H T A E R W M E M O R I E S G M S S E V O D
E H E Y A D I L O H V R O U N D G N O H I Q F N I
L K O E C O Z L E S N I T O Z O F A M I L Y C O B
K Z A M D R U P A F O B E L L S T H E N V F I V F
R E N S E N E L K C I P G D P R W Z N Y E U T E R
A C G G P M I N I A T U R E S P I C T U R E S L A
P R E L S E A E T R A D I T I O N E O F H T A T G
S T L I T N E D R D R W T H O O K S H Z I G L Y I
U P W T A T I K E W O B C A N D L E S V U B P L L
S R S T A R S R E T C A R A H C I X E L B U A B E
E L C E E L B A K A E R B R S T N E S E R P M L C
J U L R E B M E C E D T S S A L G A R L A N D Q L
```

ADORNMENT	DECEMBER	GOLD	MINIATURES	SHINY
ANGEL	DECORATION	HANG	MOMENTO	SILVER
BALL	DOVES	HEIRLOOM	NOVELTY	SPARKLE
BAUBLE	FAMILY	HOLIDAY	PICKLE	STAR
BELLS	FESTIVE	HOMEMADE	PICTURES	TINSEL
BOW	FRAGILE	HOOKS	PLASTIC	TRADITION
BREAKABLE	GARLAND	JESUS	PRESENTS	TREE
CANDLES	GLASS	KEEPSAKE	REINDEER	TWINKLING
CHARACTERS	GLITTER	MEMORIES	ROUND	WREATH

Build a Home

```
S B E V O T S Q U A R E B M U L E W O R T A G I X
K L U A C Y E B U I L D I N G I L A T U B N B E C
C H A N D T O O L S C G C S P N G L T I I E L E P
A R Y S G G U I L U N C O N O O N L C D L P M U T
T O G K I A G L R I E U N O T L A P D G U E N L E
P O N V M H L T R S N P T I R E P A P D N A S T P
O F I N T O A O T L O B R T E U P P E T E I E N R
U I T I K I O E W I C O A I T M D E U L G R P O A
O N N C N L K R L A I A C D N Y A R C T C A P A C
X G I S F C T L N N L R T D U T S T E N I B A C T
A R A T O L A E S U I D O A O K S R O I R E T N I
B W P S E H C T I W S M R W C W K C A H S K N I S
```

ADDITION	CEMENT	GLUE	PAINTING	STOVE
ANGLE	CLEANUP	HALL	ROOFING	SUN ROOM
BLUEPRINTS	CONCRETE	HAND TOOLS	SANDPAPER	SWITCHES
BRICK	CONTRACTOR	INTERIORS	SEAL	TACKS
BUILDING	COUNTERTOP	LIGHTING	SHACK	TAPING
BUNGALOW	CUPBOARD	LINOLEUM	SILICONE	TILE
CABINET	CURTAINS	LUMBER	SINKS	TROWEL
CARPET	DUPLEX	NAILS	SOCKETS	TUB
CAULK	FLOORING	PADDING	SQUARE	WALLPAPER

Room Service

```
A C P A E D Y B O T R A Y C C S D F Q W R S L C N
Y A A T R R I L R N M D O O F C W R C S T O Z O T
T S E R U R A N T E C O F V T H S O E L N D X I O
C U T X T E Y W I I A F O E T N C S L N E A P Q W
B C U I A G X R R N E K L R E K S T H L N A C Y E
S L N P N R R P E E G A F N T A R E L K I I N K L
B L E E G U E M E V V P I A L E S W C D D P D E S
E R M Q I B W X N N I L I G S U P P L I E S L H E
D Z U X S M O A O O S L I S O T W U A S O C Z C I
Y R D N U A L G H C S I E S A C I M S H E H I A R
S L F P C H F E P O D D V D R I N K S E B U C L F
W P G D T H S A W C Z S M E A L E D M S J A G L S
```

BED	CONVENIENT	FLOWER	MAID	SODA
BREAKFAST	COVER	FOOD	MEAL	SUPPLIES
BRUNCH	DELIVERY	FRIES	MENU	TEA
CALL	DESSERT	GLASSES	PHONE	TIP
CART	DINING	HAMBURGER	PILLOWS	TOWELS
CHOICES	DINNER	JUICE	ROOM	TRAY
CLEAN	DISHES	LAUNDRY	SIGNATURE	VALET
COCKTAILS	DRINKS	LINENS	SILVERWARE	WASH
COFFEE	EXPENSIVE	LUXURY	SNACKS	WINE

Listening to Radio

```
G H V Y P N W H Y Y Y S Z Y U V P D W D C G T Y H
M L C I S U M F E G E L L O C T C S F L R N U N S
P T P C C E B O A Q G B D R U N I V E R S I T Y A
K O O W L O O L U N K W E C I E E X W H I T S D D
M L P P H A M E I I V L T S N M K U R E H T A E W
Q L I J N L S M D C I Z A W T N K M Q P S A C M D
J K N B A T A S U G Z Z C R E R P W V E T K D O W
K P I H I E E N I N L A I C R E M M O C R N A C W
L B O O R I L O G C I J D I N V W R B L E F O F Z
A S N T D A U E C I S T N J E O I A D W P J R E J
T O S L O S U M F T S U Y C T G W P S T X Q B U W
H J O L E T I L L E T A S Q X J I N D A E W C B S
```

BROADCAST	HITS	OLDIES	STREAMING	WDWD
CLASSICS	HOST	OPINIONS	SYNDICATED	WEATHER
COLLEGE	INTERNET	POP	TALK	WFAN
COMEDY	JAZZ	PUBLIC	UNIVERSITY	WHYY
COMMERCIAL	KIDS	QUESTION	WABC	WJZW
COMMUNITY	KPBS	RAP	WBEZ	WLS
EXPERTS	KRLD	RELIGIOUS	WBLS	WMVP
FREQUENCY	MUSIC	SATELLITE	WCBS	WPLJ
GOVERNMENT	NEWS	SIGNAL	WDAS	WSCR

Good People

```
K A H E B F R I E N D J W Y R F H D E B P U B O G
L C T Y R E T S I N I M E N T O R E T S I S F L V
S O E L C N U N W C T R E T T I S Y B A B V B F F
S I V I R D O I I V O S S S H G U A L R P R A P U
C T F E O N C N F L P U G U R O S S E F O R P A G
O F F C B I S A E R O O N R O B U E L T N E G R U
O D T I H K Y M T E S U I S L R T G H L A P N E P
K O E L G V O E T H I T V M E N E E H U S B A N D
R N E O I D B R B C T R I I U L R N A T N A S T U
Y O R P E S U I J A I I G L Z S O S E L F L E S S
I R G L N O H F X E V V O E R A C R N G A U N T T
J L H D C O A C H T E V Y P P A H E L P F U L N J
```

AUNT	DOCTOR	HAPPY	NUN	SELFLESS
BABYSITTER	DONOR	HELPFUL	OFFICER	SISTER
BOY SCOUT	FIREMAN	HUSBAND	PARENTS	SMILE
BROTHER	FRIEND	KIND	PEN PAL	TEACHER
CARE	GENEROUS	LAUGH	POLICE	THOUGHTFUL
COACH	GENTLE	LOVE	POSITIVE	UNCLE
COOK	GIFTS	MENTOR	PROFESSOR	VIRTUOUS
COUNSELOR	GIVING	MINISTER	ROLE MODEL	VOLUNTEER
COURTEOUS	GREET	NEIGHBOR	SANTA	WIFE

Uniforms

```
T F P S B U R C S M S N S B Q C D U R E T I A W O
E C L C E Q A Y B F M U P U O R G L O E D R A U G
O Z O I S C K D E A S R R A E W H L L Q E E J K B
Y I G L U R U E C S S S Y S U H S A I N G I S N I
J P O U O A E R E P R E S E N T A B A Y A D E E L
F R P J L R D C I Y U E B R M A H T S R M L R A R
V I Y E B J A N I T O R J A E I W O D A I O V T W
Z S J E C U V D A F Y L T A L R B O R T N S I C V
R O U T F I T B D B F O P R B L V F I I N A C F S
B N K X S X L T E O L O E M M I O V V L T O E U M
X I V W T R G O O I G Y C Y E N X O E I A Y I L W
T R I K S T N A P N T J A C K E T I R M H T O L C
```

AIRLINE	COLOR	IMAGE	NURSE	SCRUBS
ARMY	DRESS	INSIGNIA	OFFICER	SECURITY
AUTHORITY	DRIVER	JACKET	OUTFIT	SERVICE
BAND	EMBLEM	JANITOR	PANTS	SKIRT
BASEBALL	EMPLOYEE	JERSEY	PILOT	SOLDIER
BLOUSE	FOOTBALL	JOB	POLICE	SUIT
BUTTON	GROUP	LOGO	PRISON	TIE
CLEAN	GUARD	MILITARY	REPRESENT	WAITER
CLOTH	HAT	NEAT	SAILOR	WEAR

Business Cards

```
I R C O N U M B E R U D D C Q R R J W W C X L L C
R E M P L O Y M E N T N E I L C C J O B A Y A A U
C V V I N C C O S O D I L R O Q R E F E R R A L
O E A I A A R S T R I I O Q L E K D E T N I R P P
N L L P T U C A Y D D T S O U S D P L A S T I C A
T C M C I C C D B E O E R S S E Q N O I T I S O P
A O H T A K A D G H N F R E E D E S I G N I X O E
C Y E T O M O R P A U R N P V R O N A M E Q V T R
T O F F I C E E T L R I O X C D P O H S E M V E D
D H O L D E R S S T S T I T L E A M T E K R A M S
E R O T S M L S F U A E E X T E N S I O N T Q I W
X T E L L A W E B S I T E G R A P H I C S O G O L
```

ADDRESS	COMPANY	GRAPHICS	ORDER	REMINDER
ADVERTISE	CONTACT	HOLDER	PAPER	SHOP
ATTORNEY	CREATIVE	IMPRESSION	PHOTO	STACK
ATTRACTIVE	DEGREES	JOB	PLASTIC	STORE
BUSINESS	DESIGN	LOGO	POSITION	TITLE
CATCHY	EMAIL	MARKET	PRINTED	UNIQUE
CLEVER	EMPLOYMENT	NAME	PROMOTE	WALLET
CLIENT	EXTENSION	NUMBER	RECRUIT	WEBSITE
COLORFUL	FAX	OFFICE	REFERRAL	WORK

Beds

```
A R D K D W D N M B I D O W N W F A N M E T A L M
P Q B F I J Q B P S L I A R G N I D D E B D Q M F
B K A B O H D A X T G L E E L D D U C R J R M R B
Z L S C P O C S P R I N G T R X N O T U F B A N Y
T D X I H D T E C N E R F A M P H C S T S M E S Q
F N J B B G E O E R P B E W O A S T A I E H Z U S
X I G Q U E E N C Q A R M D O D A E F N E N I W D
A U K I N G H S I M L D P U R B I V K R O L S O V
S T E I K G S O L G R N L E L C V U A U T P U L N
I O W I B G J F P E H A S E F S R D E F E B Y L B
S T N M T N D T A Q E T W Z D H I I R Y L O A I B
K U U Q X Z V M N I N P S J D W X O B E I Y D P I
```

ADJUSTABLE	CRADLE	FRAME	PAD	SLEEP
BASE	CRIB	FURNITURE	PILLOW	SLUMBER
BEDDING	CUDDLE	FUTON	QUEEN	SOFT
BOX	CUSHION	KING	QUILT	SPREAD
BRASS	DOUBLE	LAY	RAILS	SPRING
BREAKFAST	DOWN	LINEN	REST	TIRED
BUNK	DREAM	METAL	ROOM	TWIN
CANOPY	DUVET	NAP	SHEET	WARM
COT	FOOT	NIGHT	SIZE	WATER

Picnics

```
N L F R E U N I O N H D N V A O H I P Z U M T T U
X E U C E B R A B V C H B K G C T L C W E N A I J
H N X T H H H F P Q R L A R O H A L R O G D V G K
R I U C E X T X A O U E S O D Y W I G N Q V U V Q
V W N R U N F E A F H M K I D S C R K Q T P T T C
Z U H M E R S D G E C O E A S O A G Y D P K C R A
L F I D I T S I D O U N T N U S N L T A E H E E R
S O F E I I A I L T T A E P S P I H C T A B L E C
L O N U D N S W O S D D L H A M K K L E K A L S I
N D R E N T N O O N R E T F A S P R I N G A M E S
S F M B U D L E I F B Z U F K R A P P L X P S A U
K E Q O T Z Y L R K X I O U T I N G Y K H N C W M
```

AFTERNOON	DINNER	FUN	MUSIC	ROADSIDE
BARBECUE	DOG	GAMES	NAPKIN	SPRING
BASKET	EAT	GRASS	OUTING	SUN
CAR	EXCURSION	GRILL	OUTSIDE	TABLE
CHIPS	FAMILY	HAM	PACK	TOGETHER
CHURCH	FIELD	KIDS	PARK	TREES
COOKOUT	FOOD	LAKE	PLAY	UTENSILS
COUPLE	FRIENDS	LEMONADE	RELAX	WATER
DATE	FRUIT	LUNCH	REUNION	WINE

Word Processing

```
X I H O M E L Y T S Y A E T A L P M E T B O L D I
L O J W C P V R A H U D E K N W G L U X B A E G S
X E T R I A E V V T I G H B O N E B W R Y V F W C
I U F D M S E G H T A Z E M I C R O S O F T O E R
A N E I N T M O A P W R F T T N E M U C O D N C E
X D P I L E R A O U A S I R C Q K T W Q N P T I E
V O Z U E E O T C W G R O P U M B I V I R K N F N
V T X E T B K N T H W N G M D E T Q W O S B O F I
O W B N T S W F X L I J A A O M A R G I N R S O P
L O I R E P O R T C G N J L R O B R D T M T Y P E
N R T D R S L Q R E T N E C P A A Z Y A S S E I Q
P D M C U Y X J X D L T T C O M P U T E R S K R I
```

AUTHOR	ESSAY	LANGUAGE	PARAGRAPH	STYLE
BOLD	FILE	LAYOUT	PASTE	TAB
CENTER	FONT	LETTER	PRINT	TEMPLATE
COMPUTER	FORMAT	MACHINE	PRODUCTION	TEXT
DESKTOP	HOME	MARGIN	PROGRAM	TYPE
DISK	IBM	MEMO	REPORT	UNDO
DOCUMENT	INPUT	MICROSOFT	SAVE	WINDOWS
EDIT	INSERT	OFFICE	SCREEN	WORD
ELECTRONIC	KEYS	PAGE	SOFTWARE	WRITING

Orienteering

```
N G E M I T F V O P R X Y A P G N A D G R U A V P
B P U C X E G E O G R A P H Y V M P N L L O S T X
Z S G H V R S S E N R E D L I W L A N D E E P S D
X K P T N R L B F O Z L A V I V R U S W I N N E R
I X C R T A E I U D N T N E M P I U Q E M R R A
N Y O O I I T T S I W O O D S N L B Q E S R U O C
L V M N S N D I A B J D I R E C T I O N I E L F E
V R P G E O T T H G U O R T O O F U S S C R E M E
U E A S O R N E D M I L I T A R Y P R T R M S M O
K L S R A U Z I K S B V C O S C O R E E E C A Z N
F A S I O N D G N I K L A W N R O A Q Y X G R P A
V Y L M U E M J O W H F U N T H M L E T E P M O C
```

ADVENTURE	FITNESS	LAND	RACE	SURVIVAL
CANOE	FLAGS	LOCATION	RELAY	TEAM
CLUBS	FOOT	LOST	ROUGH	TERRAIN
COMPASS	FOREST	MAP	RULES	TIME
COMPETE	FUN	MILITARY	SCORE	TRAIL
COURSE	GAME	MOUNTAIN	SKI	WALKING
DIRECTION	GEOGRAPHY	NAVIGATE	SPEED	WILDERNESS
EQUIPMENT	GPS	NORTH	SPORT	WINNER
EXERCISE	HIKE	OUTDOORS	SPRINT	WOODS

Energetic

```
N O I T O M R H S U P Q W O N X C V F B L L I F E
F O S C I S Y H P S J O U L E S R M I H E A T X Y
D O I Z I E H R M L A C I M E H C S R E W O P B T
N N R S T O R E D Z M R I L A C I N A H C E M S
I N U C U T E E Y T S U R T T S I L Y R E T T A B
W L I O E F N N R E N O I T C U D O R P O K R O W
M N U I S I A A G N L E U F E N I B R U T W O I S
R E N N G M L R I A A Z R E N E W A B L E A L P A
B E A N I O A N C D M Y T I S N E T N I D T E R G
N R E C S H G D B L A T I V C I T E N I K E U I D
T G N U C L E A R O U R H T H E R M A L D R M P D
B C J T X G D N L O S D U Z T I X K U U O M D F F
```

BATTERY	FUSION	MASS	PRODUCTION	STORED
CALORIES	GAS	MECHANICAL	PROTEIN	SUN
CHARGES	GREEN	METABOLISM	PUSH	THERMAL
CHEMICAL	HEAT	MOTION	RADIANT	TRANSFER
COAL	INTENSITY	NUCLEAR	RENEWABLE	TURBINE
DYNAMIC	JOULES	OIL	RUNNING	VITAL
ENGINE	KINETIC	PETROLEUM	SOLAR	WATER
FORCE	LIFE	PHYSICS	SOUND	WIND
FUEL	MAGNETIC	POWER	SPEED	WORK

Trees

```
K M A P L E P K Y L B I R C H E C U R P S D R S N
E J X E U C A L Y P T U S E Q U O I A N Y O S T S
S Y M H S N E D N I L D T C N V Q M G H C O K C F
G O I H A S A G Y N A G O H A M T U N L A W G A W
N L R A R U A R O E P Y U Y R R E B L U M G O T O
I I D W F R L M B C A S P M I R O S E W O O D A L
R V O T A T M D O O W N O R I C S R Q I R D P L L
V E O H S I O L R N R G A C U E U A A U E R A P I
R W W O S C N A K E E I X N R N O G K N I G S A W
X A D R A E D A H S D T S P A I I H F C G T P Z F
F G E N S E E A P P L E Y T B B P N O S D E E S Y
Q P R P C T X A H M A C H E R R Y T G N A Y N A B
```

ALDER	CATALPA	HAWTHORN	OLIVE	SASSAFRAS
ALMOND	CEDAR	IRONWOOD	ORANGE	SEEDS
APPLE	CHERRY	LEMON	PEAR	SEQUOIA
APRICOT	CITRUS	LINDEN	PERSIMMON	SHADE
ARBORIST	CYPRESS	MAHOGANY	PINE CONES	SPRUCE
ASPEN	DOGWOOD	MAPLE	PRUNING	SYCAMORE
BANANA	EUCALYPTUS	MESQUITE	REDWOOD	TEAK
BANYAN	GINKGO	MULBERRY	RINGS	WALNUT
BIRCH	GUM	OAK	ROSEWOOD	WILLOW

For Carnivores

```
V Q F C E D I B L E Q N E D V F A M H J F I T J I
P Z B I C R D A H L T E H S P A M R P A K Q O U X
Q D H M J V Y S P T D H K X L O S E N O M R O H K
R A O V A E E R O T V C S N I A P E F E E B O C P
N I F O K L K N E A F T M T V P U D G H X T U I H
N I X R F G V A I C H I C K E N R G C A E D G W R
P C U T E Q R C B S O K Y R S W I T H N S U S D A
T T I M U T T O N H O R O P T M U E D T N U I N W
O S A H S H Y W U V B N G E O B E E T E E N A A U
G M Z F S R U N G N I S S E C O R P V O N R T S Y
B G H O I I T T E I D X X H K Y B O N E R O A S T
M B X R T B F N O B O E U S W L I O R B A P Q B C
```

BAKE	DEER	GROCERY	OVEN	SAUSAGE
BEEF	DIET	GROUND	PEPPERONI	SHEEP
BONE	DINNER	HAM	PIG	SLAUGHTER
BROIL	DUCK	HORMONES	PROCESSING	STEW
BUTCHER	EDIBLE	HUNT	PROTEIN	TENDER
CATTLE	FAT	KITCHEN	RAW	TISSUE
CHICKEN	FISH	LAMB	RIB	TURKEY
COW	FLESH	LIVESTOCK	ROAST	USDA
CUT	FOOD	MUTTON	SANDWICH	VENISON

Sweaters

```
W U F L O O W P U L L O V E R M R A G L A N S B N
C K L C E T I R F V I O X K J E G D K A C I N U T
T A W H H U N I A L P A T T E R N N S T R I P E S
F K S H C R M N N W I N T E R A I G O B O M R A W
O C M H I T I T J U M P E R S R H I I C W E I O
S H E B M L I S K U S T Y L E O T F Q S H P X N Y
V S B V V E D T T T S E V L Y G O T B Q E S P S T
R E U D A N R U S M E R I N O N L K N I T D A E F
D M X J Y E A E H N A G I D R A C R Y L I C K F U
M E L B A C W Y R A H S T M O H A I R A P C A G Z
P Q O R R K Z E U T P O N C H O D X K C O Z Y O Z
A D K P N E B K G A G U Y W K K H L I P H E A V Y
```

ACRYLIC	CROCHET	JERSEY	PONCHO	STYLE
ANGORA	DESIGNER	JUMPER	PRINTS	TUNIC
AUTUMN	FALL	KNIT	PULLOVER	TURTLENECK
CABLE	FASHION	LIGHT	RAGLAN	VEST
CARDIGAN	FUZZY	MERINO	RIBBED	WARM
CASHMERE	GARMENT	MESH	SHRUG	WEAVE
CHRISTMAS	GIFT	MOHAIR	SOFT	WINTER
CLOTHING	HEAVY	PATTERN	STITCH	WOOL
COZY	HOODIES	POCKET	STRIPES	YARN

D at End

```
Y A K X D O O F S D L E T O U C H E D E N I A G A
L D R D R O L R E E Z I M A G I N E D E T S I W T
T E E R E U U V D N J U D G E D T H O O E K X X T
S S B K I N I C S I G N E D E C O M P O S E D D A
H T R D C V R W G A L L O P E D I R E C T E D E C
T R U V R A E O G M D N P P E D D D E K C I P T H
S I I U C O B D H E G A X Y E D E H C N U A L A E
R P S K Z D W T Y R R E O P S T D B A C K W A R D
U E E D E M R O F T L L P D A E D L S E P V N E N
U D D C I H J P R O P O S E D I A D E N R U T P I
Z L A N E N I B R M P A S J E B G U E X H M E O R
I F T N E T W D E C P D S D H J P L E A S E D H G
```

ARRIVED	DIED	GAINED	LOAD	SEATED
ATTACHED	DIRECTED	GALLOPED	LORD	SIGNED
BACKED	EMPLOYED	GRIND	OPERATED	STRIPED
BACKWARD	ENJOYED	HID	PICKED	SURVIVED
BALANCED	EXPECTED	HORNED	PLANTED	TOUCHED
BRUISED	FACED	IMAGINED	PLEASED	TRAPPED
COMPOSED	FLUID	JUDGED	POPPED	TURNED
CRACKED	FOOD	LAUNCHED	PROPOSED	TWISTED
DEAD	FORMED	LED	REMAINED	WORD

Making Movies

```
S E X O K S R E W E I V Y F E N Y S R A T S W D M
C S P O Y G W N L G R T H A C T E R E I M E R P K
R T A O G N Y T A L R Z G N I B B U D R I N E O S
I N W G R I I F R A M E S C F P I D N O H I V P T
P U A A R T F L P C P F I L F S J L B M E L I C H
T T R K B E E E D I N L S T O R Y B O A R D E O G
E S D U R E S O R S B O O C X E I Q M N O A W R I
K R S S R M U O Z U A P I T O R X H B C I E S N L
C F O N C B R V P M T R L T B E I C X E N D N S L
I F E L L R D R A M A A T A C T R E S S E M E H T
T G H E O G N I P O O L E X C A M E R A S D A E L
Z A S H O C C R I T I C S F E C O M E D Y K O O A
```

ACTION	COMPOSER	FRAMES	MEETINGS	SCRIPT
ACTRESS	CRITICS	GAFFERS	MUSICAL	STARS
AWARDS	DEADLINES	GENRE	PARTY	STORYBOARD
BOMB	DOUBLES	HEROINES	PLOT	STUNTS
BOX OFFICE	DRAMA	HIT	POPCORN	SUBTITLE
CAMERAS	DUBBING	HORROR	PREMIERE	THEME
CATERERS	EXTRAS	LEADS	PUBLICITY	TICKET
COLOR	FEATURE	LIGHTS	REVIEWS	VIEWERS
COMEDY	FLOP	LOOPING	ROMANCE	ZOETROPE

Motherhood

```
Y D A I L D T G D E L Z Z A R F O R G A N I Z E R
N W B M N U M L V I C I Y Y X V C O M M I T T E D
I E J Y I P U O U S T S B B R A V E B E P G V H
C S Q E C F L Y D F T C R T E A T Z D T A A T I C
K R C D E K I D S E T A I A E E B N A R R E I T R
K U O C D R L D R R C T P F N E N E U S W D N E
T N A N G E R P R R B I E I L I O N O I A E A E F
Q R O D C K L R E E V O G P R I T C W R T F G T F
G F A W I A H T D E S I S F S E N P M O T A R T U
J L W E I B R D N I K S G S B E D E V O R A P A A
G E A O D N X E E E U L A Y O L R E K A M E M O H
A R U T C S G M T G G P R O V I D E R S X K O O C
```

ATTENTIVE	CREATIVE	FRIEND	LOYAL	PREGNANT
BABY	CUDDLE	GENTLE	MATRON	PRETTY
BAKER	DEAR	GRACEFUL	MOM	PROVIDER
BOSS	DEVOTED	HOMEMAKER	NICE	RESPECTFUL
BRAVE	DISCIPLINE	KIDS	NURSE	SMART
CARE	DRESS	KIND	ORGANIZER	TENDER
CHAUFFER	ENCOURAGER	KNOWING	PARENT	TIRED
COMMITTED	FOND	LISTEN	PASSIONATE	WARM
COOK	FRAZZLED	LOVE	PATIENT	WISE

At the Ranch

```
U H S T S T A C I S U M J E R B S Q P M V B R Y H
S K S N A E J Q L X L T E O R Y L I M A F I O R O
T T L S T A O G G F T A R E G N I T N U H D D T R
O T E G E L D D A S L D E A P L V C H I C K E N S
O M D S B N C V Y I N D N M D A E U S T X W O U E
R H U D N O D O F R I R H A F I S D L E I F U O S
Q L D E W U B E G N I M A O R B T T S E W H R C N
L O D G E W S L G B I D O B A B O I U R E E T S O
L C I R O T S I H G K D I N B L C H O R E S Q G G
U R S C Y A J W L L U B D N Z J K D D N E X X O A
L Z J L U H S N N I A R G X G S H E E P L A N D W
D H E I F E R C T R Y V Y U T U R U S T I C Z X M
```

BARNS	COWGIRL	HEIFER	LIVESTOCK	RUGGEDNESS
BRAND	DOGS	HERDER	LODGE	RUSTIC
BREEDING	DUDE	HISTORIC	MEALS	SADDLE
BULL	FAMILY	HORSES	MUSIC	SHEEP
CATS	FIELDS	HUNTING	PASTURE	STEER
CHICKENS	FOOD	HUSBANDRY	RIDING	SUNSETS
CHORES	GOATS	JEANS	ROAMING	TRADITION
COUNTRY	GRAIN	LAND	RODEO	WAGONS
COWBOY	HAT	LIFESTYLE	ROOTS	WEST

Orthodontics

```
P Q W I S D O M D C U B H I T N A L P M I X C B B
S A X M I I U O H A W R E M O V A L S D O P I A D
N D I P N A E U B S T R A I G H T E N D R L D N E
E L F N S G X T B E S E T A L P C T E E L J D D V
E M E N U N P H C F L P T Y J N E N V P U E T S I
T E I E R O E H O E U B R I A B T E P S T V Q N C
M T P R A S N V G R O E I R B I N C T C A R T X E
U A N D N I S D E L G M A S S T R E A T M E N T R
G L M L C S I C O R R E C T I O N P R E S S U R E
W I W I E R V O U H P G R O W V M U Q I N L M L T
D G A H B T E S O P S Y N N B I N I X I W V B R L
U N J C T O O R A E G D A E H S C I T S A L E G A
```

ADJUST	CORRECTION	FIX	METAL	ROOT
ALIGN	CROWN	GAP	MOLD	SMILE
ALTER	DENTISTRY	GUM	MOUTH	STRAIGHTEN
APPEARANCE	DEVICE	HEADGEAR	NUMB	SURGERY
BANDS	DIAGNOSIS	IMPACTED	PAIN	TECHNICIAN
BILL	ELASTICS	IMPLANT	PLATES	TEENS
BITE	ERUPTION	INSURANCE	PRESSURE	TREATMENT
BRIDGE	EXPENSIVE	INVISIBLE	PREVENTION	WIRE
CHILDREN	EXTRACT	JAW	REMOVAL	WISDOM

Microwaves

```
D H J E A A C N B X U B M V H V V Z K T P B Z B N
E I G V H O Z A W I C N T G L A E M F U W A R M C
F P L N M R L W A V E N E R G Y Z O V E N A H O T
R N O P I A T I R X L T E C H N O L O G Y B U Q I
O T A R Z D G O G V B F F A N D G E Z S P N E P M
S C J J T I T N D H A D F R J A N C I R T C E L E
T J S Q U A R E E S T S I O K C I U Q E E P B A L
C D A M T T B H T T N K C U X L T L R X X W E T M
Z O F E Z I O L E T R O I S D B T E P Q X K O E I
W O E K C O L C E A U O E E R G E S F P Q O L P B
F R O Z E N U K E W T C N L Q P S P O T A T O E S
K E U B G B D B C F K I T C H E N O T T U B K L V
```

APPLIANCE	DEFROST	HEAT	OVEN	SAFE
BEEP	DING	HOT	PLATE	SETTING
BELL	DOOR	KITCHEN	PORTABLE	SQUARE
BUTTON	EFFICIENT	LIGHT	POTATOES	TECHNOLOGY
CAROUSEL	ELECTRIC	MAGNETRON	POWER	TIME
CLOCK	ENERGY	MEAL	QUICK	TURNTABLE
COMPACT	FAST	MELT	RADIATION	WARM
COOK	FOOD	MOLECULES	RAYS	WATTS
COUNTER	FROZEN	NUKE	ROTATE	WAVE

```
R T I Y S N E W C R O E G A G Z S R C I G A M T H
D R P X R L E V O N B R H N O I T C A E D E Y F D
Y U N C B A C R S Y S U I T I F P O P U L A R A C
X E T A L E R H U Y T T S S E T I R O V A F E E K
H X R M R O A B R C A N T T P L I R K Z B R T C G
T A I P H R E I I V C E O S N F L C E N U X S N N
P M U F E P A L I L L V R I D A I M X S S F Y A I
E I M I J F F T B H E D I W B N I B O E I C M M C
D L P R H N O O I A S A C T U T E L U R V D A O A
N C H E O M B O K V F Y A M D A C G D N E T E R P
L C R C I S S A L C E B L E D S Y D E M O C Y L Y
T O L P P Y F O L K O O B J Y Y P V Y L I M A F U
```

ACTION	CONFLICT	FOLK	NARRATIVE	RELATE
ADVENTURE	DEPTH	HERO	NOVEL	ROMANCE
BEDTIME	EXCITING	HISTORICAL	OBSTACLES	SCARY
BOOK	FABLE	HORROR	PACING	SHARE
CAMPFIRE	FAIRY	LEGENDS	PARABLE	TALE
CLASSIC	FAMILY	LIBRARY	PLOT	TELL
CLIMAX	FANTASY	MAGIC	POPULAR	TRIUMPH
CLOSURE	FAVORITE	MOTIVATING	PRETEND	TRUE
COMEDY	FIRESIDE	MYSTERY	READ	TWISTS

```
V E J E Q Z Z T H A K D L A C O L M M G B K L A W
T Y L W F R F J B R O C H U R E I A E C R N T I G
R B N P N A G C A O U Y L S R C O U R T E O U S S
A W O T O N M M F R V T C N R N P E O M K W U C E
M T I S I E D D R V U H C O B A O L L U L L H P E
S M R N T N P E A R O S P I U T I B L E G E N D S
E P A A A X N S E L T H E T D S N I G S D D Z S C
C E F L C T U C A H O B X S A I T S D U F G O O O
M V A P A G C R G N U F P E E S R N L M Z E V Q R
B V S T V I L I E S R K E U L S H E R I T A G E T
S A F E T Y S B L Q S N R Q U A S S C E N E R Y Q
J J R Y Q O S E D U C A T E C I N N A T I V E J G
```

ASSISTANCE	EDUCATE	LEAD	PEOPLE	SCHOLARLY
BROCHURE	ESCORT	LEGENDS	PLANS	SENSIBLE
BUS	EXPERT	LOCAL	POINT	SIGHTS
CITY	FOOD	LORE	QUESTIONS	SMART
COURTEOUS	FUN	MEANING	SAFARI	STOP
CULTURE	GROUP	MICROPHONE	SAFETY	TIME
CURRENT	HERITAGE	MUSEUM	SAVVY	TOURS
DESCRIBE	KNOWLEDGE	NATIVE	SCENERY	VACATION
DIRECT	LANDMARK	NICE	SCHEDULES	WALK

Office Help

```
G N I T E E M S O A P G N I L I A M M O F A X E S
N S T R O P E R R I A H C C G D E E A F I B R L L
I C E D Y I D R T Y P I N G N G N S N F L U E U L
T P O C L E H C R A E S E R I N O S A I E S T D A
I X R P R O C E D U R E N K S I H A G C S Y U E C
D P P I Y E R M A V W T Z F S R P G E E K W P H O
E U N L N I T G T B O O K K E E P E R S U O M C N
S G R E E T N A A Y R N A D C V D S I T W R O S T
M E M O S H I G R N K E L M O I L I A M E K C B A
K S C A N N I N G Y I O E Y R L R E L I A B L E C
L U F I T U D T G N F Z F S P E B I R C S N A R T
I S D N A R R E M I N D E R F D O C U M E N T S D
```

BOOKCASE	DELIVERING	FOLDER	OFFICE	REMINDER
BOOKKEEPER	DESK	GREET	ORDERING	REPORTS
BUSYWORK	DOCUMENTS	HELP	ORGANIZE	RESEARCH
CALLS	DUTIFUL	MAILING	PAPERWORK	SCANNING
CHAIR	EDITING	MANAGERIAL	PHONE	SCHEDULE
COMPUTER	EMAIL	MEETING	PRINTING	SECRETARY
CONTACT	ERRANDS	MEMOS	PROCEDURE	SUPPLIES
COPYING	FAXES	MESSAGES	PROCESSING	TRANSCRIBE
DATA	FILES	NOTES	RELIABLE	TYPING

Ovens

```
R F G D C Z P O T S B N R O E T O T C F R M V S C
Z F K L E V T T H T R W O A D I N N E R J E S K O
C P E C R O N A Z Z I P E C N A I L P P A N M L N
F A W H A E O D A K C M A D F G R E B M A H C I N
N T K S M R U H Y E K R U T U V E B O I L I N G T
W Q T E I T Y V T A T S O M R E H T C L R S D H P
B E L W C O N V E C T I O N N R F O O T N R E T O
R E J H C A S S E R O L E V A W O R C I M L S I D
E H O V S W B N I W Z I D E C K T E F E D A I A P
A T Y R N O S A M K Z U S I E N L F R O O D C K G
D G H P N O L V K A F U P I O E U I K R O S Y E H
I W X K L D P T A E H I Y C U M F B X H F L N J A
```

APPLIANCE	CLEAN	FIRE	LIGHT	RACK
BAKE	CONTROL	FOOD	MASONRY	RANGE
BOILING	CONVECTION	FURNACE	MICROWAVE	ROAST
BREAD	COOK	GAS	MITT	SEAR
BRICK	DINNER	HEAT	MUFFINS	THERMOSTAT
CAKE	DOOR	HOT	PAN	TIMER
CASSEROLE	DUTCH	INDUSTRIAL	PIES	TOASTER
CERAMIC	ELECTRIC	KILN	PIZZA	TURKEY
CHAMBER	ELEMENT	KNOBS	POTS	WOOD

Market Analysis

```
V J P F B E A R F Y E N O M S U C C E S S T U D Y
L Z J R U U U I T I F O R P P L A N N I N G I Y S
A A X V O T N L N H S I Y Y E G E G L Z O T I I A
T R I S K D U D A B N T Y S C R X L L E I P N D L
I E C T I U U R R V O O R I R O P O L Q T D V Z E
P M J N N S W C E N I M O S O W A B U S I N E S S
A U G U T E V N T J S O T Y F T N A B C D E S U R
C S T R U C T U R E I R S L K H S L A N N R T R O
H N Y E C O N O M Y C P I A R G I T Y L O T M V T
C O S T R A D E P T E C H N O L O G Y T C Z E E C
P C D Y N A M I C S D Y R A W R N C O M P A N Y A
S K C O T S E A R C H A R T S R E B M U N V T M F
```

ANALYSIS	COST	GROWTH	POTENTIAL	STRUCTURE
BEAR	DECISIONS	HISTORY	PRODUCT	STUDY
BULL	DYNAMICS	INDICATORS	PROFIT	SUCCESS
BUSINESS	ECONOMY	INDUSTRY	PROMOTION	SURVEY
CAPITAL	EXPANSION	INVENTORY	RISK	TECHNOLOGY
CHARTS	FACTORS	INVESTMENT	SALES	TRADE
COMPANY	FINDINGS	MONEY	SEARCH	TREND
CONDITIONS	FUTURE	NUMBERS	SIZE	VALUE
CONSUMER	GLOBAL	PLANNING	STOCKS	WORK FORCE

Baths

```
G P Y N J I S E Z J O Z W S M K L V N J B P A P S
Z S A U U S G M X B F A N O A T M E A L J R A K T
O I F S C E Z R J F S U O I R U X U L R Q U I E T
T U W V L I D A E E O R U X Q N S I O Y N N S A Y
N Z J D O T R W L P H L R Y S P D I T W S N M T H
G N V I T E R B R T M E I B O O I L I O I Y X J U
L L P R H C B E A O P A S A O W K N O R W R O A A
S S L T O U T B N M B C H B T D D A N C F E E T O
K X A Y B A H S A W R E I U H E K E F A G A L O B
Y L Y L W F W P Q U N N N T I R E L A X I D D H H
N R I G T H N W B K Y P G H N D Y C C H O F B J L
D S A M B S O A K E Y D U V G H V S E G O S G B C
```

BABY	FACE	LOTION	QUIET	SOOTHING
BATHROOM	FAUCET	LUXURIOUS	READ	SPA
BUBBLES	FEET	MILK	RELAX	TOWEL
CLEAN	GEL	NOURISHING	RINSE	TOYS
CLOTH	HAIR	OATMEAL	ROBE	TUB
COLD	HAMPER	OIL	SALTS	UNWIND
DIRTY	HOT	PAMPER	SCRUB	WARM
DRY	KIDS	PLAY	SKIN	WASH
EXFOLIATE	LATHER	POWDER	SOAK	WATER

Fathers

```
M U R M S A D X D N I K R O W B W A P S U P Q V J
P A T E R N A L D G N O R T S R A C E D G F E S D
Y L I M A F I D A U G H T E R S R D I D U V U O J
R B A B Y H O W R C W O L L O F F S P R I N G C C
V E S H C A E T W A I P R O J E C T S T D V H C H
C U S C P D U R N P C G H T R I B V P P A X O E E
H M C P E R E H E A D G O Y P S U O R E N E G R L
O Z I V E S C T P P L U S L I R D E R E C N I S P
R C O R T C E T O R P I I O O A R O T N E M M J L
E L R L K P T D P V S N G E V I T A L E R E A R A
S T E S I A R P A R E N T I P W B S N O S B N H Y
Z U H O N O R Y B P H D M V V K M V E F Q K F O I
```

ADOPTIVE	DISCIPLINE	HUSBAND	PATERNAL	RESPECT
BABY	FAMILY	KIND	PLAY	SINCERE
BIOLOGICAL	FOLLOW	LOVE	POP	SOCCER
BIRTH	GENEROUS	MAN	PROJECTS	SONS
CARS	GUIDANCE	MENTOR	PROTECT	STRONG
CHILD	HEAD	NURTURER	PROVIDE	TEACH
CHORES	HELP	OFFSPRING	RAISE	VIGILANT
DAUGHTERS	HEROIC	PAPA	REAR	WORK
DEVOTED	HONOR	PARENT	RELATIVE	WRESTLE

Cheesecake

```
A C S S Q N R A T F O S M C Y P Y T P W P M D L R
Q R H N Z B Y U K I L T S U R C U S T A R D B G E
W G E Z Q R F R B G U A U W N T H S N E S E E H C
K F Y E K A B S B W N R V A X H E U A P V Y R T I
C R G T R G S W W G L I F O I I C O R S U V R O P
Y O O R I U T H J I N Q K T R C M I U M W A Y O E
J U K Y E S U I G V R I A O O K N C A M A E C M K
T N G M W E N T A Y T L L L O G G I T A Q H E S A
A D T R C E C E Y R I A D L F C W L S E E P A T C
U P O I J T N E D A C E D O I U I E E R I C H R G
T D L F O O D A N R E V R E S F D D R C O L D Z G
T S N G E R L F Y U M M Y J F Q F Y K H N C B W E
```

BAKE	CRUST	FIRM	NEW YORK	SMOOTH
BERRY	CUSTARD	FLAVOR	NUTS	SOFT
CAKE	DAIRY	FOOD	PAN	SPRINGFORM
CALORIES	DECADENT	FRUIT	RECIPE	SUGAR
CHEESE	DELICIOUS	GRAHAM	RESTAURANT	SWEET
CHERRY	DENSITY	GREECE	RICH	SWIRL
COLD	EGG	HEAVY	ROUND	THICK
COOKING	FANCY	ITALIAN	SERVE	WHITE
CREAM	FILLING	MIX	SLICE	YUMMY

Bus Travel

```
Q V S H B Y W L E U F V C O A C H S M M N M G S L
X F J R U O T V I U G E Q M Y P S G O C R B W C K
C Q K R L S I W T W Z F Y N R A R T L P I R T M F
V D V L K R C H A R T E R I P S O R V G B L W Y S
F N E R D L I H C A T O V B T R O L L E Y M B R T
H Y G S C T T J E U A A T U G R D L T R H F B U O
R A N I T R T S M D T R D S T G P E I A L I T X P
S O O Y A R O M N E U E S E Z L K H N F G E C U K
R Y L N R P O G B C N L M F J C F O D I E S E L D
R T S R E C M H K T B V E M I N I L A R G E Y H E
M I S K R A P A S O R O U T E D I R T T H N O M W
T C J R Q K C K C I F F A R T K A S T R A V E L X
```

BIG	DRIVE	MINI	ROUTE	TRAFFIC
CAMPAIGN	ENGINE	MOTOR	SCHEDULE	TRANSIT
CHARTER	FARE	OMNIBUS	SEAT	TRAVEL
CHILDREN	FUEL	PASS	SHORT	TRIP
CITY	GAS	PRIVATE	STOP	TROLLEY
COACH	LARGE	PUBLIC	STREET	TRUCK
COMMUTE	LONG	RIDE	STUDENTS	VEHICLE
DIESEL	LUXURY	ROAD	TICKET	WHEEL
DOORS	METRO	ROSA PARKS	TOUR	YELLOW

Flea Markets

```
M T U E U Q I N U D S Q X N A E P C Q V Q B D A W
S R D S V V S V I N T A G E R O L P X E O E O D X
A A I E T E K N A L B J O X D Z A B R O W S E E U
L D P C S N N G H S A T U R D A Y N T S T A L L H
E E J O T O U T O Y S H K N T J M H T S H H J C T
S A L N C C P O S T R O L L K E E D K I W C J Y E
H T G D U S E R C L O T H I N G R W N A Q R L C K
O I F H D H L L U S W A P M E E T R E A S U R E S
P N P A O B G A L P I H N U F N S C S L H P E R A
S G N N R E G N E O E D Y O S J X E C I R P Y U B
X C E D P C A R T D C R O D N E V G L X T Y Q Z W
R W X G D V H V X H F D Z C P E D O E L B S M J N
```

ANTIQUE	CRAFTS	HANDMADE	RETRO	SWAP MEET
ART	DEALS	JEWELRY	SALES	TOYS
BASKET	DISCOUNTS	JUNK	SATURDAY	TRADE
BLANKET	EATING	NEW	SECONDHAND	TREASURES
BOOTH	EVENTS	PRICE	SELL	UNIQUE
BROWSE	EXPLORE	PRODUCTS	SHOP	USED
BUY	FOOD	PURCHASE	SIT	VAN
CLOTHING	FUN	RECYCLED	STALL	VENDOR
COLLECT	HAGGLE	REPURPOSED	STROLL	VINTAGE

Beautiful Pictures

```
H I T A L Y N Y Q V A L L E Y G K T E K R A M A Y
I S S E T I R W F C L L A I R O T C I P Y O B N S
L D U W V T Z W O A K T N A S A E L P T U L A L U
L U E S N I O L E T R G D I C L H D U N U M U P B
S O V U E B T S B H L M S N E C W A T E R F A L L
P L O I N S T C E E S L C V R C E A S E R S E A I
R C C I V H R T A D K A A O B B I K G O T S N K M
I M A G E I U O C R E R P M W N Y G L U M J G E E
N R T T Z A D X H A T F E U S S F O R E S T L S W
G N I T N I A P E L C T M R A H C E G T N I A U Q
V C V R I V E R S S H A A A B H S T R I K I N G M
M Y E N R U O J K C O L F L D E S I G N I D D E W
```

AESTHETIC	COUNTRY	HORSES	PAINTING	SMALL TOWN
ATTRACTIVE	DESIGN	IMAGE	PASTURES	SPRING
BEACHES	ENGLAND	ITALY	PICTORIAL	STRIKING
BEAUTY	EVOCATIVE	JOURNEY	PLEASANT	SUBLIME
BLUE SKY	FARM COWS	LAKES	PORCH	TRAVEL
CATHEDRALS	FLOCK	LANDSCAPE	QUAINT	VALLEY
CHARM	FOREST	MARKET	RAINBOW	VIVID
CLOUDS	GERMANY	MOUNTAINS	RIVERS	WATERFALL
COLORFUL	HILLS	MURAL	SKETCH	WEDDING

At the Dentist

```
F E S B F C A L C I U M R G N A W S E N I N A C S
A I B V G G N I N E T I H W N S E H B A A B U S I
T N L R E N E C T O L G O L D I G C T N C U G A N
Y P E L U N I S O E X A M M T E W N T E H C L L K
B L L E I S I T I V I G N I G B N E I E E K O I B
R A I L O N H A I S P P V A B P R T H N H T V V R
I Q M R E B G I C B D A I P C I S E I C A E E A A
D U S I R O N J N A C I T O O T H P A S T E S Y C
G E G U D E C A Y G V N P R L O O S E T T T L Y E
E Y S R A L O M L A R O S S U C R O W N H H N C S
H H S A W H T U O M D E N T U R E S R E U G N O T
M Y E V Y W B D R C Z D B K M C H A I R I N S E W
```

ACHE	CANINES	DENTURES	HYGIENIST	RINSE
ANTERIORS	CAVITIES	EXAM	INCISORS	ROOT CANAL
BITING	CHAIR	EYETEETH	LOOSE	SALIVA
BRACES	CHEWING	FILLING	MOLARS	SINK
BREATH	CLEANINGS	GINGIVITIS	MOUTHWASH	SMILE
BRIDGE	CROWN	GLOVES	NOVACAINE	TONGUE
BRUSHING	CUSPIDS	GNAW	ORAL	TOOTHBRUSH
BUCKTEETH	DECAY	GOLD	PAIN	TOOTHPASTE
CALCIUM	DENTIST	GUM LINE	PLAQUE	WHITENING

Old Watches

```
S W P K E Z F A S H I O N Q A Q H W X A N D X O X
Y T F C O V E R M Y G C K S U I T S E V P S W P M
W I Y O J L N M U P X V W J B U P R T K O E S H Y
R S I L V E R N O N P I R A I L R O A D C N N X R
R X R C E C W M U O S S E C O N D T O H K I J V O
L I D A E O P E N S L R U B A U J C C L E P A U S
H A N D E G W I L I A R Q E O P R U G D T E C M S
H O U R N G A R S S E W I Z C W D D B N B L K F E
M L O I P H T T W G F L T E X P E N S I V E E O C
E P R S C C C C N A A T N L H F Q O A W K Y T B C
T P S Q U U H I C I S S A L C A C C U R A C Y U A
S T R A P X H E D K V M I N U T E G D A G D B X Q
```

ACCESSORY	CONDUCTOR	GRANDPA	LID	STEM
ACCURACY	COVER	HAND	MINUTE	STRAP
ANTIQUE	DIAL	HEIRLOOM	OPEN	STYLE
BELT LOOP	EXPENSIVE	HINGE	POCKET	SUIT
BEZEL	FACE	HOUR	RAILROAD	SWISS
CHAIN	FASHION	HYPNOSIS	ROUND	VEST
CLASSIC	FOB	JACKET	SECOND	VINTAGE
CLOCK	GADGET	JEWELS	SILVER	WATCH
COAT	GEARS	LEPINE	SPRING	WIND

Ski Trip

```
U M U G Y G B X K M X Y S L O P E S K I S L L I H
A P X K T G Q M M D O E E A W G S S S X T E L Z X
K Y H I E R U G E A R U X L G W O N I C F L E P I
F Q P O B A I A V A L A N C H E N N O C I U O R R
Q T W I T C H P M H Z C O T I F S L D R R W N W T
S E M S R E S O R T S H Z B A T D N H O D E F Z X
Y K E U L J L L V T R A I L R I E T O E L I X S E
E C F M U A S S A F S L E U T P N M R S R A C E S
J I E M C U T A R L R E C L M O X I E E S F A V O
U T P I I O J N E Q O T H G I L F R B N V E T O O
V L K T O R P D E X O M A S K E Q C O A T X L L O
X L J B U N N Y R R Z Q L O D G E V R A C C P G F
```

AVALANCHE	DRIFTS	HELMET	MOUNTAIN	SLED
BOARD	EXCITEMENT	HILLS	NORDIC	SLOPE
BOOTS	EXERCISE	HOTEL	POLE	SUIT
BUNNY	FIRE	INSTRUCTOR	POWDER	SUMMIT
CABIN	FLIGHT	JUMP	RACE	THRILL
CARVE	FUN	LEASH	RENTALS	TICKET
CHALET	GEAR	LESSONS	RESORT	TRAIL
COAT	GLOVES	LODGE	SKIS	TREES
COLD	GONDOLA	MASK	SLALOM	TRIP

Credit Cards

```
S E C U R E E L K E H I N T E R E S T I M I L L V
P C L C C D N L P W D R N M L K G N D E W F I X U
E Q O F R A S I V P P E A S T G Y R P A I E R T A
N Z A M D E W B L R I N Z T N V A U O N L I T N G
D H N U P S D F C N E C I I E C R R A C S N O A U
G H N E M A E I E T O W V P R S T N E S E R P H E
G D V G X C N V T E R L A E E O C W U M E R P C R
K L O R N C N Y A X O O T R D E H E E B U Y I R O
T O T A L O N Z D V P S P C D J R T M N R S R E C
S G L H C U W E E C A O N E P S A U U X I U N M S
T A H C N N B R U M H A U N R T N K N A B H G O I
B J W L K T E M D S E R O T S I N A P L A S T I C
```

ACCOUNT
AUTHORIZED
BALANCE
BANK
BILL
BUY
CHARGE
COMPANY
CONSUMER

CONVENIENT
CREDIT
DEBT
DUE DATE
FEE
FINANCE
GOLD
GROCERIES
INTEREST

ISSUER
LIMIT
LOAN
MASTERCARD
MERCHANT
NAME
NUMBER
ONLINE
PERCENT

PIN
PLASTIC
PRESENTS
PURSE
RATES
REPORT
REVOLVING
REWARDS
SCORE

SECURE
SHOP
SPEND
STATEMENT
STORE
SWIPE
THIN
TOTAL
VISA

Grown-Ups

```
Y N D D E L T T E S H H P U V D E V E L O P E D P
J O B N H T E I C I A F S R T O P N C L N G Z L R
D C I V C D Y Y N V N U R E U V O T E I R G A O F
R W G O I L I T E A P P E W O R E G C A G N M R B
E I G C D M A M I E A V H O E D A D H T I A E R K
K S E L D L O D R R M F C P V E N C U K N E R S Z
R D R R L N R V E O O Q A K O N N J O C D W E S Y
O O U E E A I N P U U H E T M I C O E O A C O D L
W M R Y U S T G X Y C Q T Q H F H K M C I T N R E
Y M F G O C A R E E R I I U G E D E N O S A E S G
P M A R T I N I D Z I G Q L A R R Y H Z R M F D A
A S O M I M A T U R E H T O M P J C N B I L L S L
```

AGE
AUTHORITY
BIGGER
BILLS
BRANDY
CAREER
CHAPERONE
CHOICES
CIGARS

COCKTAIL
DECIDE
DEVELOPED
EDUCATED
EXPERIENCE
FATHER
FREEDOM
GROWN
GUARDIAN

HAVE MONEY
IN CHARGE
JOB
LEGAL
LIQUOR
MARTINI
MATURE
MIMOSA
MOTHER

MOVE OUT
OLD
PARENT
PLAN
POWER
REFINED
ROMANCE
RUM
SEASONED

SETTLED
SUPERVISOR
TALLER
TEACHER
VOTE
WINE
WISDOM
WORKER
WORLDLY

Band Camp

```
X E N O B M O R T R E H E A R S E C F C H A I R E
H V B K R O W M A E T S T N E D U T S L R L K N X
Q O M A R C H W R N A B U T S D T X J T U N U O H
E R R K D B L S O H H C O C S E V I S N E T N I A
I P G T N A A I T R Z N H S O C M E M O P M E T U
C M N E I R T C C K S Y E A N H B B I H L C A S
B I I P W I I O E L B S J I R C D E L A N I S M T
G Z N M D T C N R I A A H D R S I U D E S G D R I
A Z R U O O E C I N N R M O B P E R C U S S I O N
M A A R O N R E D I D B C L P L A Y M T L C O F G
E J E T W E P R A C T I C E F S G A L F O E I O V
S L L I R D N T R H Y T H M E M O R I E S R S Z N
```

AUDITION	DIRECTOR	INTENSIVE	ORCHESTRA	TEACHERS
BAND	DRILLS	JAZZ	PERCUSSION	TEAMWORK
BARITONE	ENSEMBLE	LEARNING	PLAY	TEMPO
BASSOON	EXHAUSTING	MARCH	PRACTICE	TIMING
BRASS	FLAGS	MELODIES	RECITAL	TROMBONE
CHAIR	FLUTE	MEMORIES	REHEARSE	TRUMPET
CLINIC	FORMATION	MUSIC	RHYTHM	TUBA
CONCERT	GAMES	NOTES	SCHEDULES	WOODWIND
CONDUCTOR	IMPROVE	OBOE	STUDENTS	WORKSHOPS

Sports Arena

```
L S P E T S S O O B Q P G C K N I R D B L E B M I
R R T M T M A S C O T A L O U D M W J L W A S N B
H E P N P N R N K M M Z L L S R O T A T C E P S F
H E A A E E E C N E I D U A P R M B M K L G I J R
O H L W H R M S I G L I M Y C N T A R S F A R E I
C C A S Z P A U H A M B U R G E R E I C T R I R E
K V U B G O C P Z P R I D E K G S A U W D U T S N
E K E S E P T P T H E H Y S O T D S E E T O V E D
Y C L N A C H O S O E B A R S O H S V Z G C H Y S
D W Y G T O P R W N B B P I S I W Y G R E N E S T
O I K I P R E T Z E L S D O O F O L L O W E R S A
Z Y Y S S N A F R S R O D N E V W P U X Z O L A H
```

AISLES	CLAP	FANS	LOUD	SIGNS
AUDIENCE	COLA	FOLLOWERS	MASCOT	SODA
BACKRESTS	CROWD	FOOD	MEGAPHONE	SPECTATORS
BASKETBALL	CUSHION	FRIENDS	NACHOS	SPIRIT
BEER	DEVOTEES	GAME	PARENTS	STEPS
BOOS	DRINK	HAMBURGER	POPCORN	SUPPORT
CAMERAS	EAT	HATS	PRETZELS	USHERS
CHANTS	ENCOURAGE	HOCKEY	PRIDE	VENDORS
CHEER	ENERGY	JERSEYS	PROGRAM	WAVE

Fairy Tale Stories

```
W U W H H X F B I D H J S E H S I W E L F J B S X
S G T G R U C B B K Q N G E N L E S S O N E E U Q
K P O E V I L R E G N A D O A Q K P R I N C E R W
T Z E W N G Y D N A C F W H L U R E E P L A R O M
N T G R N T W A L F S W A C A D S X T I T I L H A
A J M O U C E A B T H T R T D T I E S N H F D M G
R P M X O T P R R I X N V I D P N L N O G A U L I
G E P A L D N I T L C A E W I Y J T O C I N S B C
M Y S L I P P E R A O H S F N S T T M C N T M O C
T Q O C E D A Z V A I C A S T L E A M H K A W O X
G R O H U Y E R Z D T N K B A T N B R I B S S K V
T W I C K E D N T Q A E L B A F O S T O R Y J O P
```

ADVENTURE	DANGER	GNOME	MAIDEN	SNOW WHITE
ALADDIN	DWARVES	GOLDILOCKS	MONSTER	STORY
APPLE	ELF	GOOD	MORAL	TRAP
BAMBI	ENCHANT	GOWN	PINOCCHIO	TROLL
BATTLE	ENTERTAIN	GRANT	PIRATE	WARLOCK
BEAST	EVIL	KNIGHT	PRINCE	WICKED
BOOK	FABLE	LESSON	QUEEN	WISHES
CANDY	FANTASY	LURE	RESCUE	WITCH
CASTLE	FOREST	MAGIC	SLIPPER	WOLF

Fashionable

```
Z C F I G U R E D G A B D N A H K E J Z W M E C S
T H V U U P S D L E D O M U P S C A L E U G O V O
U M L O R R O A F U I M A G E T H A I R W A B F C
Y S P B O N M L S S F A N R H A I G E N T E E L I
L E C L M O I E I U T I H A A I C S L O R S L D E
K C O I R E O T L S H N T L G L O E E S I U T R T
Z C L O T H E S U S H K A U A O Q V G A K O G E Y
R U U A S E C N A R A E P P A R L R A E S L J S N
K S O T S T M D K N E E D O U E Y A N S F B J S A
C J Y M G S T S E T A L F P Y D B C T N E R R U C
I L O O K A Y W O M P S M A R T K S Y A W N U R G
E H S U I T U B D C N G P X D L S L F L C U B S J
```

APPEARANCE	COLORS	GENTEEL	NEW	SLEEK
BEAUTIFUL	COSMETICS	GLAMOROUS	PANTS	SMART
BELT	CURRENT	HAIR	POLISHED	SOCIETY
BLOUSE	DASHING	HANDBAG	POPULAR	STYLE
CATALOG	DRESS	IMAGE	RUNWAY	SUIT
CHIC	ELEGANT	JEWELRY	SCARVES	TAILORED
CLASSY	FAD	LATEST	SEASON	TASTE
CLOTHES	FIGURE	LOOK	SHOES	UPSCALE
COAT	FURNITURE	MODEL	SKIRT	VOGUE

Parrots

```
G F X B Z L O U D Y E T A M B C H Y C F D O O F P
Q O U W M E A B E G E T R I C K S T E E K A R A P
O B J B R B X M W J N G X M I A L G R A Y X M H E
L F Q I T Z S O I I T I A I M I G E S T R O N G R
X R R U H S P I T N L K N C I S G U H H A A P E C
P E B U G H E D N I A D S R T N D K V E F E G C H
E T D I I N C P I G C O C K A T O O S R T R P R V
I A R X R T I T H G I L F D T E Y Y I S A E M E G
S W U E B D E K F J P N N Y I K L C O L O R S S R
S O S D E E S U L L O E G N O Z A M A C A W S T E
D W O R D S Y O T A R O Z D N N C E U L B E M Z E
C P N Z F Y T O R A T C E N Z L L I B E N A F E N
```

AFRICAN	COCKATOOS	FRUIT	NECTAR	TALKING
AMAZON	COLORS	GREEN	PARAKEETS	TOYS
ANIMAL	CREST	IMITATION	PERCH	TREES
BEAK	EGGS	LARGE	PETS	TRICKS
BILL	ENDANGERED	LEARNING	REPEAT	TROPICAL
BIRDS	EXOTIC	LOUD	SEEDS	WATER
BLUE	FEATHERS	MACAWS	SINGING	WILD
BRIGHT	FLIGHT	MATE	SPECIES	WORDS
CAGE	FOOD	MIMIC	STRONG	ZOOS

Awe-Inspiring

```
F S B O O K S V W I Y P F T S P L A N E S O U N D
X F A M I L Y O H I I G N T A S T E V G P S C X E
A N Z Q E A B S O A N E O O N Q H O N D H T R I B
R A H N R N S L F W V N Y L I E L I F B E A U T Y
E T N X I D T A I A E I I G O G T W N Y D B R Q O
H U Y A S S R M R H N C P A L N I H I S T O R Y S
T R R C E C E I E T T I E L I S H L A R O R U A R
A E F I I A N N W I I D O A F N P C E A V C S M E
E T B S V P G A O A O E P X E W A T E R F A L L S
W A V U O E T D R F N M L Y I N S E C T S K Y E Y
B E G M M W H Z K Z S R E W O T C I C F S P A C E
S F E C N E I C S E V A C Z W S L O P O W E R F G
```

ACROBATS	FAITH	INVENTION	PAINTINGS	SPACE
ANIMALS	FAMILY	LANDSCAPE	PEOPLE	STONEHENGE
ART	FEAT	LIFE	PLANES	STRENGTH
AURORA	FIREWORKS	LOVE	POWER	TASTE
BABIES	GALAXY	MEDICINE	RAINBOW	TECHNOLOGY
BEAUTY	GEYSERS	MOVIES	RELIGION	TOWERS
BIRTH	HAWAII	MUSIC	SCIENCE	TUNNELS
BOOKS	HISTORY	NATURE	SKY	WATERFALLS
CAVES	INSECTS	OCEAN	SOUND	WEATHER

Weddings

```
N W O G D I N N E R S U O I G I L E R I T U A L S
Q T E R I N G S N V C M N Y N O M E R E C B E T P
K W V O R L X P G H V A S I Y H C R U H C N H S O
W I I O E A L L A H Y T I C O E R F U Y A V U E D
I W S M T S H M G F J R H R P N M E R M Q X S I E
F O N S R R P E E C A I G T R A D I T I O N B R X
E A E M A A V F M A U M I V E L G S E S E Z A P U
T D P E G M O E N S O I E K U E X H L I N N M T
I D X N N H U R N D N N U L E B Q P P O S N D A O
H F E T L E S M T L B Y L S Y Z Y U A W W I I S A
W V M A R R I A G E M O T H E R O E O H A E A M S
F O O D N B C L C S Z S P E E C H V P B C L R C T
```

AISLE	COUPLE	GARTER	MINISTER	SHOWER
BEST MAN	DINNER	GOWN	MOTHER	SPEECH
BOUQUET	ENGAGEMENT	GROOMSMEN	MUSIC	TOAST
CANDLES	EVENT	GUESTS	PRIEST	TRADITION
CEREMONY	EXPENSIVE	HUSBAND	RECEPTION	TUXEDO
CHAMPAGNE	FAMILY	KISS	REHEARSAL	UNION
CHAPEL	FOOD	LAW	RELIGIOUS	VOWS
CHURCH	FORMAL	MARRIAGE	RINGS	WHITE
CITY HALL	FRIENDS	MATRIMONY	RITUALS	WIFE

Garden Tour

```
T X K S A B C Q H M S P E C I E S P E O N Y Z W G
D B O E S O R S G O U E R O L P X E F L O R A L V
R E W O L F U E F I O H L L N V W F X R W R A X I
E C G O L B T O H S N E A A I A P O M H M C M R S
V G N I X A L E R T E V I T A R O C E D I A X N I
O F L Z C I I O U Y G I N N T I D S F P G B E P T
C O I I A M L N O A I T N E N E O E O N P D I L O
S R L G P O X P N M D A E M U T E R O B R A I T R
I E E O C R G R E E N N R A O Y T L C A S L T J W
D S R I D A F F O D I L E N F A I G G H A E Q H Q
N T N A L P O O B M A B P R Q A U F E C I N E C S
H R U O T U O R P S E A S O N A L O T U S D A B F
```

ARBORETUM	DELICATE	GARDENS	NATIVE	SCENIC
BAMBOO	DISCOVER	GREEN	ORCHID	SEASONAL
BEES	EXHIBIT	HERB	ORNAMENTAL	SPECIES
BIENNIAL	EXPLORE	IMPORT	PATHS	SPROUT
BLOOM	FLORAL	INDIGENOUS	PEONY	TOUR
BUSH	FLOWER	LILAC	PERENNIAL	TROPICAL
COLORS	FOLIAGE	LOTUS	PLANT	VARIETY
DAFFODIL	FOREST	MAGNOLIA	RELAXING	VISITOR
DECORATIVE	FOUNTAIN	MOIST	ROSE	WARM

Medicines

```
X N N C O N D I U Q I L C B R E T T E B A L M D C
I P O K I B L I V D A Y L I A D V F L U C O L A Y
Y S I R C O S L M R L K W I D F S I C A F O P N Z
L M T C U I Y V E V A C C I N E H O T K C S N T C
E O O R R N S N M M N Y R T S I M E H C U I N I D
M T P E Z T I E L U D E H C S P M T A L E E P D O
I P H A R M A C Y O C U P U O B A E E L M F S O C
T M F M S E I Q A T S Y R U P B O E N L T G F T T
W Y O P E N I C I L L I N D L S E T I T A H D E O
N S O F O T N O R K V D D E N I M A T I V H Y H R
C O D T W A N T I B I O T I C C I N I L C E H Y N
N I A P N S X P I L L L I F E R I X I L E J I O F
```

ADVIL	CLINIC	ELIXIR	PAIN	SYMPTOMS
AILMENT	COLD	FLU	PENICILLIN	SYRUP
ANTIBIOTIC	COMPOUND	FOOD	PHARMACY	TABLET
ANTIDOTE	CREAM	HEALTHY	PILL	TIMELY
BALM	CUP	LINIMENT	POTION	TONIC
BETTER	DAILY	LIQUID	REFILL	TOPICAL
BOTTLE	DIRECTIONS	MINERAL	SCHEDULE	VACCINE
CAPSULE	DOCTOR	MOTRIN	SICK	VIRUS
CHEMISTRY	EFFECTIVE	OINTMENT	SPOON	VITAMIN

The Pilgrims

```
O C E A N A T I R U P I L G R I M A I Z E R O C K
G S P E E D W E L L I A S H I P G Y E K R U T N E
I T L U W L N S S P O R C U L T U R E L I G I O N
K I S S V R E W O L F Y A M J M T F R E E D O M G
F D E Q P O P C O L O N Y W A O I N D I A N S I L
A I T U U W Y W Y T L A N D Q C H U R C H T A G I
R S T A O W J A I T S G R E R U T N E V D A S R S
M E L N R E C B G N S E P A R A T I S T B H S A H
I A E T G N R O C E T A M E R I C A A M C E A T P
N S R O V I V R U S P E E A S T N A R G I M M I K
G E S T H T U O M Y L P R F J S C U R V Y T Y O W
R I V E R O J A I N I G R I V Z Y R O T S I H N C
```

ADVENTURE	ENGLISH	JAMESTOWN	PILGRIM	SETTLERS
AMERICA	FARMING	JOHN SMITH	PLYMOUTH	SHIP
AMSTERDAM	FEAST	LAND	PURITAN	SPEEDWELL
CHURCH	FREEDOM	MAIZE	RELIGION	SQUANTO
COLONY	GROUP	MASSASOIT	RIVER	SURVIVORS
CORN	HAT	MAYFLOWER	ROCK	TURKEY
CROPS	HISTORY	MIGRATION	SAIL	VIRGINIA
CULTURE	IMMIGRANTS	NEW WORLD	SCURVY	VOYAGE
DISEASE	INDIANS	OCEAN	SEPARATIST	WINTER

Circus

```
T N E T Z S T N U T S L I G H T S E Q S C O Y H U
J C C S B A L A N C I N G R Z O B I G T O P T N E
C O N T O R T I O N S G E Z U M J N A N B R R R P
L S E S T A L S V K H M E V D M I P O A E O A I Q
O T I I I C E C R E A M E R A R P G L H C E P L N
W U D L C Y L F S T D N A G E L J L S P B S E Z P
N M U C K N D I C E I E I N A L O O O E Y P Z H W
L E A Y E I O R S R A C R U I O G P K L S O E H I
U I M C T T O E S C I T S A N M Y G I E I R I W R
Y E O I S W P D N A B E S S D C A M U V S P O O E
T T E N D S T U N A E P J S T C A L B J J O B H M
N H I U I O P Z F Q V O H H Y F V M S T I L T S L
```

ACTS	CLOWN	HORSES	POODLE	TAMER
ANIMALS	CONTORTION	ICE CREAM	POPCORN	TENT
APPLAUSE	COSTUME	JOKES	PROPS	TICKETS
AUDIENCE	CROWD	JUGGLER	RING	TIGER
BALANCING	DAREDEVILS	LIGHTS	SEATS	TINY CAR
BALLOONS	ELEPHANT	LION	SHOW	TRAPEZE
BAND	FAMILY	MAGICIAN	SOUVENIRS	UNICYCLIST
BEAR	FIRE	NET	STILTS	WHIP
BIG TOP	GYMNASTICS	PEANUTS	STUNTS	WIRE

In the Attic

```
R R Y M P G A J K C E U F P S E H S I D V G R X C
K E E P S A K E S P A I N T I N G S M A E B O D F
G N R L A D D E R F G X G U W C N A F X R L O F T
C G U U A I U J O U R N A L S G T K G F G E F L S
D L A J T Q R G R J C L U T T E R U G G R G P O T
S U O R I I B I N S U L A T E O E R R I U A E O A
M C C T R K N O M W S C D L W B A X W E Y L M R I
J R N T H E T R O Q U I L T S F S O H R S B D E R
V A I X S I T D U K A L R H T S U D F A L B U M S
Y T P M E T N E V F S A I E Z A R L T R U N K R Z
F E O V O I J G D M G D R Y S S E C C A M S Q O L
D S T H W Q R B O X E S Z X K B P B L I G H T D J
```

ACCESS	CLUTTER	FIGURINES	JUNK	RAFTERS
ALBUMS	CRATES	FLOOR	KEEPSAKES	ROOF
ANTIQUES	DISHES	FRAMES	LADDER	STAIRS
ARTWORK	DORMER	FURNITURE	LIGHT	TOP
BEAMS	DUCTS	GARRET	LOFT	TREASURE
BELFRY	DUST	HIDE	LUGGAGE	TRUNK
BOOKS	EMPTY	HOT	PAINTINGS	VENT
BOXES	EXHAUST	INSULATE	PICTURES	WINDOW
CLOTHING	FAN	JOURNALS	QUILTS	WIRE

Browsing the Internet

```
A W E A T H E R V O M U S I C N T U M B L R Y U B
O O S I I M A G E S O Q P J E L O S O T O H P P N
I S E D P D A E R T W I T T E R I B Y P C L I R P
Q C I E N S U R F F C E W K N A U C T I O N S O T
G H V P D E U V G T Y O N C O E N H K A T S H G X
L O O I A U I G U A R Z M D D O M O D E O S T R E
E O M K O A C R O K T I D D E R B M R N R U F A T
A L V I L E E A F L S S E A R C H E O L P T M M H
R B G W N Y O U T U B E N B L C S W C C V A A S Y
N V V O W B C R A I G S L I S T E O T A Z T O H A
L A I C O S H A R E O E E L C I T R A O F S E E C
O O P L D G W B R E N N A B E Y B K N M A G X T L
```

AMAZON	DOWNLOAD	MOVIES	PROTOCOL	STATUS
ARTICLE	EDUCATION	MUSIC	READ	SURF
AUCTIONS	FACEBOOK	NETWORK	REDDIT	TEXT
BANNER	FRIENDS	NEWS	SCHOOL	TUMBLR
BLOG	GOOGLE	PHOTOS	SEARCH	TWITTER
CHAT	HOMEWORK	PICTURE	SELL	UPLOAD
CLICK	IMAGE	PINTEREST	SHARE	WEATHER
COMMENT	INSTAGRAM	POST	SHOP	WIKIPEDIA
CRAIGSLIST	LEARN	PROGRAMS	SOCIAL	YOUTUBE

Chess Match

```
N T L P L V Y G U L N I W C L W H I T E D B J V N
A E S E L D R A O B W T Z D G M R H X Y C L O C K
L M T E U W E C S P A Q N Q E A G P O H S I B U T
P A K L T D C G O A P Q E E N I A C Q B T T T S T
M G V N L A N S W M C O T K N R L H R C R Z Y P L
I V R T R O V H C D P E I I B X P M N R T S S R A
E Q U O R F D Q C D U K T F T X W P M O E S T T E
C R C S U J A U U U W E C E I I Z I O S G T T L F
E S G E F N G I S E R O L O T C O O L T Y A S N E
S H W X P X D G K H E C H A L L E N G E C D I A D
I H D O P D B S Y K I N G S H B Q A B K O O R D M
```

ADVANCE	CAPTURE	EVENT	OPPOSITION	ROUNDS
ARBITER	CASTLE	GAME	PAWN	SACRIFICE
ATTACK	CHALLENGE	KING	PIECES	SCORING
BISHOP	CHAMPION	KNIGHT	PLAN	SHOWDOWN
BLACK	CLOCK	LOSS	QUEEN	SPORT
BLITZ	COMPETE	MASTER	RANKS	STRATEGY
BLOCK	DEFEAT	MATE	RESIGN	TEST
BOARD	DIAGONAL	MEET	RIVAL	WHITE
BOUT	DUEL	OPPONENT	ROOK	WIN

Winston Churchill

```
E Y D Y A J P R H S O L D I E R U T A R E T I L N
W N N A L L I E S U O M A F C H A N C E L L O R I
R W G A O S H B C M H P O W E R F U L N O D N O L
E O T L M P S T S I T R A W C Y A L T A S D N H A
C R O H A R R H W L G S E O X T P O L I T I C S T
I A U S R N E E R I I A T N E M A I L R A P O I S
F T G I E Q D G K T S S R R O H T U A O T A U T Q
F O H L L V A C S A I E O S A S W R I T E R R I N
O R I G T N E M N R E V O G T T I I R S S M A R A
Y R K N I T L L A Y Q P K Y T A E R T I M Y G B D
E Y E E H E M I T R A W S W W I I G P H A T E Z U
J P C H N P N L B W T Y V I C T O R Y G N O R T S
```

ALLIES
ARISTOCRAT
ARMY
ARTIST
AUTHOR
BRITISH
CHANCELLOR
CIGARS
COURAGE

ENGLAND
ENGLISH
FAMOUS
GERMANY
GOVERNMENT
HAT
HERO
HISTORIAN
HITLER

LEADERSHIP
LITERATURE
LONDON
MILITARY
OFFICER
ORATOR
PARLIAMENT
POLITICS
POWERFUL

PRISONER
ROOSEVELT
SIR
SOLDIER
SPEAKER
STALIN
STATESMAN
STRATEGY
STRONG

SUDAN
TOUGH
TREATY
VICTORY
WARTIME
WISE
WRITER
WWII
YALTA

Faculty

```
T L S G D G N I T I R W D O C T O R O T N E M P N
E S E N E Y L R A L O H C S T U D E N T S K I W I
S E T I M H E A D R O T C U R T S N I R H N Y S A
R D A T R P C A R E E R U Y T L U C A F C O E E R
U I C L O O T L E C T U R E F T L N I L R W V G T
O U U U F S R E P A P A R T E A I I A M A L A E C
C G D S N O E N T H U S I A S M I S K A E E L L N
N R E N I L P I C S I D C L E N S R L S S D U L U
M A J O T I X L A B S H U S I R P Q N W E G A O J
A D I C T H E O R I E S L W O F F I C E R E T C D
X E C A M P U S M R E T U O C Y F S N O S S E L A
E S S A Y S N O I S S I M D A T N A T S I S S A R
```

ACADEMICS
ADJUNCT
ADMISSIONS
AFFILIATE
ASSISTANT
CAMPUS
CAREER
CLASSROOM
COLLEGE

CONSULTING
COURSE
CURRICULUM
DISCIPLINE
DOCTOR
EDUCATES
ENTHUSIASM
ESSAYS
EVALUATES

EXAM
EXPERT
FACULTY
FAIRNESS
GRADES
GUIDES
HEAD
INFORMED
INSTRUCTOR

KNOWLEDGE
LABS
LECTURE
LESSONS
MENTOR
OFFICE
PAPERS
PHILOSOPHY
RESEARCH

SCHOLARLY
SEMINAR
SKILL
STUDENTS
TEACHER
TERM
THEORIES
TRAIN
WRITING

Fitness Club

```
K P S S L F N G Y M I R R O R S V C A R D I O W S
C T G L S E L O C K E R V M E E L C Y C I B S W G
N L N L L A S C I L I F T I N G T P Z I O E E G E
R R I E L I L S I T A V H W L I I A E S Q A N S X
X E L B M S R C O B I T W S V L M C W U T I I R E
A N C R K S E D T N O R F I A A N O I M X C H E R
W I Y A X A S S Y O S R T T L O O P V O R E C K T
P A C B V P H E M O F Y E U D U M B B E L L A A I
W R E T T O P S S W G S N A N E L X X A M F M E O
P T R E W O R K C S C A L E N S B E N C H E E N N
L T R E A D M I L L A C I T P I L L E L B A N S A
S G R O U P G A N U A S T R E T C H T G N E R T S
```

ACTIVITY	CYCLING	GYM	PASS	SPOTTER
AEROBIC	DRILLS	LESSONS	PILATES	STRENGTH
ASSESSMENT	DUMBBELL	LIFTING	POOL	STRETCH
BARBELLS	ELLIPTICAL	LOCKER	ROWER	SWEAT
BENCH	EQUIPMENT	MACHINES	SAUNA	SWIM
BICYCLE	EXERCISE	MIRRORS	SCALE	TRAINER
BOXING	EXERTION	MOVEMENT	SHOWER	TREADMILL
CARDIO	FRONT DESK	MUSIC	SMOOTHIES	WATER
CLASS	GROUP	NUTRITION	SNEAKERS	YOGA

Our Amazing Bodies

```
L D C Q K D X T J H V O C E L L S E V R E N V L W
S V U W D D N H A I N X F D D F D M I O A L F A A
L W F W F U Q I Z N W I J J A O X M E G T F E E T
Q W S G W N C G S E N I R C O D N E R T I S S U E
Y L Q Q E O M H F G M I E L T N V O N O S E D F R
Z C K K L O I O E M D D B J C I T A H P M Y L E T
P I S O D N T R U S H N Z W T A G J O I N T S I O
T K N U W A E N P T T A A S O R I L E Z S K U L L
M D I E J V E I N S H L E H U B U I K E X S I A H
K T K C E N T H H O A G I W S N L V N Y L M R A H
O L S N O M H S E F I L U A G K N E E E B C P K O
A L H B M W G D J D R U H S N N G R G G H M O U C
```

ARM	ENDOCRINE	HEAD	LYMPHATIC	SKULL
BLOOD	EYE	IMMUNE	MOUTH	SPIT
BONE	FACE	JOINTS	NAIL	SYSTEMS
BRAIN	FEET	KNEE	NECK	TEETH
CELLS	FINGER	LEG	NERVES	THIGH
CHEST	GENES	LIFE	NOSE	TISSUE
COLON	GLAND	LIMB	ORGAN	TOE
DIGESTIVE	HAIR	LIVER	SHIN	VEINS
ELBOW	HAND	LUNGS	SKIN	WATER

International Travel

```
W J S J O N G K S S D Y A W L I A R E D R O B L R
G Q U H R N I T I N E R A R Y C S E G A U G N A L
N P W P I I O B O O R T G E L U K U N K J P T U T
S J O K G P N I U I E N E G O I R A I A C Z R R W
G T L S O J T E V S G U N A D S A C R T L A O J Y
C A E V T A T A V R A O C L G I M U E N C P P U A
W T E K C C L B K U Y C Y L I N D L D G R A S N W
G R N A C R A P P C O N T I N E N T N I U L S K B
P A V A J I U R Q X V S J V G T A U A E O E A E U
N I O N O I T I D E P X E P E X L R W R T A P T S
G N R S I G H T S S H O P P I N G E J O U R N E Y
I M N T H O T E L E T S O H G N I Y L F Z N Q J N
```

AGENCY	CULTURE	JUNKET	RAILWAY	TICKETS
AIRPORT	EXCURSIONS	LANDMARKS	SHIP	TOUR
ARRIVAL	EXPEDITION	LANGUAGE	SHOPPING	TRAIN
BORDER	FLYING	LEARN	SIGHTS	TRIP
BUS	FOREIGN	LODGING	SOUVENIR	VACATION
CONTINENT	HOSTEL	PACK	STOPOVER	VILLAGE
COUNTRY	HOTEL	PASSPORT	SUBWAY	VOYAGE
CRUISE	ITINERARY	PLANE	SUITCASES	WALKING
CUISINE	JOURNEY	POSTCARDS	TAXI	WANDERING

Haunted Houses

```
P M K S A M J F T X Z J O R Y E E R A C S T A B C
B E S W O D A H S R E P S I H W K R S L U O S I S
Z H O A I S E R P P A E S P I R I T S N O R T H W
Q M N P P T O A R H G E E I M B Q L I G H T S Y A
S S T I L R C X E A G B C L D U E L H N A G C E N
E K D H R E G H S N C H I L L S B O K U E V A R G
I E E I G R D S E T R V O U P O S E R U T C I P X
R I M R O I A K N O E C V S G T B A S E M E N T Y
C R O A X P R D C M A G N I Y F I R R O H I A E W
F H N T Z M K F E F K V X O S K E L E T O N M Z E
R S S S T A I R S W N O D N A B A A G N I G N A B
Y M Z Q D V N C V H F S E V R Z O R N P P J G M S
```

ABANDON	CURSE	HORRIFYING	PEOPLE	SOULS
ATTIC	DARK	ILLUSION	PHANTOM	SPIDER
BANGING	DEMONS	LIGHTS	PICTURES	SPIRITS
BASEMENT	FRIGHT	MANIAC	PRESENCE	STAIRS
BATS	GHOST	MASK	RATS	VAMPIRE
CHILLS	GOBLIN	MAZE	SCARE	VOICES
COLD	GOOSEBUMPS	MIRRORS	SHADOWS	WEBS
CREAK	GRAVE	MOANS	SHRIEK	WHISPERS
CRIES	GROANS	PASSAGES	SKELETON	WITCH

Rafting Adventure

```
P C A P M I T D A X E S P O R D M A N E U V E R S
J T N P P A R W D S G R O E C A M E R A C O X B C
I R X O I I E T I P T O B W E T P I G R A D E S K
P O R O F C G R S L O C S R E L L I T N E R R U C
M P O T U S N S C A D K T T R O B F D R T K C E X
L S H E K T A I L S F S A C O P A A U S I C I Z E
J L U A N I D L C H N G C P X R G T T A U P S I K
A L Y M M M I O G W I E L N S U N G L A S S E S D
C A A P M R F H O V U R E Q I E T U M B L E F P G
K F A U H E X D A R I A S D V Z E D U R H F U A O
E C E T G P R N L H S O E D I F F I C U L T N C K
T U B E T H I Y W S D R A Z A H B T R J V S W I M
```

ADVENTURE	EXERCISE	JACKET	PICNIC	SUNGLASSES
CAMERA	FALLS	KAYAK	RAFT	SWIM
CAPSIZE	FAST	LAUGH	RAPIDS	THRILL
CURRENT	FUN	MANEUVER	ROCKS	TRIP
DANGER	GRADES	NAVIGATE	SCREAM	TUBE
DIFFICULT	GUIDE	OAR	SPLASH	TUMBLE
DOWNSTREAM	HAZARDS	OBSTACLES	SPORT	WET
DRIFT	IMPACT	OUTDOORS	SUIT	WHIRLPOOL
DROPS	INFLATABLE	PERMITS	SUMMER	WILD

Hot Chocolate

```
Y W E A T B L M A E T S H T O R F B G G N K G E K
X K D Q K R A D J D O A S B A J E N T P W I Y I A
P Z E G L E Z M E M U M P I D E I T T S O A J V N
H S W E E T H T R E A T D E W P H R N V R W O H S
K B T B J A N E I L R S L G M S E A A I B A D O S
R X Z O G W H U F O F I J A I S S L T C W M G E O
V O E A V T N T F O C R C R S P T O S P I C E U R
G G P F Q E O M A I T H Q E S I U X N A Y A M S S
W K D M E K O M O S U C D V N D K C I H T M S L P
H G V W R C P U C Q T L D E P P I H W M D D M G F
A N U O W A S C O Z Y Y Y B I H O K N L G K N U D
D A X F L P W H C I R I T S S T V F A Q G E S M Y
```

BEVERAGE	DELICIOUS	INSTANT	SIP	TASTY
BROWN	DESSERT	KIDS	SPICE	THERMOS
CAMPING	DUNK	MAYAN	SPOON	THICK
CHRISTMAS	FIRE	MIX	STEAM	TREAT
COCOA	FOAM	MUG	STIR	WARM
COMFORT	FROTH	OVALTINE	STOVE	WATER
COZY	FUN	PACKET	SUGAR	WHIPPED
CUP	HEAT	POWDER	SWEET	WINTER
DARK	HOT	RICH	SWISS	YUMMY

School Yearbooks

```
R E C O R D B M O R P A G E S E M A N T H E M E G
C L G T H I G H L I G H T S E T O D C E N A T Q O
A P N F R E S H M A N S O E R O M O H P O S U U A
J O I Q P P R E E W M S T M P E C S I N I M E R L
O E N C I M S A M G K B E I E S I G N A T U R E S
U P G R T S C H O O L E I N A C I M E D A C A N T
R P I J A U S T R O P S E T I R O V A F U L M I N
N T S G X K R O I N U J Z P I O T M C C D U A L E
E G E L L O C E E A W A R D S O R R I H A B S E D
Y S E T O U Q T S V T O H S P A N S O N R S C M U
L E F A C U L T Y O U T H P J O K E S P G I O I T
K O O B P R R R E V O C L A S S R E H C A E T T S
```

ACADEMIC	FACULTY	JUNIOR	PORTRAITS	SNAPSHOT
AMBITION	FAVORITES	KEEPSAKE	PROM	SOPHOMORE
ANECDOTES	FRESHMAN	MASCOT	QUOTES	SPIRIT
AWARDS	GOALS	MEMORIES	RECORD	SPORTS
BOOK	GRADUATION	MESSAGES	REMINISCE	STUDENTS
CLASS	HIGHLIGHT	NAMES	SCHOOL	TEACHERS
CLUBS	HOMECOMING	PAGES	SENIOR	THEME
COLLEGE	JOKES	PEOPLE	SIGNATURES	TIMELINE
COVER	JOURNEY	PICTURES	SIGNING	YOUTH

First Names

```
D N Q C X A N A D I A M K F I S A A C H L O E Z B
K C A J Y E L A H V S A N E E A V B S E M I L Y L
F J N G G M M Y T N A C L I V C F W I V W V O O E
U R O S O N M A A H R K L L T I C S X C U F C L G
S Z R R A L T I I K A E W U I S N T E Y B E I I N
T K G L D M Q J C L H N T M K S U I L R N J N V A
R A Y S K A O O O H L Z B N O E O J A A A V A I N
N D Y L O D N H N S A I S R U J A N T H O N Y A B
S N X L I N M A T T H E W E O H D R A C H E L F V
D A K F O E V A N O J U L I A O A T J A I H P O S
N A P R U R C W L E U M A S N X K F L Z W Y Q X X
W F O I J I N V K Y K Z X R R O B E R T Y L E R V
```

AIDAN	CONNOR	JESSICA	LUKE	ROBERT
ALEXIS	DYLAN	JORDAN	MACKENZIE	SAMUEL
ALLISON	ELIJAH	JOSHUA	MATTHEW	SARAH
ANGEL	EMILY	JULIA	MICHAEL	SOPHIA
ANTHONY	EVAN	JUSTIN	MORGAN	TAYLOR
AVA	HALEY	KAYLA	NATHAN	THOMAS
BRANDON	HUNTER	KEVIN	NICOLE	TYLER
BROOKE	ISAAC	KYLIE	OLIVIA	WILLIAM
CHLOE	JACK	LOGAN	RACHEL	ZACHARY

Martial Arts

```
E A T W J N G N I N I A R T H E I D T R O P S U L
Q Y H P O S O L I H P T A I S H T O O G Y B K R T
Z E S G G T J I Y D X H Q W C E J U D H R V I O N
J C S N L I A L T R C L K I C K I N G U T Q L I E
A I E I A G N T S A Z E A H L O O H C S J E L R D
A T N T C E C E A G T T N L S T N E M E V O M R U
I C T H I R I J N O D I S C I P L I N E A U O A T
S A I G S U E F Y N Q C D Q H E A L T H Q F V W S
A R F I Y T N X D U W D P E E R E T S A M G I U U
N P T F H L T W E A P O N S M A N D A R I N E S C
I U J W P U M S T A N C E S T Y L E S D U U S H O
Q B Q Z H C O M B A T T C R A N E T A R A K U U F
```

ANCIENT	DRAGON	JUDO	MOVIES	STUDENT
ART	DYNASTY	KARATE	PHILOSOPHY	STYLES
ASIA	EXERCISE	KICKING	PHYSICAL	TAI CHI
ATHLETIC	FIGHTING	KUNG FU	PRACTICE	TECHNIQUES
BRUCE LEE	FITNESS	MANDARIN	SCHOOL	TIGER
COMBAT	FOCUS	MASTER	SHAOLIN	TRAINING
CRANE	HARD	MEDITATION	SKILL	WARRIOR
CULTURE	HEALTH	METHOD	SPORT	WEAPONS
DISCIPLINE	JET LI	MOVEMENTS	STANCES	WUSHU

Building

```
P B C H C R R S E V Y C R F H R E T L E H S F C M
P S T O R E P E K R O W O O P Z N B D J K O O A H
E T D Y B S J C N U U N M O E I S A Y O N S E Q
O E J M K C A U B G N T U Y M L S T S R T O P M L
P E U C H A R R W D I G C T Z E F C W R N I A A Z
L L O U M L C I A T N N R U N V R R A R G T I R D
E L R B Y A H T L I A A E I R A N C Y N E I N F P
B C C T H T I Y L P P T S E P T T G I R M D T U E
H B I Q Y O T L U A O U I E R O S L I A J D X W M
S C O F N R E C K O B M R B R R I A L S L A B O O
L P F I F W C L L A T B J Y A E L S E A E S U O H
B O U W D O T S Y N A P M O C H Q S Q W H D D D W
```

ADDITION	CODE	FLOOR	MASONRY	SKYSCRAPER
APARTMENT	COMMERCIAL	FOUNDATION	MATERIAL	STEEL
ARCHITECT	COMPANY	FRAME	OCCUPANCY	STORE
BARN	CONTRACTOR	GLASS	OFFICE	STRUCTURE
BLOCKS	DESIGN	HABITAT	PAINT	TALL
BUSINESS	DWELLING	HALL	PEOPLE	TOOLS
CEILING	ELEVATOR	HOME	ROOF	WALL
CHURCH	ENGINEER	HOUSE	SECURITY	WOOD
CITY	ESCALATOR	LUMBER	SHELTER	WORK

Landscaping

```
N F I O T W S S E K A R L A P H H E Z Q K E E R C
O G V S A N V G S I S E A C L D T Y F D G V J Q E
A V Y T W P A H Y F S L I A A D E T A V I T L U C
R P E O O R R S R X A K R R N B E A U T I F U L N
I R R N D U I D A S R N O I T A R O C E D R A Y A
K G D E B M E H I E G I T N B C H A I N S A W S L
M R N S K S T B P L L R C G F E R T I L I Z E R A
D U T M I A Y X O B R P I O U T D O O R S L E E B
D O L G P M L V T K E S P B T R E E S V B G D W R
P U N C I N E C S J X D R A H C R O W B A G S O R
L X M R H S H O V E L V S R O C K S E H S U B L U
E A T S L Z E T K U Y A G E N U R P O H C Y I F F
```

ATTRACTIVE	CREEK	GROWN	PLEASANT	SPRINKLER
BAGS	CULTIVATED	LAKE	POND	STONE
BALANCE	DECORATION	MULCH	POTS	TOPIARY
BEAUTIFUL	DESIGN	ORCHARD	PRUNE	TREES
BEDS	FERTILIZER	OUTDOORS	RAKE	TRIM
BUSHES	FLOWERS	PATH	ROCKS	VARIETY
CARING	GARDEN	PEBBLES	SCENIC	WATER
CHAINSAW	GLOVES	PICTORIAL	SHOVEL	WEED
CHOP	GRASS	PLANT	SHRUBS	YARD

Drugstores

```
I H T L A E H C Y P W M C A R D S H A M P O O R F
T P R O D U C T V H S A Y D N A C A S P I R I N T
O A D V I C E I T O T G I C I H B F F U R D N A D
R Y Y R R L T N K T A A L B O A Q A O G L I T W I
L S R E N A E L C O T Z P S U S B K N O O E M E A
A K A C M M I T A S I I H O C P M E H D D T E L P
C M C I T M R C R E O N A S E I R E T T A B N L E
I L N A M E D I C I N E R A Y M S O T E A G T N R
P S E B E V E R A G E S M B Q U O A F I S I E E S
O R W R O T C O D H R S A T O Y S H B E C O N S Z
T M D W K B E A U T Y B C H Y G I E N E N S F S O
S K C A N S W E E T S X Y M A K E U P E V L A S T
```

ADVICE	CARDS	DOCTOR	MAKEUP	SNACKS
ASPIRIN	CLEANERS	FOOD	MEDICINE	STATIONERY
BABY	CLERKS	HAIR	MILK	SWEETS
BANDAGES	COSMETICS	HEALTH	OINTMENT	TOILETRIES
BASICS	CREAM	HOMEOPATHY	PHARMACY	TOPICAL
BATTERIES	DANDRUFF	HOUSEHOLD	PHOTOS	TOYS
BEAUTY	DIABETES	HYGIENE	PRODUCT	TREATMENT
BEVERAGES	DIAPERS	IBUPROFEN	SALVE	VITAMINS
CANDY	DIET	MAGAZINES	SHAMPOO	WELLNESS

Make a Wish

```
E F Z W H K S T A R S C O Q U Z X T L P E N N Y Z
Z A H V Y F V J S A T D T L E W C B L L I W H F
W I Y S A A U P K W N N E A B I R T H D A Y N H F
M T I Y R O T C I V A U N N I A T N U O F D E E N
A H C M P E A T N R W A O G Y A H A N K E R I N G
N I I B A N Q V G K S S B U E L O N G I N G B X Y
T R X O D P X U W S V P H I N I N T E N T I O N S
C S J L D T A E E L B I S S O P Z V R O F E H C A
I T E R C E S C P S F R I H M P A T F T Y O I O T
G Y E N L K C A O Z T E W E G R U C O I N T X V N
A A I P W U E E H T I U Y A C K M I R A C L E E A
M E R I S E D P Y Q M A W K X Q U Q Z H S C K T F
```

ACHE FOR	DREAM	INTENTION	PENNY	THIRST
ASKING	FAITH	ITCH	PLEA	URGE
ASPIRE	FANTASY	LANGUISH	POSSIBLE	VICTORY
BIRTHDAY	FOUNTAIN	LONGING	PRAY	WANT
CANDLE	GENIE	MAGIC	REQUEST	WELL
COIN	GRANT	MIRACLE	SECRET	WHIM
COVET	HANKERING	MONEY	STAR	WILL
CRAVE	HOPE	NEED	SUCCESS	WISHBONE
DESIRE	HUNGER FOR	PEACE	SYMBOL	YEN

Maps

```
K C U E L E V A T I O N S T C A R T S B A R K I P
S E O D X M X M B G R I D U E X G N I M A P S L A
L H Y M G P I R E V I R Z R N L O N T I T L E O R
V C A M P G R O U N D L E N O I T A L U P O P N K
E T W D E A G E O D S H A B T E M R E D K A A G V
A R H M E R S R S C P T E C R E O P E R V Y T I C
S O G S A D T S H S O S N S I A Q G R E A D L T T
T P I P T H H O I W W U T H D T R U D O E T A U C
A R H U P R O M N Q J A N S Z E U Q A S V D S D D
R I I O B L E S O U T H Y T E I L A I T S E L E C
C A L D W H L E V E L A E S Y W J G N M O B D J R
D E D I V I D L T R A V E L A D N E G E L R Z V E
```

ABSTRACT	DESIGN	GRID	NAUTICAL	SEA LEVEL
AIRPORT	DIRT	HEMISPHERE	NORTH POLE	SHADED
ATLAS	DIVIDED	HIGHWAY	PARK	SOUTH
CAMPGROUND	EAST	INTERSTATE	PAVED	STREET
CELESTIAL	ELEVATION	JUNCTIONS	POPULATION	TITLE
CITY	EQUATOR	KEY	RAILROAD	TOWN
COMPASS	EXPRESSWAY	LEGEND	REST AREA	TRAVEL
COUNTY	GEOGRAPHIC	LONGITUDE	RIVER	UNIMPROVED
DEGREES	GLOBES	MAPS	SCHOOL	WEST

Felines

```
V Y Z A R C C D H C B W A T R G R Y R M X D O K R
D O F G T J S E I X H G I A I T E P E A C J B P Y
Y E C F M Y S T E R I O U S F G K S N H F Y O M L
N K H I U N E E L L M G P O E Q E C U E T U K U D
H S E S E L B R E Q A W S L G M K R N O N I B J P
C C E T H A F M F J L E O P A R D J A C M O L N S
A P T T I G M I K B A H C I O Y Y S E D U O R P V
Q I A E K E E N D L Y L S T L I L L N T D C Z T
K U H C R R O E Q P A B E N G A L E C S J G D Q N
G Y I U C T W D P W N T N U U I A E Y G Y Z A L M
G L F E D X S S S I H J S H O Q M P D I T A B B Y
T K J D T I D E B V E R B N A P S D K S L N I W B
```

AGILE	FIERCE	LAZY	NAP	SLEEP
ATHLETIC	FLUFFY	LEAN	PET	SMALL
BENGAL	FUR	LEOPARD	PLAY	SOFT
BOUNCE	HIMALAYAN	LICK	POUNCE	SPOILED
CHEETAH	HISS	LION	PROUD	STALK
CLAWS	HUNT	LITHE	QUIET	STRETCH
CRAZY	JAGUAR	MEOW	REGAL	TABBY
CUDDLY	JUMP	MOUSE	SHED	TIGER
DETERMINED	KITTEN	MYSTERIOUS	SIAMESE	WISE

Sculpture

```
U I X A W R E E D S L Y C K T U O S G S D Y H P I
O X P O E G N M T E H N A M U H G A L L E R Y Z A
C D N X A O G H C C C A E L M F N M U E S U M X E
K S G M T M O D E L A O P E P O I G N I R I F S O
I A I S E A T T O C A R R E T S N I A T N U O F M
G C S M R T W O O D Z Y T A F A I U T A G P G F R
C R E A T E R O T P L U C S T A B D M R R L K I O
N O D B L R M S U T Y C R F B I M U C E A A M P F
Q D M D R I S Y C B O R E B M A O O S B N S Q G K
U I I O R A S E L I T X E T E S C N U T I T S A C
H N O O L L S T O O L S X Q E U T A T S T E H L M
G J N G X D Y S K T P V V N D B R O N Z E R J J S
```

ABSTRACT	CREATE	GALLERY	MOLD	SNOW
AMBER	DECORATION	GLASS	MONUMENT	STATUE
ART	DESIGN	GRANITE	MUSEUM	STONE
BRASS	DISPLAY	HUMAN	PLASTER	TERRACOTTA
BRONZE	FAMOUS	ICE	POLYMERS	TEXTILES
BUST	FIGURE	IMAGE	POSE	TOOLS
CAST	FIRING	IRON	RODIN	WAX
CLAY	FORM	MATERIAL	SCULPTOR	WELDING
COMBINING	FOUNTAIN	MODEL	SHAPE	WOOD

Dusty

```
S S J C I M S O C I T S E M O D A O R V K X R J O
J I K F B F Z G W S U R F A C E A R T H K O T Q F
K P D L R V N R M B U X J R Z S C V M O O R B X E
F N E L T R U O H T O L C E E E T A X L V M A Z X
V O W R R R M U I X Y E E V G R T C F Q L G U R I
I O R V E A I N D G H N X O D T B U O L G Z M E N
G Y K D V H R D R L S M V C E R X U A A X A J T I
E C Q Y E U T E Y Y I O X R L A X M N E L P R A K
Z U V U F B L A F T D N I W P T S O R N P E E W S
Z J N I Y L R S E H S A O L D S N P C O Y N M T I
H V U B A U I I O F I B E R E A Z I S A T P C K S
H O A M H T S A S R Z E R J Y W R M L I F S G B W
```

AIR	COVER	FILM	MOP	SNEEZE
ALLERGY	DEBRIS	FLOOR	OLD	SOIL
ASHES	DESERT	FURNITURE	PETS	STAR
ASTHMA	DIRT	GROUND	PLEDGE	STORM
BROOM	DOMESTIC	HAY FEVER	RAG	SURFACE
BUNNY	DRY	LAYER	ROAD	SWEEP
CLOTH	EARTH	LINT	SAW	VACUUM
COAL	FEATHER	MATTER	SKIN	WATER
COSMIC	FIBER	MITE	SMALL	WIND

Be Well

```
S S T A F J M D K N I E T O R P J C A L C I U M H
N C S F J E V I T C A V N E H V E G E T A B L E S
I I I E R H T G N E R T S O Q F A E F I B E R D I
M T G B N U T R I E N T S F I D A T I U H B E I M
A S N A O T I P A X R P Y R D T O N H R A P L C U
T I O L I R I T P E H A O D I C A C I L O F A I I
I L R A T L E F M O H N L L E W D T T M E L X N N
V O T N I N P A R L I F E S T Y L E I O A T A E E
B H S C R B M U I S E N G A M W A L K D R T I C L
Y O Q E T E S I C R E X E J H A P P I N E S S C E
A M Z M U I S S A T O P C N I Z G B O D Y M A S S
I M M U N I T Y R E T A W O R K O U T S U B O R R
```

ACTIVE	EXERCISE	HOLISTIC	NUTRITION	STRENGTH
AEROBICS	FATS	IMMUNITY	PHOSPHORUS	STRONG
ATHLETIC	FIBER	IRON	POTASSIUM	VEGETABLES
BALANCE	FITNESS	LIFESTYLE	PROTEIN	VITAMINS
BODY MASS	FOLIC ACID	MAGNESIUM	RELAX	WALK
CALCIUM	FRUIT	MEDICINE	REST	WATER
CALORIE	HAPPINESS	MEDITATION	ROBUST	WELL
DIET	HEART	MINERALS	SELENIUM	WORKOUT
DOCTOR	HERBAL TEA	NUTRIENTS	STAMINA	ZINC

Around the United States

```
J J Y T O W N S G S W I L D L I F E T S B R L L W
M X M O Y S A Q T R Y T U A E B T D E N I S I U C
K K U G D N E P S A U A P A N I O I S L L O T L V
A E S L A K E Z E R T B S A M O T J L Y L P S E C
L N E W Y O R K Z N C E S E W I I A T K B X C V X
T I U S E S E H I I I H S Y C F N T S D O E H A Y
F N M R R S S A F K V O L Y T D O M A L A L O R G
R E S E S Z T F C I Y L G M M T M S E N R T O T F
O V N D O N A O L R O D N A L Y E N S I D T L X M
A I U R U R R L M H S M R A F L I G H T S A S S A
D R H O T H E T R U C K S P O H S I G I H C A R S
Q D M B H U A C R U S H H O U R X S H V E G A S Z
```

ALAMO	DINERS	HOLLYWOOD	REST AREA	TOLLS
ASPEN	DISNEYLAND	LAKE	ROAD	TOWNS
BEAUTY	DRIVE	LANDMARKS	ROCKIES	TRAFFIC
BILLBOARDS	EAST	MOUNTAIN	RUSH HOUR	TRAVEL
BORDERS	FARMS	MUSEUMS	SCHOOLS	TRUCKS
CARS	FIELDS	NAPA	SHOPS	VEGAS
CATTLE	FLIGHTS	NASHVILLE	SIGNS	WEST
CITIES	GETTYSBURG	NATIONAL	SOUTH	WILDLIFE
CUISINE	HISTORY	NEW YORK	STATES	YOSEMITE

Waterfalls

```
P O O L Y X E B U K A I M P A C T M K S C E N I C
R O N A X T S T R E A M G N O I S O R E I T T A I
X F R U S H Q U G B C Y D A E W R T E L K C I R T
R P D D O K O R N N O M A C M Q E T S A E R E H O
S E I M B T O Q O S G O W K L V W R T I O I L T X
H E V R V G G Y E G N U L P I A N O F T M H B U E
E T E I H Y N M T A D N S S N N C P C U R S B Q R
L S J Z R A I N B O W T N H O M G I P H L A U Y U
F F I L C T R C A S C A D E I L V C T K R L B A T
D X U A E R A F T Z P I R W S N I A M R A P I D A
S K V R E W O H S X E N S A Y L G L E W E S M J N
G E D Y Y A R B E A U T I F U L E L O U D V P N J
```

BARREL	EROSION	MOUNTAIN	RIVER	STREAM
BEAUTIFUL	EXOTIC	NATURE	ROARING	SWIM
BUBBLE	EXPANSIVE	NOISY	RUSH	TIER
CANYON	GORGE	PLUNGE	SCENIC	TOUR
CASCADE	GUSHING	POOL	SHELF	TRICKLE
CAVE	IMPACT	POWERFUL	SHOWER	TROPICAL
CLIFF	KAYAKING	RAFT	SPLASH	VERTICAL
DIVE	LOUD	RAINBOW	SPRAY	VICTORIA
DROP	MISTS	RAPID	STEEP	YOSEMITE

Encyclopedias

```
B O O K S E R I E S Z K X A H K N O W L E D G E P
R L E R C G N I D A E R W I T L L E A R N I N G T
O A E V I S N E P X E O S Y Y R A N O I T C I D O
W R G N E T A H F F R T R E E C A U T H O R H V P
N G A O N N R A E L O A E S I I D C K U E S T O I
T E U I C E C R D R R L E N D R L S N Z V E Y L C
N N G T E T E B Y B P A N E W E O T A E E G R U S
I T N I S N O E I O R A P A P E R G N I N A E M B
R R A D C O L L E C T I O N L I N E E A T P V E N
P I L E K C D P H I K S T C E J B U S T S L E S B
R E S O U R C E R I H N B S U G E D U C A T I O N
H S I L B U P B W R I T T E N N L A R T I C L E S
```

ARTICLES	DICTIONARY	HISTORY	ONLINE	RESOURCE
AUTHOR	EDITION	KNOWLEDGE	PAGES	SCIENCE
BOOKS	EDUCATION	LANGUAGE	PAPER	SERIES
BRITANNICA	ENCARTA	LARGE	PEOPLE	SUBJECTS
BROWN	ENTRIES	LEARNING	PRINT	TOPICS
CATEGORIES	EVENTS	LIBRARY	PUBLISH	VOLUMES
COLLECTION	EVERYTHING	MEANING	READING	WIKIPEDIA
CONTENT	EXPENSIVE	NEW	REFERENCES	WORLD BOOK
COUNTRIES	FACTS	OLD	RESEARCH	WRITTEN

Studying Science

```
T U Z G S F C G U V A E N G M A I R E T C A B D R
C T Z K Y U D C B Y G O L O E G B Q M P Q S A T B
N E G S Q A R I H E Q U T R L H L E E T U T L E V
Q X L S C T C I C E A A U F E Y X N T C S R P S Z
W T E L C I N E V A M K S A M P L E S E K O Y T O
Y F L A S O S O N V O I E I E O T R Y S C N R T O
T N U R L Q L Y R Z L N C R N T R G S S O O O U L
P F C E R U A L H T Y O I A T H A Y O I R M E B O
R I E N T A M X E P U M O M L E H R C D U Y H E G
O F L I U R I V O G E E E H A S C H E M I S T R Y
B I O M E K N S E N E G N M C I N A G R O V W P S
E N M A X E A R T L A M M A M S A F E T Y D U T S
```

AMINO ACID	CHEMICALS	EXAM	MICROSCOPE	SAFETY
ANIMALS	CHEMISTRY	EXPERIMENT	MINERALS	SAMPLE
ASTRONOMY	COLLEGE	FAIR	MOLECULE	SCHOOL
ATOM	DISSECT	FROG	NEUTRON	STUDY
BACTERIA	ECOSYSTEM	GENES	ORGANIC	TEST TUBE
BEAKER	ELEMENT	GEOLOGY	PHYSICS	TEXT
BIOME	ENERGY	HYPOTHESIS	PROBE	THEORY
CELLS	ENZYME	LAB	QUARK	VIRUS
CHART	EVOLUTION	MAMMAL	ROCK	ZOOLOGY

Positive Thinking

```
O O B K A Z C S M A R T H O U G H T F U L Y D R H
E K D E D I C A T E D S B Y O E N E R G Y F C E W
W L M R E E H C X Z G E N T L E D U T I T T A W I
L X A U Y O J C O O F Q T F M Z G L C S S L P A N
F U E C P Y E N M N P O W E R F U L U O T O A R S
U P R E H L O S P A F Y T A R F Y C O H G O B D P
N B D G L I I R F L R I C R P M C B Y G O A L S I
N E V E S M E F E O C A D L P E I C O N Q U E R R
Y A N S I P I V T X R I E E S L E N C O U R A G E
P T A T A R A C E I T H L S N E A G E R N E S S V
G P P R M R I X N U N D H S Z T Y N B D U O R P V
Y O E Y B V M G B R I G H T S T R O N G Y P P A H
```

ACHIEVE	CONFIDENT	EXCITEMENT	INSPIRE	SMART
AFFIRM	CONQUER	FEARLESS	JOY	STRONG
ATTITUDE	DEDICATED	FUNNY	OPTIMISM	SUCCESS
BOOST	DETERMINED	GENTLE	PASSION	THOUGHTFUL
BRAVE	DREAM	GOALS	PLAN	UPBEAT
BRIGHT	EAGERNESS	HAPPY	POWERFUL	UPLIFTING
CAPABLE	ENCOURAGE	HEALTHY	PREPARE	VICTORY
CARING	ENERGY	HELPFUL	PROUD	WIN
CHEER	EXCELLENT	HOPE	REWARD	YES

Fish Tank

```
O I A K E G K W K A E L B B U B F D N O P K I S N
J Q P U R A E L R O C K S C Z R V N E T X I S W I
R N P Q G N Z H F R O B I B E G F C G T J R P I X
K Y R E T L I F C O L T L S M E T S Y S F P U M P
G K L H S H S T A D O A H I P G T G X T R M S Q Q
C E L U S A G T R X G D C O N A P V O N A I S K Z
V O A T T I N I E O Y S R I B D W Y T E I R A V J
T S R G L A K D L P G E D C P B U N Z M S H L T X
H K B A L A N C E T T E L E V O Y S I A I S G P A
O S V P L A S K A A E E N Z E N R Q T N N V A G Q
M U I R A U Q A E R A T I O N F R T G R G U P P Y
E H P F L D F H B N B O W L N P E X I O Y G P L W
```

AERATION	CLEAN	GLASS	ORNAMENT	SAND
ALGAE	CORAL	GUPPY	OXYGEN	SHRIMP
AQUARIUM	ECOLOGY	HEATER	PET	SIZE
BALANCE	EXOTIC	HOBBY	PLANT	SPAWNING
BOWL	FEED	HOME	POND	SWIM
BRACKISH	FILTER	INDUSTRY	PUMP	SYSTEMS
BREEDING	FISH	LIGHT	RAISING	TANK
BUBBLE	FOOD	NET	ROCKS	TROPICAL
CARE	FRESH	NITROGEN	SALT	VARIETY

Astrology

```
L G N S M T G G E N U T R O F E L Q W S A A X C P
K B P N A E Y P H F R E Y A S H T O O S N O O M F
N W V U M T R S E E R O T T S J Y A O I N Z C W I
V D R I E O U O T E P O C S O R O H F I S A E B R
R U N H R P N R M T Z I P I A I G Q U E N A H I E
S I L T C G O T N A D Y L Q R C E Q C C U E O R T
I A A A U G O T H E N E A E U P E N E O S A U T R
G O I P R O C S R G E C N P W A A R U Z R T S H A
N J J A Y T X P I I P I E A X N P C O T U B E R H
L I D L S F S L Y M V R T P I S C E S F P E I N C
O E L I B R A A G I C E S F U K I H T R A E A T N
Z T O R E K K Y D O R P S C T Y S T A R S J N K X
```

AIR	DIVINER	GEMINI	ORBIT	SEER
ALIGN	EARTH	HOROSCOPE	PATH	SIGN
ARIES	EQUINOX	HOUSE	PISCES	SKY
ASTRAL	FATE	LEO	PLANETS	SOOTHSAYER
BIRTH	FINANCES	LIBRA	PREDICT	STARS
CANCER	FIRE	MERCURY	RETROGRADE	SUN
CAPRICORN	FORECAST	MONTH	ROMANCE	TAURUS
CHART	FORTUNE	MOON	SATURN	VIRGO
CUSP	FUTURE	NEPTUNE	SCORPIO	WATER

Cities

```
M R T M Q N Y U S A N I T A T I O N A B R U K Y V
H I L S H A E C I F F O P P W G N I C N A D R X M
R S A N O I V X L C I S U M S D W O R C T E O I L
F P H E U R I P O P U L A T I O N K C O L B Y N H
R O P Z S T R O P R I A W N X P U X E L A E W E S
O H B I I S S R O D N E V H D C E V A S N O E O T
Y S S T N E M N R E V O G D H I X G E S T I N H E
A B U I G D N O T S O B S I I L E D R N A O X P E
M U B C K E A R E P A R C S Y K S G W A I L R A R
V L W A R P S O M U V A R I E T Y O O W L R L E T
A C A Z A L P A R K G U D O A D D R E S S Q S A S
C H Y K L I C N U O C I F F A R T I M R E P W P D
```

ADDRESS	COUNCIL	LARGE	PHOENIX	SPRAWL
AIRPORT	CROWDS	MAYOR	PLAZA	STORES
ATLANTA	DALLAS	METROPOLIS	POPULATION	STREET
BLOCK	DANCING	MUSIC	ROAD	SUBWAY
BOSTON	DELI	NEW YORK	SAN DIEGO	TAXI
BUS	DOWNTOWN	OFFICE	SANITATION	TRAFFIC
CHICAGO	GALLERY	PARK	SHOPS	URBAN
CITIZENS	GOVERNMENT	PEDESTRIAN	SKYSCRAPER	VARIETY
CLUBS	HOUSING	PERMIT	SOUVENIRS	VENDORS

The Partridge Family

```
S N A F G E T H A P P Y H V S B X T A Q S I R H C
D S U S A N D E Y S I N G L E M O M M R E H T O M
R R Z L K E I T H C Z F Y R C I S U M P O P N N K
O E I R U A L M J H S I N G E R S N D M T C S T S
C L E V A R T A R O P A R T R I D G E P E R D O L
E P X K I A I N R O F I L A C P D A O R E M I U L
R P T E E N I D O L F G N I R U O T T H D X K R I
S I N G I N G A L B S R A T I U G S T I H L K F S
O A B U B B L E G U M N E N I R U O B M A T I L W
N N S Y O B A S S S S S I P A D R A O B Y E K H O
G O S M U R D F V R P S D N A B E G J Y D E M O C
S B T M Y X L O V E G A R A G M T P R K C Q D J J
```

ALBUM	COMEDY	GUITARS	MUSICIANS	SINGERS
BANDS	CONCERTS	HITS	ON TOUR	SINGING
BASS	COWSILLS	HOME	PARTRIDGE	SINGLE MOM
BOYS	DOG	KEITH	PERFORMING	SONGS
BROTHERS	DRIVING	KEYBOARD	PIANO	SUSAN DEY
BUBBLEGUM	DRUMS	KIDS	POP MUSIC	TAMBOURINE
CALIFORNIA	FANS	LAURIE	RECORDS	TEEN IDOL
CHILDREN	GARAGE	LOVE	ROAD	TOURING
CHRIS	GET HAPPY	MOTHER	SCHOOL BUS	TRAVEL

Speaking

```
L I E E T R A P E R J M S H A R E V O I C E S U I
T B X N M L R G N I N E T S I L S W N E M D L H U
E A L O A A A A N S R O T S N N I F Z M R J D K S
L W G T T U M S E I P E S T S N O I T O M E O P K
L Z O T G U B G F I K U T A E R N S W V S G E K M
D E L N H S L R C E C C V T M U E E X C H A N G E
K E A I W U I K E S E E O E U C Q T R Y K P E D S
F L I R V E N P I T R L L M R C H I T C H A T R S
G X D I N W G D U B T B I E I K B E T A V S A A A
O K D D B G F O A W B A T N H E A Y F E H N Y W G
P I S S O G H L E A H S N T G C O E R U T C E L E
C W A T W S L A B A N T E R H S O C I A L A C O V
```

BABBLE	EMOTIONS	LANGUAGE	RAMBLING	TEACH
BANTER	ETIQUETTE	LEARN	RANT	TELL
CHATTER	EXCHANGE	LECTURE	REPARTEE	TONE
CHITCHAT	FEELINGS	LISTENING	SECRETS	TOPIC
DESCRIBE	FRIENDS	MESSAGE	SHARE	UTTER
DIALOG	GOSSIP	MOCKING	SHOUT	VERBAL
DISCUSS	HUMAN	NATTER	SOCIAL	VOCAL
DIVULGE	INFORM	NOISE	SPEAK	VOICE
DRAWL	JOKE	PRATTLE	STATEMENT	WORDS

Home Improvement

```
C D P A T C H O C W C E B N L A A V D J Q G L D C
R P L A S T E R T P A E C A N R U F G U T T E R S
V F O S I B E G E I U X B E S E V O R P M I E A V
H I T M L N P A P P L I A N C E S L O O T N R I A
A X N C I R T N R E K V G R X V B Z T W O E C N C
M Q K T E S Q I A S E R O T S E R O C V W P O S U
M M U V E P W Z C S Z B E F O U N D A T I O N I U
E O E T A R S E E D A R G P U U O T R R N L C D M
R N E X A M I N E L I E C A L P E R T M D I R I X
T I L I N G W O I O X H A N D Y M A N V O S E N Z
L B D S L A Z A R E B M U L P Y B B O H W H T G O
P U S C L D B V P N A I L S K C A R C D C L E A N
```

APPLIANCE	EAVES	HOBBY	PAINT	RESTORE
BASEBOARDS	EXAMINE	IMPROVE	PATCH	ROUTINE
CARPET	EXTERIOR	INSPECT	PIPES	SIDING
CAULK	FIX	INTERIOR	PLASTER	TEST
CLEAN	FOUNDATION	LABOR	PLUMBER	TILING
CONCRETE	FURNACE	LAWN	POLISH	TOOLS
CONTRACTOR	GUTTERS	MOP	PREVENT	UPGRADE
CRACKS	HAMMER	NAILS	RENOVATE	VACUUM
DRAINS	HANDYMAN	ORGANIZE	REPLACE	WINDOW

Online Meetings

```
U E W T G Q E L O C A T I O N S A T E L L I T E V
K L E C N E R E F N O C H A T T T X O U T P U T J
R B I A I C A D F A L R E T G Q P E R S O N A L H
W A V R T A W U P F V A P C D E P R O T O C O L O
J T R E E F D C S O I O U O N I R C O F F I C E B
M U E T E P R A S T D C I S R A W A V J N M P G E
E P T N M O A T U A E B I D I A T D W I E Q I A T
D N N I T C H I C R O V J E U V T S N P R C C M O
I I I I A F F O S E E S I G N A L E I A U T T I M
A J N L T X G N I M A E R T S T A L K D B O U O E
X O L J N M L C D A L C E D O C O M P U T E R A R
M S E L P O E P S C R E E N O H P B A L I V E G L
```

AUDIO	DISCUSS	INPUT	ONLINE	SATELLITE
BANDWIDTH	DISTANCE	INTERACT	OUTPUT	SCREEN
CALLS	EDUCATION	INTERVIEW	PEOPLE	SIGNAL
CAMERA	EFFICIENT	LIVE	PERSONAL	STREAMING
CHAT	EXPENSIVE	LOCATION	PHONE	TABLE
CODEC	FACE	MEDIA	PICTURE	TALK
COMPUTER	GROUPWARE	MEETING	PROJECTOR	VIDEO
CONFERENCE	HARDWARE	MONITOR	PROTOCOL	VIRTUAL
CORPORATE	IMAGE	OFFICE	REMOTE	VISUAL

Olympics

```
N T I M G N P E U N N O I P M A H C U R L I N G W
H O C K E Y O W I S O C C E R E M M U S Y D N E Y
E G U L G T M L I X L H E M I W S I L V E R O M E
R E F E R E E N H N H E Y L L K E A T O K Y O S T
O E B O Z V N A A T T R L Z B O N F T O N X B K L
C C E N A S R K M S A E Q W G O G I A L R D K I U
S A O J B O E M A G T C R U L N N N S D A C O I A
W R I R W F G O L D N I E E A T I E I L M N H N V
B M U I D O P A B A E L C D U L J T R V E U T G O
W C N G N I C N E F P R O S L O I T A G I H S A P
K G U E O S N E H T A T H L E T E F R K E D K S C
M J D Q G N I X O B Y F X I A I B P Y M S Z B W V
```

ANTHEM	CHAMPION	HELSINKI	QUALIFY	SOCCER
ATHENS	CURLING	HOCKEY	RACE	SUMMER
ATHLETE	DECATHLON	INNSBRUCK	REFEREE	SWIM
ATLANTA	DIVING	JAVELIN	ROME	SYDNEY
BARCELONA	FENCING	LONDON	ROWING	TEAM
BEIJING	GAME	LUGE	SCORE	TOKYO
BOXING	GOLD	OSLO	SILVER	TORCH
BRONZE	GRENOBLE	PENTATHLON	SKATING	VAULT
CALGARY	GYMNASTICS	PODIUM	SKIING	WINTER

Libraries

```
I N A I D E M S A N N Z V V G Y E W E D C G F R D
Q R C G I I E C O Y T I C E G D E L W O N K M H T
X A A F S N C I C G H D R O C E R C A T A L O G V
K E R X I O T T L O V O L U N T E E R R I U C M P
E L D F U C E E I L M A O E B R O W S E R N H G F
C P A N I K N W R O E P P S E V L E H S A N A Y S
N A T F I D O E I N N R U U O M L I F O R C I M M
E T A V I R P O E H E A K T B V E F Y U B X R U O
L R D N R A X G B C U T R P E L B A T R I D S P O
I O G O P H C R A E S Q L Y T R I E G C L I B A R
S N B Y J W A L A T I G I D A E R C H E C K O U T
G Y S O H S T V V R J G C E C I V R E S C H O O L
```

ACCOUNT	COMPUTER	INDEX	MUSIC	ROOMS
BOOK	DATA	INTERNET	PAPER	SCHOOL
BORROW	DEWEY	KNOWLEDGE	PATRON	SEARCH
BROWSE	DICTIONARY	LAW	PRIVATE	SERVICE
CARD	DIGITAL	LEARN	PUBLIC	SHELVES
CATALOG	FICTION	LENDING	READ	SILENCE
CHAIRS	FINES	LIBRARIAN	RECORD	TABLE
CHECKOUT	GENEALOGY	MEDIA	RESOURCES	TECHNOLOGY
CITY	HOURS	MICROFILM	RETURN	VOLUNTEER

Shopping

```
X M J D N Y K N S A V E C A S H P S P Z F H V X D
Y D N E R T Q T F Z M U S I C E R R S T O R E R B
O S W B G C N C O S M E T I C S I H O S E M G W B
C K B I X A R H Q F I P P D E P A R T M E N T A A
S O J T P N G R I L D I S C O U N T E N O R L R R
A O L E H D C G P Y E T N W I R N W S C A T D D G
S B C O W L G P U C Y A O A E C O W C P O C I R A
E T R K R E U B E L I W S T E H E Z P A Z R N O I
Z N F E S S L S E L H P U C F A Z A L P R E G B N
I I L I A T E R P Z E I X H R S R J G N I D D E B
S A R I G U K P Y N T P I E C E R S M E T I S H T
S C S I C H A R D W A R E S L A Y A W A Y T O Y S
```

APPAREL	COLORS	HARDWARE	PIECES	SOCKS
APPLIANCES	COSMETICS	ITEMS	PLAZA	SPEND
BARGAIN	CREDIT	JEWELRY	PROMOTION	STORE
BEDDING	DEBIT	LAYAWAY	PURCHASE	STYLE
BOOKS	DEPARTMENT	LUGGAGE	RECEIPT	SUPPLIES
BUY	DISCOUNT	MENSWEAR	RETAIL	TOYS
CANDLES	DRESS	MUSIC	SALE	TRENDY
CARDS	GIFTS	NEW	SAVE	WARDROBE
CASH	GROCERIES	PANTS	SIZES	WATCHES

Investments

```
A T C W E U L A V S E R U T U F A V M A R G I N D
E H O U C G N I G D E H V L R O V E R S O L D P D
N M S L A I C N A N I F R E K O R B P D L L R N O
E A R A L L Y S R E D A R T I A I E O A O O U S W
M R S E R U T A M D R N G R S T X I C N X O E T R
U K E D T C A D V I S O R S R E L I G Y P G A O E
L E N E A T B E D V Q Y E A R O Z T T M A X T P S
O T O O B Q R Z N I J T G C F H E I O R E S D T E
V S J U N K B O N D S E I T I R U C E S E E O I A
I F W B L U E C H I P S R L M Q F V B V F L O O R
Q U O T E S C L O S E O M Z E E A R N I N G S N C
W T D T T E M M U L P U T B A N K I N G F C A S H
```

ADVISORS	CLOSE	FINANCIAL	MARKETS	QUOTES
ARBITRAGE	COMPOUND	FLOOR	MATURE	RALLY
ASSET	CRASH	FUTURES	NASDAQ	RESEARCH
AVERAGES	DEBT	HEDGING	OPTIONS	SECURITIES
BANKING	DIVIDENDS	INVESTOR	OVERSOLD	SHORT TERM
BLUE CHIP	DOW JONES	IRA	PLUMMET	TAXES
BROKER	EARNINGS	JUNK BONDS	PORTFOLIO	TRADERS
CALL	EQUITY	LONG TERM	PROXY	VALUE
CASH	EXERCISE	MARGIN	PUT	VOLUME

How Romantic!

```
W A L K S C I S U M S T D C U P I D K M S V B V K
M J B L C H D A I T E E M O O N L I G H T E S I H
F L G T H O E E F L I R T Y R U O M A B A N S Y Y
L A N S E C N I H F A N C Y E T R F U C O S E D W
O S I E E O G O O S E B U M P S R T H I E N N E S
W O G R P L A N S M I C L O S E N E S S C A D C P
E P G E Y A P R E S O R T S N L S S A H C D N H A
R O U T Y T M G N T T U E I R E A J A S I L O A R
S R H N Y E A R N I N G W H O P K N D N U P F R K
I P R I V G H L U P I C N I C N T A G M K R H M S
T W B O N F C G E T A W A Y R E T T U L F A E E X
Y R L E W E J L O O K N I R D E S I R E X L V D G
```

AFFECTION	CLOSENESS	FANCY	JEWELRY	PLANS
AFLUTTER	COURTSHIP	FLIRTY	KISSES	PROPOSAL
AMOUR	CUPID	FLOWERS	LOOK	RESORTS
BEACHES	DATE	FONDNESS	LOVE	SPARKS
CANDY	DESIRE	GETAWAY	MEET	TREASURED
CHAMPAGNE	DRINK	GIFTS	MOONLIGHT	WALKS
CHARMED	ENCHANTED	GOOSEBUMPS	MUSIC	WEDDING
CHERISHED	ENGAGEMENT	HUGGING	PASSION	WINE
CHOCOLATE	FAIRY TALE	INTEREST	PICNIC	YEARNING

Art Composition

```
S U B J E C T L L K V B R I G H T N E S S F E L H
I G O F V T U E H S A O R S H A P E F C I L U I P
Z T S A R T N O C C R E I H R B Q A I E A T L G R
E S Y P U A R E K H P E N T Y S Z Y L C C N A H S
Y E C H C I M G M E N C T E A T N D L A V E V T D
F Y U U Z Z R E T E A I H N L R H O L P G M C A E
U E L O L O L I R M L K Q S E A J M I S H E P N S
L T N D U P T U E T H E R U T C U R T S J C K O I
C E R N O I T R O P O R P C E T C Q S B U A O P G
L A D V O X A U N I T Y K O G O T U O Y A L O B N
W B Y N E V Q B R U S H X F A N Y S K R I P L S O
I P Z T H E M E D E P T H I P E B W T L A U S I V
```

ABSTRACT	CURVE	HORIZON	PROPORTION	STRUCTURE
ART	DEPTH	HUE	RATIO	SUBJECT
BACKGROUND	DESIGN	ILLUSIONS	REPETITION	TECHNIQUE
BRIGHTNESS	DRAW	LAYOUT	RHYTHM	TEXTURE
BRUSH	ELEMENT	LIGHT	SCULPTURE	THEME
CAMERA	EYES	LOOK	SHAPE	TONE
CANVAS	FIELD	OBJECTS	SIZE	UNITY
CENTER	FOCUS	PAGE	SPACE	VALUE
CONTRAST	FRAME	PLACEMENT	STILL LIFE	VISUAL

Concrete

```
G J F T R R M V H H F N O B Q M K C O R U H D E A
L N M O E W V O H K Y L E L A I R E T A M M R X D
L P O D U Y H N C A P L Y C G L T M N O S A M Y L
T L W E V N Y U R B A N U A J I S E E N O T S E N
F O R C X K D G R A T R O M S C J N M I D D Q E I
P T J R C D R A D X I M K O T H H T E E R T S R T
D R R O T C A R T N O C P C S E A J V F T S U D H
A A L F Q D T O G I A M U K A S P H A L T M E A C
G B W N L N I U R P O S J V C R W F P R C M R K N
R E F I R M O G D C I N Y H E I C S O L I D B Z M
T R U E T V N H E Z W A T E R D R N U L T J V Y A
F B D R I V E W A Y M Z K I P G G B R O Y Z S S I
```

ASPHALT	CURING	HEAVY	POUR	SET
BLOCK	DRIVEWAY	HYDRATION	POWDER	SLAB
BRICK	DUST	LIME	PRECAST	SOLID
BUILD	FIRM	MASON	REBAR	STONE
CEMENT	FLOOR	MATERIAL	REINFORCED	STREET
CITY	FLY ASH	MIX	ROAD	STRONG
COMPOSITE	FOUNDATION	MORTAR	ROCK	URBAN
CONTRACTOR	GRAY	PATIO	ROUGH	WATER
CRACK	HARD	PAVEMENT	SAND	WET

Boating

```
P F O X L I A S L K X X A D N S R M J X M S T A V
N A B A Q F T L K K B F N L O E E E I S C O W N I
Q K J V D E W A N C E L C S O L P S D K E O R F R
T W N D R R T N W U A A H I T D P S V D A L W I L
Q A T N I R T A L S C R O C N D I H O R U Y A S K
O T D V O Y P C R H O E R S O A K D I S K R A H S
T E E A H U L L C I N S V I P P S O X N N E C K W
F R K K P T D P A O P B X S E A G U L L S A B Y K
A K O A J N B E E N U U T F I R D E N I G N E A P
A S X P L W E R C R K R O T O M E B U O Y O R C Q
O Y C O J C W M I K D Y S W Q V M R A D I O T H O
T W O Y Z Q R I Q G A L L E Y A C P W V P E H T H
```

AFT	CREW	FLARES	PADDLES	SAIL
ANCHOR	CRUISE	GALLEY	PIRATE	SCOW
BEACON	CUSHION	HULL	PLANK	SEAGULLS
BERTH	DECK	KAYAK	PONTOON	SHARKS
BRIG	DOLPHINS	LAKE	PORT	SKIPPER
BUOY	DRIFT	MESS	RADIO	STERN
CANAL	ENGINE	MOTOR	RIVER	WATER
CARRIER	FERRY	OAR	ROW	WHALES
COURSE	FISH	OCEAN	RUDDER	YACHT

Things to Bring with You

```
O P Z F T Z E D A C B B M U M B R E L L A S N I P
B B C F F A B E E Z O A U D E D S C O U P O N S J
B O I L B L P O G C S N K A D H A I R T I E S T U
R A O L H T B D N C X N C P I S A N I T I Z E R O
U S U K L I C O A T U O I E C F D B A T E L L A W
S S X G I S Q R H M S I T T A S Z D G G H F I C A
H L B L P S A A C M S T S O T L N W S S Y R C A T
V E M A G U X N E Y R O P N I U E N I C I D E M E
N N O S L E E T E E L I F O M I R R O R F N A R
O O C S O M I K T N F M L F N O I B M Y O P S A D
B H A E S C T I A O I U W E C S Z E P O W D E R C
Q P A S S P O R T M C G G Z W R J R D T N T D N S
```

BALM	CONCEALER	GUM	MEDICATION	PINS
BILLS	COSMETICS	HAIR TIES	MEDICINE	POWDER
BLUSH	COUPONS	KEYS	MINTS	SANITIZER
BOOK	DEODORANT	LICENSE	MIRROR	THREAD
BRUSH	FILE	LIP GLOSS	MONEY	TISSUE
CANDY	FLOSS	LIPSTICK	NOTEPAD	TOY
CHANGE	FOOD	LOTION	PASSPORT	UMBRELLA
COINS	FOUNDATION	MAKEUP	PEN	WALLET
COMB	GLASSES	MASCARA	PHONE	WATER

Recipes

```
I Q I O M T O S S I M M E R E P P U S T C N I W J
G Y L I M A F G E S L J Y D P S W T E K R A M A E
L Y I Q Q O A D C E V P W H I P S P B S I I R L G
F L O U R R V M R I I R C F T R R R W U K D B D G
E G E M N E O M E R Q O T A B L E S P O O N M V S
S X U I G S R A T R O D R C M A A C R I O I C N C
I L S A L E I R S K I U H G K I S E T C B I H L P
A H N G G N T I I X Z C L F A E N T H I K N E A D
R J J U L I E N N E N E A Z M N L C E L O I F E O
B W F C U H G A U U K S G N I X I M E E O N A M X
N R E D U C E T L W T U L D I E T C A D C Y S A E
Y Y A E P P D E S S E R T F A R C C J M W C W Y U
```

AMERICAN	CRAFT	FAMILY	KNEAD	REDUCE
BASTE	CUP	FAVORITE	LUNCH	SECRET
BRAISE	DELICIOUS	FLOUR	MARINATE	SIFT
BREAKFAST	DESSERT	FORMULA	MARKET	SIMMER
CARDS	DIET	FRY	MEAL	SUPPER
CHEF	DINNER	GARNISH	MINCE	TABLESPOON
CHINESE	DIRECTIONS	HEALTHY	MIXING	TOSS
COOKBOOK	EASY	INDIAN	ORGANIC	VEGAN
COOKING	EGGS	JULIENNE	PRODUCE	WHIP

194

Ponds

```
B V C S Q R E V A E B R Z T J Z U A H G Y Y C A L
U H M N E N A R C X L R R M I N N O W L A I Q H E
C J L A D K V E Y P I O O G O R F D F H E R O N E
D U C K Y F R E R N U S P T U D E N G I S E D A M
U I C E S F A D Y S Q D T D A T O N T L S W X E M
O X O S R K L S Q U K E D M A G D F A H E N O U N
P L G E E L S Y I S R C P L A T I M A T T M S P B
E U I D T B O T K P D S O R E S I L L B U K F P N
B S R J N I O O P L A S D R H N L A L O R R X O S
P F G N I R P S N A I L S B A O N S K A T E A O G
R E T A W D M C E S E E G D W D H F T T L J Q L J
Z S W A N S C G S H S R A M R A F F K Z E A G L A
```

ALGAE	DESIGNED	ICE	NATURAL	SNAKES
ALLIGATOR	DRAGONFLY	ISOLATED	OTTER	SPLASH
ANIMALS	DUCK	LARVAE	POOL	SPRING
BEAVER	FARM	LOONS	PUDDLE	SWANS
BIRDS	FISH	MARSH	REEDS	TADPOLE
BOAT	FROG	MAYFLY	ROCKS	TURTLE
BUGS	GARDEN	MINNOW	SHALLOW	WATER
CRANE	GEESE	MOSQUITO	SKATE	WETLAND
DAM	HERON	MUSKRAT	SNAILS	WINTER

Smiling

```
G P O S I T I V E K A F F L B A N I K R F F R K I
I L Q X J Y V R X O L F K F T E R L A I C O S G D
R Y A H T U O M P I R R J T R O G G D T H I E Q O
S Z C P Y M K J R I I I R D M M R Z E A E X L U T
P G O V U U I T E M P A L A N E D E S A E L P D O
I R N H I S N N S P C I N N E E T Z U R K N O L H
L I T I F C D B S T H T C T N H E C M Y S O E A P
O N E W L L L A I C I F I T R A R H A M G P P U J
R U N Y Y E A V O C U N I P U E L P M I D P O G C
I F T Y Y C E S N V G S E C A R B E A M Y E L H G
L O V E U A P F H R T W C S A R E M A C Y A L P J
V D S R J F X J N G P R E T T Y O O N Y D I H D M
```

AMUSED	CREASE	FLIRT	JOY	PICTURE
ARTIFICIAL	DENTIST	FRIENDLY	KIND	PLAY
ATTRACTIVE	DIMPLE	FUN	LAUGH	PLEASED
BEAM	EXPRESSION	GLAD	LIPS	POSITIVE
BRACES	EYES	GOOD	LOVE	PRETTY
CAMERA	FACE	GREETING	MOUTH	ROMANTIC
CHEEKS	FAKE	GRIN	MUSCLE	SMIRK
CHILDREN	FEELINGS	HAPPY	PEOPLE	SOCIAL
CONTENT	FLASH	HUMOR	PHOTO	TEETH

Jewelry

```
T O P A Z Y B U R E M E R A L D M E S M R A H C G
T E C I Z R J N M U X N E A M E T H Y S T J C T D
N R L I J O C H N U T C S C V W T S Y L C B O I E
E E E K R V S I C U F F L I N K S H U J R A O A D
S K C V N I T R E N G I S E D E S X R I O T R R D
E O D K L A C T S H I N Y D L A U A L I W J B A U
R H W Y L I N H Y N E R N E L R O L P E N D A N T
P C T P T A S T E P D O C F I T I T F P F G B D S
G S G V G B C A X S M I Y O F A C E T F H Z E I E
D O P E T E L E C A R B U I N W E K F T A I Z M R
Q G L A M O U R I P V S G T V O R S T H G I R B N
L E K D W E D D I N G E L K R A P S B A N G L E S
```

AFFLUENCE	CHARMS	FACET	NECKLACE	SAPPHIRE
AMETHYST	CHOKER	FLASHY	PENDANT	SHINY
ANKLET	CROWN	GEM	PLATINUM	SILVER
BANGLES	CUFFLINKS	GIFT	PRECIOUS	SPARKLE
BRACELET	DESIGNER	GLAMOUR	PRESENT	STUDDED
BRIGHT	DIAMOND	GOLD	PRICELESS	STYLISH
BRILLIANT	ELEGANT	IVORY	RICHES	TIARA
BROOCH	EMERALD	JADE	RING	TOPAZ
CARAT	EXPENSIVE	LUXURIOUS	RUBY	WEDDING

Subways

```
S Y E Q R B L K G U Q P T U N N E L N E D I R D S
N L P Q E O D M K N A X I T D F E I H T O O B N K
J F I P X A U S R K I K A N Y I Z T V I O E G A A
X A P A P R S P P O S T E R S F R T M C R I R T H
P S K N R D A O A F F O R D A B L E A K S Q O S R
X T I X E E T E E S L T I A O J T R C E N T E R O
P O L E S S M B T G S S A K P E E L I T S N R U T
V V W T S C H E D U L E K L R E E A R R I V A L A
C Q Q U E E I L W R M W N C P N D O W N T O W N R
N E K O T N O O O B R M N G I G K W A I T I N G E
U F A R E D X W R A L O O L E R O D N E V X M A P
M X Y O T A T P C N C H U C V R B U H C X B L H O
```

AFFORDABLE	CROWD	FARE	PLATFORM	STAND
ARRIVAL	DEPARTING	FAST	POLES	STOP
BELOW	DESCEND	HUB	POSTERS	TICKET
BOARD	DIRECTION	KIOSK	RAILS	TOKEN
BOOTH	DOORS	LINE	RIDE	TUNNEL
BRICKS	DOWNTOWN	LITTER	ROUTE	TURNSTILE
CAR	ENTER	MAP	SCHEDULE	URBAN
COMMUTE	EXIT	OPERATOR	SEAT	VENDOR
CONCRETE	EXPRESS	PASSENGER	SIGNS	WAITING

Gymnastics

```
Y H R K M O H S T Q R W C N H N I C A B R I O L E
E L F Z C T W I S T N E M E L E R P T S C A L E B
L D T C M E D W A L K O V E R B P E V W I R R B A
R K U A R A N D Y S O M E R S A U L T O Y A O R A
E R M T G S S O T M S H C N R C Y K S R B T I S S
F S B L I G P R I P W O T A K K L S E H O N T T S
J S L E I T A I O T S L T I C F A M G T G R U A E
E T I A K D T T R S U U P U I L E I D S G U O G M
J U N P D J T A A A S C T B T I H L U I A D Y L B
T T G L D E C C V L L I E O S P R L J X G Y A E L
H Z E N R E K A N S L D C X B O D Y W A V E L A E
C H A S S E T H G I A R T S E G N U L V L M K P M
```

APPARATUS	CAT LEAP	JUDGES	RUDY	STICK
ASSEMBLE	CHASSE	KIP	SALTO	STRADDLE
ATTITUDE	COSSACK	LAYOUT	SCALE	STRAIGHT
AXIS THROW	CROSS	LUNGE	SCISSORS	STUTZ
BACK FLIP	ELEMENT	MILL	SNAKE	TUCK
BED	EXECUTION	NECK	SOMERSAULT	TUMBLING
BODY WAVE	GIANT	RANDY	SPIRAL	TWIST
CABRIOLE	HEALY	RETRO ROLL	SPOTTERS	VAULT
CARTWHEEL	HIGH BAR	RINGS	STAG LEAP	WALKOVER

Babies

```
K Y B Y H X V R A T E N I S S A B Q B V Z G H B Z
V R A T T L E R K M O M M Y U P G E L D N U B M G
E E O W R H O C S I M M Z H R I R Z T P K I L E N
M S E I T I V I T C A K O U G A J A R O M S B L B
I T L A V Q G I R L T M B G C T T M H W A D I S L
T W F A W C R O O C E N L Y U R P A O D M N R A J
D O H P U T U E L M R E A K W I F L V E A E T F S
E E A D U G R T L O N D N N Z P T I C R P I H E Q
B F U N G N H Q E T I T K I G L C W H A H R A T V
I N F A N T O T R H T K E T E E T H I N G F P Y S
Y E Y R G N U H E E Y I T S T T R D L N N M P I P
Z Z F G R I N F O R M U L A L S N P D C S P Y O J
```

ACTIVITIES	CHILD	GIGGLE	LAMAZE	PREGNANT
ADVICE	COO	GIRL	LAUGHTER	RATTLE
BASSINET	CUTE	GRANDPA	LITTLE	SAFETY
BEDTIME	DAYCARE	GRIN	MAMA	STINKY
BEHAVIOR	DIAPERS	HAPPY	MATERNITY	STROLLER
BIRTH	FATHER	HOME	MOMMY	TEETHING
BLANKET	FORMULA	HUNGRY	MOTHER	TRIPLETS
BUNDLE	FRIENDS	INFANT	NUTRITION	TWINS
BURP	FUN	JOY	POWDER	WET

Puppies

```
C D R D W P Z E L E A S H F X M C L G P I B O K K
M H T C A D O R A B L E R R G U L S U T M W R R J
L Y E O M Y D R O O L I N G R O W L I N G U A W S
S L E W J R Q F B B E P F I O Q Q H O L M B L R X
M E W J B E U B M N O M O A W D Y Q T V L Q L P M
M V S B A N E U D E T U C L I T L G R E A Y O S E
T I Y S B R T L L V S J Y X N R O J R Y E B C Y X
N L G P I O Y M R I U Q S O G A V W R E S T L E J
H K G N E K O I K T T O Y S U I I G D R N D U E L
D O G S S E F E T C H T X K E N N E L U D E M M B
Z N V Y N V L Y V A B R E E D U G J R U Y S S E M
E Z Y R H L B S Q S Q Q W R H E L I C K S C Y S K
```

ACTIVE	CURIOUS	GROWLING	LOVABLE	SQUIRMY
ADORABLE	CUTE	HUNGRY	LOVING	SWEET
BABIES	DOGS	JUMP	MESSY	TEETH
BARK	DROOLING	KENNEL	ORNERY	TOYS
BREED	ENERGY	KISSES	PLUMP	TRAIN
CHEW	FETCH	LEASH	RUN	TUMBLE
CLUMSY	FRIENDLY	LICKS	SILLY	WARM
COLLAR	FUN	LITTER	SLEEPY	WRESTLE
CUDDLY	GROWING	LIVELY	SLOBBERING	YOUNG

Swimming

```
H K L H A Z V G F I N S T R O K E C A R B V M G V
S O D R D E T E B U T E G N I M M I W S B N F J Z
T F P N I J S L S R R L G U E N I H S N U S L U W
K G A P K R Q P E O F B C H L O R I N E T U I S N
W U D C I R M A L N A B A G Z P O O L R T L P F J
T R V V O U D P G A S U P Y A T R O P S E A P Y N
C K L I J O X Y G N S B T D C B R A F T R N E K F
H K H U N E L D O O N H D G N I H S E R F E R I O
W D W C T I C R G C H L O I S N O S S E L S S C R
N U T V A I K N T E E V I D Z Q S U I T Y H D K M
J S U M M E R I X A L E R C A B V E K A L A P S T
O T A O L F B J B N N P F B K I Q U T W Y G O I V
```

BAG	EAR PLUGS	JUMP	POOL	STROKE
BEACH	EXPLORE	KICK	RACE	SUIT
BIKINI	FINS	LAKE	RAFT	SUMMER
BUBBLES	FISH	LANES	REFRESHING	SUNSHINE
BUTTERFLY	FLIPPERS	LAPS	RELAX	SWIMMING
CAP	FLOAT	LESSONS	SEA	TAN
CHLORINE	FORM	NOODLE	SNORKEL	TREAD
COOL	FUN	OCEAN	SPLASH	TUBE
DIVE	GOGGLES	PADDLE	SPORT	WATER

Well Done!

```
G Z C M A V Y L E V O L S M A R T G O O D B H Q Y
R F H T F J Y J A Y Y A M A Z I N G O R G E O U S
E P E N R M O D E S R O D N E Q Y N N U F A N E P
A R E A I Y E B K O L Q E X V G N O R T S U O S E
T A R S E T W A R M I N C R E D I B L E B T R U C
R I F A N T A S T I C E D O P T I M I S T I C A I
I S U E D E B E D A L O C C A W O N D E R F U L A
B E L L L R E V E L C L J R D F A B U L O U S P L
U A Z P Y P S Z E C C S I N C E R E T T A L F P H
T C H A R M I N G C D M I A R A V E M O S D N A H
E T I L O P T D N A D K G E N E R O U S U I N E G
B G F A Z T H O M A G E C I N T C E F R E P U S W
```

ACCLAIM	CLEVER	GENIUS	LOVELY	SINCERE
ACCOLADE	ENDORSE	GOOD	NICE	SMART
ADMIRATION	EXCELLENT	GORGEOUS	OPTIMISTIC	SPECIAL
AMAZING	FABULOUS	GREAT	PERFECT	STRONG
APPLAUSE	FANTASTIC	HANDSOME	PLEASANT	SUPER
BEAUTIFUL	FLATTER	HOMAGE	POLITE	TALENTED
BRILLIANT	FRIENDLY	HONOR	PRAISE	TRIBUTE
CHARMING	FUNNY	INCREDIBLE	PRETTY	WARM
CHEERFUL	GENEROUS	KIND	RAVE	WONDERFUL

Castles

```
D E Y B P T B T K Z Q I S W O R D U N G E O N E T
M S S V E A A L R S D M E D I E V A L N X E G Y H
E N T R N O E O B T Q S E I D A L I O H M D H G M
R I R N M D Y T Y R F F V J E N J T Z E I C E D E
E U E O A A E C G O E O X I O L S N L R R T S O N
T R S T L V N C I N D E R E L L A B B A W N T O T
S T I T Q E R S S G I O B T M L O T N L E E A R N
E C Y U G O D E I H O T N O R N A O Y D O I T E C
J R E E W R S N S O J T S J R E M W R R I C E W M
O E R N O B H A L L N M H U O J S A U Y I N E O O
N S Y L N O G A R D R J Y I O N G S P F E A S T Y
C T U I T K I N G A L F O Q C J A R M H K K F Z W
```

ANCIENT	DONJON	GARDENS	MANSION	RUINS
ARMS	DOOR	GOTHIC	MEDIEVAL	SERVANTS
BANNERS	DRAGON	HALL	MOAT	STONE
BRIDGE	DUNGEON	HERALDRY	MONARCHY	STRONGHOLD
CINDERELLA	ESTATE	JESTER	NOBLEMEN	SWORD
CITADEL	FAIRY TALE	JOUSTING	QUEEN	TOWER
CREST	FEAST	KING	REGENCY	TURRET
CROWN	FLAG	LADIES	ROBE	VILLA
DEFENSES	FORTRESS	LORDS	ROYALTY	WALL

Engineering

```
K K T N E T A P P L Y P D U L E D O M A C H I N E
S P N S X B O S E C I V E D I S C I P L I N E L Q
C R E M K Y P R O F E S S I O N B A Q S T O O L S
I O V E G N I W A R D Y C R L O D M D N E N A I W
S T N T K C O L L E G E I R E I I U Y O N O E K O
Y O I S Z A C W E N G I N E E T V X S I E I R S R
H T N Y T F M H L C I G O L R A U I H T G T O A K
P Y A S P R O B L E M S I Q G V T P C U R A S B L
L P L X S T U D Y V D Z B I E O O E M L L I P U E
T E P R O J E C T S C G L N D N O D A O R V A I F
X S N I A R T Y T I S R E V I N U O Z S C A C L Z
P H B R I D G E C N E I C S C I N A H C E M E D D
```

AEROSPACE	COMPUTER	INDUSTRIAL	MODEL	SCIENCE
APPLY	CONSTRUCT	INNOVATION	PATENT	SKILL
AVIATION	CREATE	INVENT	PHYSICS	SOLUTIONS
BIONICS	DEGREE	KNOWLEDGE	PLAN	STUDY
BRIDGE	DEVICES	LOGIC	PROBLEMS	SYSTEMS
BUILD	DISCIPLINE	MACHINE	PROFESSION	TOOLS
CAD	DRAWING	MAKE	PROJECTS	TRAINS
CIVIL	ENGINE	MECHANICS	PROTOTYPE	UNIVERSITY
COLLEGE	GENETIC	MIT	ROAD	WORK

Birds in Motion

```
C H G H X C V I E W N R F Y L F E E D I N G Z L Y
S H T R O N O S A E S A Q S N O I T U L O V E R M
Y W G U H L E A D E R D I F B I Y K S P I B E T T
R J O S O E S I L B I R D V V A N C P K T V I H H
E A T O G S F C L V F O R M A T I O N O O T G G D
H I G H P D S C I B R E E D I N G C I H M R R I L
D J H E G U H N D R H H N B A A U E G T O A O E C
M U E P M I G R A T E T R H U R L I F T C V U W K
P D C C C T L O A I Z R C I R G L I D E O E P B W
S K E K R K S E G C V E B E A U T I F U L L R R I
Z S S M S F F H E E M S N E N A T U R E D O F I N
I X P S C B T N R E T T A P F F L A N D I N G E D
```

AIR	DUCKS	GRACEFUL	LOCOMOTION	SKY
AVIAN	EAGLE	GROUP	MECHANICS	SOAR
BEAUTIFUL	EVOLUTION	HEIGHT	MIGRATE	SOUTH
BIRD	FEATHER	HIGH	MUSCLES	SPEED
BREEDING	FEEDING	HOVER	NATURE	SWOOP
CHICKS	FLY	LANDING	NORTH	TRAVEL
CURRENT	FORMATION	LEADER	PATTERN	VIEW
DIRECTION	GEESE	LIFT	REST	WEIGHT
DIVING	GLIDE	LIGHT	SEASON	WIND

Railroads

```
R A C X O B T R A C K S L T C U N R E T N A L T P
X B U F F E R R U E R I L A N G I S T E K C I T E
S L E E H W O A E K N E C R O S S H E A D E G T L
H L F F I G P E K E N O T A S T E E L T S I H W P
R E L I O B S L B E N T P U B J C I T N A L T A A
H S A V F O N B A D M I H O M I Y A W L I A R G S
C E T S O I A E U T S A G G J M N R A C D N A H S
T I C B E L R C G T F M N N I L O C O M O T I V E
I D A I L K T E O U R O U T E E Q C A C O A L C N
W C R A N O I N B D A O R L I A R B T R A I N S G
S F S V R E L P U O C G U M J K K F S S E R P X E
I T V Y A W B U S V X G S L E E P E R A C L I A R
```

ATLANTIC	COMMUTER	FREIGHT	PLATFORM	SUBWAY
BALLAST	CONDUCTOR	GAUGE	RAILCAR	SWITCH
BOILER	COUPLER	HANDCAR	RAILROAD	TICKETS
BOXCAR	CROSSHEAD	LANTERN	RAILWAY	TIES
BRAKEMAN	DIESEL	LIGHT RAIL	ROUTE	TRACKS
BUFFER	ENGINEER	LINE	SIGNAL	TRAINS
CABIN CAR	EXPRESS	LOCOMOTIVE	SLEEPER	TRANSPORT
CABOOSE	FIREBOX	PASSENGER	SPIKES	WHEELS
COAL	FLATCAR	PISTON	STEEL	WHISTLE

Up on the Roof

```
A N S F S S U R T A M U N I M U L A V D I Y G H L
E S S T O N E H H E P W N O I S O R R O C P C A A
D L C G I T W Y M W S T D R I P E D G E R R D R I
X A B N F N A B Q M H S H R E T L E H S O D A N C
Y T B A Q Y R C N C A I C A P A I N T T E C S E R
Z E R H G A T O O I K E P R T X H S B R E U P S E
R P E R N L S P O S E M S D E C K I N G L E H S M
G O P E B R P A L F K A O E T W H C R A K L A E M
S L A V F E C I F A T R V I L N S L T I R I L S O
Q S P O R D A Q E E M B P E G A N I A R D T T U C
A E D R E N I L Y E L L A V S R O M S B W G U O F
C L U D F U V N R R J T Y T H N R B V B K I E H B
```

ALUMINUM	DRIP EDGE	LEAK	RIDGE	TAB
ASPHALT	EAVES	LINER	SCREWS	THATCH
CLIMB	FELT	MEMBRANE	SEAM	TILE
COMMERCIAL	GABLE	NAILS	SHAKE	TIN ROOF
COPPER	HARNESSES	OVERHANG	SHELTER	TORCH
CORROSION	HIP	PAINT	SLATE	TRANSITION
DECKING	HOUSE	PAPER	SLOPE	TRUSS
DORMER	INSULATION	PITCH	STONE	UNDERLAY
DRAINAGE	LADDER	RAFTER	STRAW	VALLEY

Harvesttime

```
T R W K V Y O P W F T B X E Z K L U C F C G R U K
W N G A A E Q P R O R R W C Z C O T R J A O W C R
H N A Z Y L G G C O K P Q I B U N U B R I Y H I O
Z K O L U A E P C D D T C R A R I D D E G I P Q W
L C R O P B O C N S C U E I R T O E T S A E F F N
Q I E P M T O C E E T H C O L E N N E F S L B U P
P P L N A L L G L G N A T E E R S N K R Q D L U H
F E S T I V A L M N I C O O Y H A Y R A U L I J M
S L O L P B O N N A A U T U M N E G A D A T S B E
S E L S B C M L R R R X K R D F P A M I S N A L P
S E J A T B B O T O G F I Y I B E E T S H O B M A
S V C T F C N G C P C D K Y C G B F W H E A T C V
```

APPLES	COMBINE	GARDEN	OATS	RICE
AUTUMN	CORN	GARLIC	ONIONS	RIPE
BALE	CROP	GRAIN	ORANGES	SELL
BARLEY	FALL	HAY	PEAS	SQUASH
BASIL	FEAST	HERB	PICK	TRACTOR
BEETS	FENNEL	KALE	PLANT	TRUCK
BROCCOLI	FESTIVAL	MARKET	POTATOES	WHEAT
CABBAGE	FOOD	MATURE	PRODUCE	WORK
COLLECT	FRUIT	MOON	RADISH	YIELD

Nurses

```
D N E T T A N E H T A B Q M Q V T H G I E W M I E
F J G M C T C C D A H N U R T U R E R P W C O S T
H E A R T I L E S N D N O I T C E J N I A S N U F
Q M R B F I G S T O R O U N D S A S A Z T E I P I
C E U F N R E T S I N I M D A H T N T S C S T P H
O D O I E S P E U T A S S I S T M E O I H O O O S
M I C E S X R R R A T S D C X W E M L I O D R R H
F C N M L A O U T C A I I H M O N I W T T N E T O
O I E E C I V D A I L M U E C I T C A R P A S D T
R N N E T S I L E D K D L C D N R E C N O C T E S
T E O B A N D A G E B A F K R H Y P A R E H T S Z
W U P D A T E S G M H E L P N O I S U F N I T K O
```

ADMINISTER	CHECK	HEART	NURTURE	STATION
ADMISSION	CLINIC	HELP	OFFICE	SUPPORT
ADVICE	COMFORT	INFUSION	PRACTICE	TALK
ASSESSMENT	CONCERN	INJECTION	PROVIDE	THERAPY
ASSIST	DEGREE	LICENSE	QUESTIONS	TREATMENT
ATTEND	DESK	LISTEN	ROUNDS	TRUST
BANDAGE	DOSES	MEDICATION	SHIFT	UPDATE
BATHE	ENCOURAGE	MEDICINE	SHOTS	WATCH
CARE	FLUIDS	MONITOR	SPECIMENS	WEIGHT

Packaging

```
D E S I G N N P S E A L I N G O O D S T G M E S C
G T R U N P L A S T I C S T N E T N O C A M V A Y
S C E S I S T A M P U C O N T A I N E R A P R L P
E E K P T M S R P W B N N Y O G O L K N B T E E K
L T C S N C P W O A E U A S R R L E E Q O B S A L
L O I U I A U O E P C I S E H O T L P N A U E A T
I R T P R X N D R X S K G I P I T D O L O I R D N
N P S C P I O R O T P N A H N G P N L H D S P D H
G Q E A L C T B U R A R A G T E W D E L I V E R Y
M L P V P I W Y U T P N E R E X S R V V N V L E E
L E D I F R A G I L E Z T S T W A S N W N S A S U
R Y Z Q B I L M E G A R O T S W E Z E H L I S S L
```

ADDRESS	ENVELOPE	MARKETING	PRODUCTS	STICKER
BOX	EXPRESS	NAME	PROTECT	STORAGE
BUSINESS	FRAGILE	PACKAGE	RETURN	TAPE
CARTON	GOODS	PAPER	SALE	TRANSPORT
CELLOPHANE	IMPORTANT	PARCEL	SEALING	UPS
CONTAINER	INVENTORY	PEANUTS	SECURITY	USPS
CONTENTS	LABEL	PLASTIC	SELLING	WAREHOUSE
DELIVERY	LOGO	PRESERVE	SHIP	WEIGHT
DESIGN	MAIL	PRINTING	STAMP	ZIP CODE

Scary Stories

```
Y M J K F B A S E M E N T S T R A N G E V H S O T
D N E G E L F K G L K Y E S N O M E D E S V T E I
R T T H A A T G A N A P N E C O N S T Y D U S X R
X H G T R C E T N R I I C K W A I O H R E I O O I
A G N I V K R G N I L L I H C O M S U A S C H H P
P I I A T C L S H B L J I I A B L P E C P E G J S
X L N R H A I N O O R T W A S I V L F S A M D F C
A H N W G T F G C K D I R T W I N U A I I E R R R
Q S U O I R E T S Y M L O A S A N S D H R T E I E
P A R A N O R M A L A N O I T O M E A V X E A G A
B L A C K B E A R D E O O C A S P E R V P R D H M
S F R O R R O H G S E N O B S P O O K Y E Y U T W
```

AFTERLIFE	CHILLING	FLASHLIGHT	LEGEND	SPOOK
BASEMENTS	COLD	FRIGHT	MYSTERIOUS	STARTLING
BLACK CAT	CREEPY	FUN	NIGHT	STRANGE
BLACKBEARD	DARK	GHOSTS	NOISES	TALE
BONES	DEMONS	GOBLINS	PARANORMAL	TOMBSTONE
CAMPFIRE	DESPAIR	HALLOWEEN	RUNNING	VISION
CASPER	DREAD	HIDE	SCARY	WAILING
CEMETERY	EMOTIONAL	HORROR	SCREAM	WRAITH
CHAINS	FEAR	HOUSE	SPIRIT	YARNS

Textiles

```
G G Z A N J D G Y U P P M U F A T J G T X K D D Q
A W T Z J R X H J O U A A O L F N C Q A W U R D Q
L A T H R E A D T N O T T O C I R B A F T S E W T
R V N O I T C U D O R P E T G B A Q S L W S S E O
B R U B X S E K S R O U R N E E Y N P F I I S L R
Y Y C O V E R I N G U O I M S R O A A G L M K D T
K W C I L Y R C A I P T A N I R N S N T L P W E A
L B O L T L C W Q X T C L O I N H O D V U O P E I
I O L V S O F T E O H T G L S I E Y E J O R X N L
S L O E E P U T N I R P I Y O W E R X L A T A V O
Q Q R M R N F K N L Y L I N E N U V A C M I L L R
J Z Y W E A V E R U T X E T G F T N A L P R F J U
```

ACRYLIC	EXPORT	KNOTTING	NYLON	SPANDEX
BOLT	FABRIC	LINEN	PATTERN	TAILOR
CARPET	FASHION	LOOM	PLANT	TEXTURE
COLOR	FIBER	MACHINE	POLYESTER	THREAD
COTTON	FLAX	MATERIAL	PRINT	TWILL
COVERING	FUR	MILL	PRODUCTION	WEAVE
DESIGN	IMPORT	MINERAL	SEW	WOOL
DRESS	IRON	NATURAL	SILK	WOVEN
DYE	KNITTING	NEEDLE	SOFT	YARN

Money Management

```
U R E W A R D S D R E D U C E D O X E R A P E R P
G N I P M I R C S E V I T N E C N I A L E L E L S
T C O U P O N Y V E C A U T I O N I L M G C L T P
U T Z Y T F I R H T N S N N G T N A O O N G P O H
M R J I J E F F I C I E N T S Y D C R A F I A D T
E S N I O C B T O N M S R E D D N K L A E T E H C
L O Y T I U N N A E A N R A F I N A N C E S R U O
M A Y K D E S L T V K E Y E W A B Z E B U L K O M
E I G G D E P A I C T P Q P B A U R P A E H C P P
T C E U R S T N O N Y X U A R I N V E S T E S S A
R T R V R S G T I O D E P O S I T N E C R E P C N
X P E Y Z F S X S R E B A T E L A S L A Y A W A Y
```

ALLOT	CHEAP	FINANCES	MONITOR	REDUCED
ANNUITY	CLEARANCE	FRUGAL	PERCENT	REWARDS
ASSETS	COINS	HAGGLE	PLAN	SALE
AWARENESS	COMPANY	INCENTIVES	PORTFOLIO	SAVING
BALANCE	CONSERVE	INCOME	PREPARE	SCRIMPING
BANK	COUPON	INTEREST	PRUDENT	STATEMENT
BUDGET	DEPOSIT	INVEST	RAINY DAY	STOCK
BULK	EFFICIENT	IRA	REBATE	THRIFTY
CAUTION	EXPENSES	LAYAWAY	RECEIPTS	USED

Security Guards

```
A B O S E M D S Z N I G H T Y Y K I T B G O X W S
M U S E U M A T B Y Z T N H T A C O N T R O L A C
A K G S D F R O E T C W B I B S O N I S A C L F R
L D O N E A U Q O C P T R N D A G U E R P R L L I
L R B I I N S O C R I O H H O L N D H G N E I L M
D E S N C K I S E A H F E E E I I K M O R T C T E
T B E E W D L S E T M L F R F S T U P R C E O T R
L D R Y A G E A U T P E H O O T N A B E A D M V U
Z S V R T N Y A W B S T R R C T E E T A G L P E C
C G E S C H O O L S I M D A U W S O F S M H A T E
P S G E H W H I S T L E T A V I R P K E V E N T S
U U V C H P R E P O R T P E O P L E N R D A Y M D
```

ALARM	COMPANY	HAT	PEOPLE	STATION
ASSETS	CONTROL	HELP	PRESENCE	STORE
AUTHORITY	CRIME	INSPECT	PRIVATE	THEFT
BANK	DEFENSE	LOG	PROTECT	TRAINED
BOUNCER	DETER	MALL	RADIO	UNIFORM
BUILDING	DISORDER	MUSEUM	REPORT	WALKING
BUSINESS	EMERGENCY	NIGHT	SAFE	WATCH
CAMERA	EVENTS	OBSERVE	SCHOOLS	WEAPON
CASINOS	GATE	OFFICE	SECURE	WHISTLE

Lunchtime

```
C P F W S T G T G M K E H H Y A R T B J R H S U V
S S R A U V A I D F A A I R E T E F A C W P I T A
N P O N G G T I E X M T A S L O Y D O O F E E D E
A I H U C K G N O I S S E C N O C R L A M F K K I
C H B T P E L B A T S I C V G C X L E U F C G B H
K C R B S S M D J I G P M U A R A I S U I Y L I T
F R D T L E R G M G O F R R L W G N B U R R I T O
X Q L Z E E U M E H C T R R S A O H Q O Z L W E O
Z V L T V H O V L L A O S U O C B R E G R U B C M
Z L I I Z C V I P S T U N H I J B H C I W D N A S
Y W R A P Z E I P S O C I A L T L P M I D D A Y V
P D G K G K D S A Z Z I P F R I E S N J M G Z D I
```

APPLE	COMMISSARY	FRUIT	NIBBLE	SOUP
BITE	CONCESSION	GOBBLE	NUTS	SWALLOW
BUFFET	CONSUME	GRILL	PITA	TABLE
BURGER	DEVOUR	GYRO	PIZZA	TACO
BURRITO	DIGEST	HAM	QUICK	TRAY
CAFETERIA	DRIVE	HOAGIE	SANDWICH	TUNA
CARROTS	EAT	MEET	SMOOTHIE	VEGGIES
CHEESE	FOOD	MICROWAVE	SNACK	WRAP
CHIPS	FRIES	MIDDAY	SOCIAL	YOGURT

Jobs

```
G O S C B Z E G D U J F A C T O R Y N A P M O C K
O L E L L P A Y C H E C K R O W N A I C I S U M D
W P R O D U C T I V E F F E C T I V E D H M T D E
M V T C H D C L R O S S E F O R P R O M O T I O N
A M C K O O O C C U A C B O A W E U C E T V U A T
A R E S T A U R A N T E A R R P T D C B E S C B I
E E T E S M N R T R N Z B I O D O K U G L T O F S
D F I C T V T R L E E I T R O C J S P V I S C A T
A E H I O I A S F Y L E T O T O Y U I V S U O R A
Y R C F R D N I Q W R E R O B A L R E G A N A M X
S E R F E D T G Z A R S R O O D N I D T E O C E E
X E A O F S U N S L S E L A S H I F T C P B H R S
```

ACCOUNTANT	COACH	HOURLY	MUSICIAN	REPORTER
ACTIVE	COMPANY	INDOORS	OCCUPIED	RESTAURANT
ARCHITECT	DAYS	JOB	OFFICE	SALES
BENEFITS	DENTIST	JUDGE	OUTDOORS	SHIFT
BONUS	DOCTOR	LABORER	PAYCHECK	STORE
BOSS	EFFECTIVE	LAWYER	PRODUCTIVE	TAXES
BUSY	FACTORY	LIBRARIAN	PROFESSOR	TRADE
CAREER	FARMER	MANAGER	PROMOTION	WORK
CLOCK	HOTEL	MEETINGS	REFEREE	WRITER

Lots of People

```
R E S T A U R A N T L Y S D R O V E S C O R E S A
H O B U A A S U O A K A T I U L L C I V A J M Q Q
B M R U L A A D V E R T I S E L P O E P P A R K G
K G A U L A V I N R A C C P O Q R K D F L J F M B
C N P E D C T T G L H A K E D J O Z E L G G A G P
A O U N F S H O R D E I E R S R T W M O O S I M P
P R S U E U N R U L Y R T S O C E B M C S J R O I
U H H F Q N K I Q M M P S E A R S H A K H Y H B V
O T L E C N E U L F N O C R C O T D R R S S B D S
R R I A S S E M B L Y R T R E C N O C I L B U P E
G O B K S U R G E R O T S S D P W B O M D O S R G
C X Q B C U Q A L O A F U Y P U T N I A L T Y G C
```

ADVERTISE	CONCERT	FLOCK	MOB	RESTAURANT
AIRPORT	CONFLUENCE	GAGGLE	NOISY	SALE
ASSEMBLY	CRAMMED	GROUP	PACK	SCORES
ATTRACT	CREW	HERD	PARK	SHOP
AUDITORIUM	CRUSH	HORDE	PEOPLE	STORE
BAR	DISPERSE	JAM	POPULAR	SURGE
BUSY	DROVES	LOUD	PROTEST	THRONG
CARNIVAL	FAIR	MALL	PUBLIC	TICKETS
CLUB	FESTIVAL	MASS	PUSH	UNRULY

Roadwork

```
S A F E T Y B U L L D O Z E R E D L U O H S G Q S
Y R G S K E E W M E D I A N D R S R S H O V E L S
A Q W T C S D A O R E L L O R A E T A N R E T L A
L C W O R K E R S F F I X I Y M C A S P H A L T P
E K O P D T N E M E C G Q T M P M I H B N D N R R
D S V S A R N N F C X H Y A W S S E R P X E O U E
E H E N T I A G M L E T H V O V K I O R M R I C D
T T R M H L L I P O T K C A L B D T C P A W T K N
O N P C E E Y N N T C O O C S G H N I Y C B U S U
U O A T N E M E V A P U N X E O G U A R D R A I L
R M S Y A D R E J R G W E E L Z Q P R O J E C T V
U M S S L E R R A B Q E S E S E R U S O L C K F X
```

ALTERNATE	CLOSURES	EXCAVATION	MONTHS	SHOULDER
ASPHALT	CONES	EXPRESSWAY	OVERPASS	SHOVELS
BARRELS	COSTLY	FIX	PAVEMENT	SLOW
BARRICADE	DAYS	GUARDRAIL	POTHOLE	STOPS
BLACKTOP	DELAYS	JACKHAMMER	PROJECT	TAR
BRIDGE	DETOUR	LANE	RAMP	TRUCKS
BULLDOZER	DRAINAGE	LIGHT	ROADS	UNDERPASS
CAUTION	ENGINEER	MACHINES	ROLLER	WEEKS
CEMENT	EQUIPMENT	MEDIAN	SAFETY	WORKERS

Sandwich Shop

```
G A A A D Q X N X O C C S E L K C I P O B B O I I
F Y L L E J V A S T V U O P C R U S T B U N T G U
C E R W L B O B M R X J C N I P Y T P H A M A H A
X K N O I P U U I E Y P D U D H U E I K E C M H P
G R E D I L S T E P U I J X M I C N D A G W O O D
D U P E C T A L P U D C L C C B M D H S A A T N C
J T O Q A L B O F H J E E S G G E E C C G H J H M
R O G R I L L E D C T C O B B J F R N I D H E P R
B S D A T S R U W T A R B R R F E L E T S E M Y A
T U N A U T Y E U E P E E M S A E O R I S T E A K
K B X X L U N C H K V A N A N A B I F E A S L V W
S A U S A G E I U Q D M V C S S G N I P P O T M Z
```

BACON	CHIPS	FRENCH DIP	LETTUCE	SLIDER
BANANA	CLUB	GRILLED	LUNCH	SLOPPY JOE
BARBECUE	CONDIMENTS	GYRO	MELT	STEAK
BEEF	CRUST	HAM	MUSTARD	SUB
BLT	CUCUMBER	HOAGIE	OPEN	TENDERLOIN
BRATWURST	DAGWOOD	ICE CREAM	PBJ	TOMATO
BREAD	DELI	ITALIAN	PICKLES	TOPPINGS
BUN	EGG	JELLY	PROSCIUTTO	TUNA
CHEESE	FISH	KETCHUP	SAUSAGE	TURKEY

Keep It Secret

```
Q L Z Y O F E P Y G N I T I C X E T A E L T T I L
J G L N E M A H S H R O U D E D P T C A R S C G M
B T M E S S A G E R U L I A F S T D N E U B O B H
D Y R E T S Y M I E E N R T D R N O S R T S V Q M
Z P E T D E H S U H V U E I A R S E P S S O E R N
H E G A I E D G U I M I V C E R R A I G D R E W
O E R V S K D N S O U U T V E V I P P K O X T P O
P K E I C A D I R Q L I E P E S H P S C Y B D S N
E D T R R R B L F G O A D D E I F I S S A L C I K
D T U P E L E E E N L N E G C O N C E A L E D H N
I S O A E S S E F N O C D J O U R N A L O V E W U
H L M N T G U F H B H C Y Y G J H A V D M T L U E
```

ASPIRATION	CRUSH	HOPE	MYSTERY	REVEAL
ATTRACTION	DISCREET	HUSHED	NOTE	RUMOR
BOND	DIVULGE	INVISIBLE	PAST	SHAME
CLASSIFIED	DREAM	JEALOUSY	PERSONAL	SHROUDED
CODE	EXCITING	JOURNAL	PRIVATE	SNEAKY
CONCEALED	FAILURE	KEEP	PROTECT	SURPRISE
CONFESS	FEELINGS	LITTLE	QUIET	TELL
CONFIDE	GOSSIP	LOVE	REGRET	UNKNOWN
COVERT	HIDE	MESSAGE	RESERVED	WHISPER

Beverly Hills

```
S K Y B I P T R E N D Y C N A F Y X J V M I O M G
E T N S D O O W Y L L O H P A R K S I D E D A O L
M J O A U O E A H T L A E W U C L S B D G N G N U
O S E R W L N V S H E H C X S R I E U E I F Z E O
H H U C E S S O I E H A U G H T Y C I A A N C Y Q
S O E N N A C W H S R L V S O P A X B S U U I E M
I P V Z L E T M D S N N L R X T R R H E U I T N N
V P E O B O U T I Q U E S R E N G I S E D R Y Y G
A I N R O F I L A C W L P D V N O S V V V X F E P A
L N T R I T Z Y F E O U F X S N E D R A G Y O Y L
J G S E I V O M J F P L I F E S T Y L E T S K R A
C A M D E N O I S N A M B M H D L V Q O H E G L D
```

AFFLUENCE	DESIGNERS	HAUGHTY	LUXURY	SALON
BEAUTY	DINING	HOLLYWOOD	MANSION	SHOPPING
BEDFORD	EDUCATED	HOMES	MONEY	STARS
BOUTIQUES	EVENTS	JEWELS	MOVIES	STORE
CALIFORNIA	EXPENSIVE	LAVISH	PARKS	SWANK
CAMDEN	FANCY	LEISURE	POOLS	TOUR
CARS	FASHION	LIFESTYLE	POSH	TRENDY
CITY	GALA	LOADED	PRIVATE	VISITORS
COSTLY	GARDENS	LUSH	RITZY	WEALTH

Debates

```
R U L E S M A E T N E N O P P O L I T I C A L C L
Z G I O P I N I O N S S U C S I D N F A A R S F M
A R G U E L E C T I O N C A S E E E E E S E S U A O
H P E R S U A D E M U I D O P M T T F S D T B C N
W U N O I T I S O P A P T K A U A A O E E R S T I
I B N H C I R O T E H R W N P R L L I R C A T S T
N L V L A T T U B E R U R S E L U S L T N T A R O
N I C I M E D A C A N U I B A T S A O I O E N E R
E C S T H G U O H T O D I C I U N M G O C G C W D
R E K C I B L Z O T U L Y O E N P O I N T Y E S E
D B D G N I N O S A E R N G N I R O C S E T O N R
J U D G E D I S Q D Q U E S T I O N G N I K L A T
```

ACADEMIC	DISCUSS	NEGOTIATE	POSITION	SIDE
ANSWERS	DISPUTE	NOTES	PUBLIC	STRATEGY
ARGUE	ELECTION	OPINIONS	QUESTION	STRUCTURE
ASSERTION	FACTS	OPPONENT	REASONING	SUBSTANCE
BICKER	FALLACY	ORDER	REBUTTAL	TALKING
CASE	ISSUE	PERSUADE	RESOLUTION	TEAM
CONCEDE	JUDGE	PODIUM	RHETORIC	THOUGHTS
CONTENTION	LOGIC	POINT	RULES	TOURNAMENT
DELIBERATE	MONITOR	POLITICAL	SCORING	WINNER

Accomplishments

```
W E M A F V A N Q U I S H S I L P M O C C A P Y C
Q U T S E U Q N O C M H P T U V K L M N E N R E B
W L N A C F P K R E A P P F T C S R O R L O I N P
E M R B N O I T A U D A R G S D O I O E E I D O R
A N S S E R G O R P A I O O R S T F F W B T E M O
L H T C U A R A I S E A E A S A E L B A R O V A F
T P O O L J T D S N L E W F V P K N D R I M E S I
H M C R F O D E D I C A T I O N E V I D T O I T T
Q U K E F B T S N E N U T R O F A R W P Y R H E S
E I S Z A S H P E R S O N A L N G A I N P P C R E
F R F I N I S H E D M F R I C H E S U T P A A W B
Q T C E P S E R E E R A C E W T R O P H Y T H N B
```

ACCOMPLISH	CONQUEST	GAIN	PRIDE	RICHES
ACHIEVE	DEDICATION	GOAL	PROFIT	SCORE
ADVANCE	EARN	GRADUATION	PROGRESS	STOCKS
AFFLUENCE	FAME	HAPPINESS	PROMOTION	TRIUMPH
ASSETS	FAVORABLE	JOB	PROSPERITY	TROPHY
AWARDS	FINISHED	MASTER	RAISE	UNBEATEN
BEST	FOCUS	MONEY	REAP	VANQUISH
CAREER	FORTUNE	MOTIVATION	RESPECT	WEALTH
CELEBRITY	FRIENDSHIP	PERSONAL	REWARD	WORK

In a Tent

```
N U F Z A C J T T P Q R U G N I P M A C S G U B S
Z O M U P I P N O S R O O D T U O D S A V N A C H
P O L E S I O R I M E P T A K V T N E M P I U Q E
U U G Y N Q T S O A C E S E Z I S U M P R H E C L
T S W Y N A V S T T R S E K A T S O E S E C N Q T
E T T E B O Q W A T E R P R O O F R R I M T N W E
S E F L A U M I R M A C I R B A F G G T M I K X R
H N E A I T L A B V T Y T R A V E L E E U P W P S
M T D T M S H L D Y I J W I L D E R N E S S C P H
F L O O R I Y E A S O O X E O W S U C R I C R U A
R I F L D D L F R M N H I K I N G C Y T R A P P D
R E V O C E P Y A G S W F A J I C J A I T D O M E
```

ASSEMBLY	EMERGENCY	NOMADS	PROTECTION	SMALL
BUGS	EQUIPMENT	NYLON	PUP	STAKES
CAMPING	FABRIC	OUTDOORS	RAIN	SUMMER
CAMPSITE	FAMILY	OUTSIDE	RECREATION	TARP
CANVAS	FLOOR	PARTY	ROPES	TENT
CIRCUS	FUN	PEGS	SETUP	TRAVEL
CLOTH	GROUND	PITCHING	SHADE	WATERPROOF
COVER	HIKING	POLES	SHELTERS	WEATHER
DOME	MOSQUITO	PORTABLE	SIZES	WILDERNESS

Ingredients

```
E C V A S O N X Y O S R E K C A R C F C Q M T G L
T N A O H G T N E S E E H C O M S A R H L C U G S
W T N N O Y N A O T M G L G F C J E L P P A N E C
W R I I R T E I M C O R B K U C A L L B A N A N A
D F L U T Y I A N O A U E C N M Y I R D B F Y J R
W I L Q E A N U S O T B U B I I L O C C O R B U R
F G A L N L L H R T S M R E K T R F P O Y O E S O
E S R T I V R E E F B A W A P T L P D I C E N A T
E A B Z N M P R G E G H E N M O Q Y S N O I N O D
B Z Q R G P E O R U E R C S U I A P O T A T O O H
R P A S E H D A S A I H L R P L L V X R U B Z N H
O D G P E H B O T O F U X E F A I K G Y H N K E H
```

APPLE	CARROT	GELATIN	NUTS	SHORTENING
BACON	CHEESE	GRAINS	OIL	SPRINKLES
BANANA	CRACKERS	HAMBURGER	ONIONS	SUGAR
BARLEY	CREAM	HERBS	PEPPER	TOFU
BEANS	CUCUMBER	HONEY	POTATO	TOMATO
BEEF	EGG	ICE	PUMPKIN	TUNA
BREAD	FIGS	MEAT	QUINOA	VANILLA
BROCCOLI	FLOUR	MILK	SEAFOOD	WHEAT
BUTTER	FRUIT	NOODLES	SEASONINGS	YEAST

Conversations

```
Q P R O S P R I V A T E V E R B A L S P E A K K U
S U S T A I N K L A T E T H R E L A X E D U W D X
F O E A N S W E R A P S L A M R O F N I I E G Z K
L R O S M E T W C I E S U O I R E S S L Y P H R C
G G S R T U T O S I D A E F L T V C O R D E R B A
T N E T P I V S R G C N M U I S O P M Y S R U S T
R T I S H D O O I D L A E H G U F G P R E S E N T
E V I T A G E N E L A L K F R O O U E H I O A O A
A D N P E H U T M S R Y U S E Q L P N N Y N B C H
D E B A T E A O N N I Z E M I D F A E N G A G E C
D O A G C E M O H F F E E L I N G S I N Y L D V F
J N C Z H O N E S T Y C I P O T S Y L D N E I R F
```

ADVOCATE	DEBATE	GOSSIP	OPEN	SPEAK
ANALYZE	DEFEND	GROUP	ORDER	SUSTAIN
ANSWER	DIALOGUE	HEATED	PERSONAL	SYMPOSIUM
ARGUE	DISCOURSE	HONEST	PRESENT	TALK
ATTACK	DISPUTE	INFORMAL	PRIVATE	TERMS
BUSINESS	ENGAGE	LISTEN	PROS	THEORIES
CHAT	FEELINGS	MEETING	QUESTION	THOUGHTS
CLARIFY	FRIENDLY	NEGATIVE	RELAXED	TOPIC
CONS	FUNNY	NEGOTIATE	SERIOUS	VERBAL

Small Towns

```
Q X D I N E R Y H L J S K F S O C I A L O O H C S
J S A F E C O T E Y D H J F E O C O F F E E C B D
C V R G L A B I V L A A N C Z S L Y K G N D R O R
A Y E B B E H N A E C R P Y H Q T I N I P U U H I
O L T T A P G E D R C I V I C I N I T P B O H S B
E I A I D K I R N U H N H S N D L U V U C S C D X
D M E S R C E E B S L G H U N W O D S A D N F R U
A A H I O A N S N I S A M E O R R U R A L E R A D
R F T V F L H W A E M M S B K Q F R I E N D L Y P
A X S T F M O C C L O S E N E S S T E P N R Q Y M
P R I V A T E Z E C E R U T A N S E I T R A P B F
Q B A Q U I E T W O L S P O H S P I S S O G L Y J
```

AFFORDABLE	CLOSENESS	GOSSIP	PETS	SHOPS
BAKE SALES	COFFEE	HAMLET	PRIVATE	SLOW
BIRDS	COMMUNITY	KINDNESS	QUIET	SOCIAL
BOWLING	COZY	LEISURELY	ROUTINE	SOLITUDE
CALM	DINER	NATURE	RURAL	SUBURBS
CHARITY	FAMILY	NEIGHBOR	SAFE	THEATER
CHILDREN	FESTIVAL	PARADE	SCHOOL	TOWNSHIP
CHURCH	FRIENDLY	PARTIES	SERENITY	VISIT
CIVIC	GARDENS	PEACE	SHARING	YARDS

Tutors

```
T N O S S E L I B R A R Y H T L U C I F F I D N T
I E K S C I E N C E C F R C O N C E P T S T U D Y
E N S R H E D U C A T E T Y D R I L L H E L P K C
L G V M O T I V A T I O N E T W B I O L O G Y M Q
U L R O O W A E T A V I R P A I M E D A C A R P M
D I C A L G E B R A I S I N D I V I D U A L T A A
E S O J W V D M K Z T K H U M A N I T I E S S T R
H H A N O E E S O A I E D I F Y R O T S I H I I G
C T C E R I D D N H E C N A T S I S S A T H M E O
S A H I K A S D D E S K H L A N G U A G E F E N R
C M H H C A E T R U P K O O B G N I D A E R H C P
Z I U Q M V W L C A L C U L U S E U Q I N H C E T
```

ACADEMIA	COACH	ENGLISH	LEARN	QUIZ
ACTIVITIES	CONCEPTS	HELP	LESSON	READING
AID	CREATIVITY	HIRED	LIBRARY	SCHEDULE
ALGEBRA	DESK	HISTORY	MATH	SCHOOLWORK
ASSISTANCE	DIFFICULT	HOMEWORK	MOTIVATION	SCIENCE
BIOLOGY	DIRECT	HUMANITIES	PATIENCE	STUDY
BOOK	DRILL	INDIVIDUAL	PENS	TEACH
CALCULUS	EDIFY	INVOLVED	PRIVATE	TECHNIQUES
CHEMISTRY	EDUCATE	LANGUAGE	PROGRAM	UNDERSTAND

Party Time

```
K X R K O C L S S E L D N A C V A L I G H T S J E
G N I C N A D R T L G W N H A P P Y E M E N U E V
G J R K X K P G N A I I R H I T B S T F I G R M I
S T N E S E R P E N H I E N G A P M A H C A P R T
T J O Y F U L L E C S G T D O O F I R E W O R K S
S S E D O A G E N T A B S K C A N S B R Q S I D E
E K A T T N W U M R I B A R T E N D E R D L S D F
U N L T I O P A L E F Z E M E H T V L N P Y E R O
G I E M L V S A L S M Y E J O L L Y E O U H S E O
R R O L J A N C I S U M V R F I B I C L O W N S Z
S D A H D D E I T E F F U B S M R T I S I V C S A
Z H F U X L I M R D Y L I M A F F O T P I S Z B K
```

APPETIZERS	CLOWNS	FOOD	INVITE	PLATTERS
BARTENDER	DANCING	FRIENDS	JOLLY	PRESENTS
BUFFET	DESSERT	GARLAND	JOYFUL	PUNCH
CAKE	DRESS	GIFTS	KAZOO	SILVERWARE
CANDLES	DRINKS	GUESTS	LIGHTS	SNACKS
CELEBRATE	EASTER	HALLOWEEN	MEAL	SURPRISES
CHAMPAGNE	FAMILY	HAPPY	MENU	THEME
CHINA	FESTIVE	HATS	MINGLE	VISIT
CHRISTMAS	FIREWORKS	HOST	MUSIC	WINE

Middle Eastern Food

```
O S G P U A G N Y Y G A U L A M B K Q M N Y H H M
B M J X D N W L P P A S T A I N I H A T F O K R H
I M Z F Y E L S R A P I I B R B E N I S I U C S K
C J V X R S G A H E G A Y N B L J X G A R L I C S
F O O D L I E S R A K R R E G I O N A L V D R W F
T E G R F D Y S U A W E H H E T I Q U E T T E E C
T A E C D R I S A O K A E T U L S X S B K E C O Y
N A G D I A S E E M C N R R P C U R R Y T U F Z E
I T B A N U N J T T E S K M G L E F A L A F R N N
M I N L M K I N D I A I U R A V W B O S E V I L O
Q P O A E X N T U A S D U O I S P I C E X E C H H
M K C S S U M M U H Q W Z D C I I I E P R Y E W D
```

ARAK	DIVERSE	HONEY	OLIVES	SESAME
ASIA	DUMPLINGS	HUMMUS	PARSLEY	SHAWARMA
COFFEE	EAT	INDIA	PASTA	SPICE
COUSCOUS	ETIQUETTE	JORDAN	PERSIAN	SUMAC
CUISINE	FALAFEL	KIBBEH	PITA	SWEET
CURRY	FIGS	KOFTA	REGIONAL	SYRIAN
DATES	FOOD	LABNEH	RICE	TABLE
DIET	GARLIC	LAMB	SALAD	TAHINI
DISH	GREEK	MINT	SAUCE	TURKISH

Poetry

```
I M B V X I N S I G H T F U L U F T H G U O H T E
X Y R T E O P O B K C I R E M I L O H G V Y D N Z
P P K N I R Q N Y E N G L I S H T D M Z P R O L F
W T A T I B S N Q E A B S I M I L E B E A T C A X
O W C S A A N E L I A M B N A R T J R M V I I N O
R I F L T U R T R L M R O F I E E B A A P T T G Y
D M L A F O I T L U K I A H R N O T Q E T E S U G
S A O Z B T R Y A T S Y M B O L I S M Q A U O A X
D G W N D A S A X U L N V Z E C N I A R F E R G K
F E D A C I R Y L W Q U N M Y H T E L P U O C E Z
W R I T I N G L R O M A N C E S A R H P J D A R Y
G Y A S M H A K O S C H O O L I N E V T T K W A F
```

ACROSTIC	ENGLISH	IMAGERY	PASTORAL	STANZA
ALLUSION	EPIC	INSIGHTFUL	PHRASE	SYLLABLE
ART	FLOW	LANGUAGE	POETRY	SYMBOLISM
BALLAD	FORM	LIMERICK	QUATRAIN	THOUGHTFUL
BEAT	FUNNY	LINE	REFRAIN	TITLE
CANZONE	HAIKU	LITERATURE	ROMANCE	TONE
COUPLET	HYMN	LYRIC	SCHOOL	VERSE
DICTION	HYPERBOLE	METER	SIMILE	WORDS
DRAMATIC	IAMB	ODE	SONNET	WRITING

Adjectives

```
Y C A L M T A L L T T N K F C G N O L N E N C B D
L I P Y C L E V E R G G R S E R E N E Y B O R E D
D N E D I E L B A T C E L E D D U N L Y S I A B F
N A A N Q F T M Y S T E R I O U S L T U L D F I A
I G C I S T Y S U O I T I B M A E B O L T I T Y M
K R E W A R D I N G Q O N G M M L R I T E F Y P O
S O F Y R A S S E C E N F N S B E A U T I F U L U
G C U C I E L P R U P I L I H D N R A N X I O U S
O N L N T H U N G R Y R A S N T N D I I C C B S H
V B U U Z I R L K T F O S U O I R U C N N U C H O
D A E O Y F L U F E P O H M L A Z Y R A G L U V R
S K Y B Y N A Z F A S T Y A H R E A D Y T T U N T
```

AMBITIOUS	CRAFTY	HARD	NUTTY	SHORT
AMUSING	CURIOUS	HEARTFELT	ORGANIC	SMELLY
ANXIOUS	DELECTABLE	HOPEFUL	PEACEFUL	SOFT
BEAUTIFUL	DIFFICULT	HUNGRY	PLUSH	TALL
BORED	FAMOUS	KINDLY	PURPLE	THUNDEROUS
BOUNCY	FAST	LAZY	READY	VULGAR
BRILLIANT	FLASHY	LONG	REWARDING	WINDY
CALM	GENTLE	MYSTERIOUS	RITZY	YOUNG
CLEVER	GLIMMERING	NECESSARY	SERENE	ZANY

Scrapbooking

```
D A P A S T S V H B B F A M I L Y S T E N C I L S
J T G Y L D B A B Y B D C L E G A P O R C K A R Q
O S E P A H S C Y I H A E P B Z N M E M E N T O S
U W T R I E Q A R E P I R C R U S A O E O B U L E
C F B H R P V T S T H N B T O E M T P S S E C O R
B D Y O E V H I I H W D O X F R S S R B T D Y C U
O R R B T D V O T S T U O Y A L A E N G I S E D T
O O O B A E N N T A O S K I X K P T R W C N I I C
A C T Y M S D S L O E T E V E N T S E V K K D R I
S E S C I S S O R S F R I E N D S P A P E R K E P
W R I T I N G L U E F Y C N F X J L A N R U O J R
S E H C N U P L A I C O S D B O R D E R S P J C Z
```

ADHESIVE	CAPTIONS	FRIENDS	MEMENTOS	RECORD
ALBUM	COLOR	GLUE	PAGE	SCISSORS
ART	CREATIVE	HISTORY	PAPER	SHAPES
BABY	CROP	HOBBY	PAST	SOCIAL
BINDER	CUT	INDUSTRY	PERSONAL	STAMPS
BIRTHDAYS	DECORATE	JOURNAL	PHOTO	STENCILS
BOOK	DESIGN	KEEPSAKE	PICTURES	STICKERS
BORDERS	EVENTS	LAYOUTS	PRESERVE	VACATIONS
BRADS	FAMILY	MATERIALS	PUNCHES	WRITING

Mechanical Cranes

```
O E H Q T H Y D R A U L I C Y C P P B U I L D Z W
I W M C U L E E L I F T H G I E R F C K M O T O R
C C A R N P V A M R T Y D N I P L F R T S R I P T
Y O C Z E I G Z V E R V D C V I O L W E O T W X G
T T H T R G W S K Y Q U E V O M L C U P W N E N M
E K I D O L G S K Y S C R A P E R E S P J O C A B
F S N L C H A I N T X G S T E G L N V E G C L W M
A I E N I B B E R I W S J N R L A H X E L I B O M
S Y R C K B R I D G E E I V A R D V O B R E I R C
S M R O F T A L P P V G A T T A C H E I G H T K J
L O O T N L K T O C N U M O O B Z X A J S C X E W
C H B O T T P R S E I H B L R E W O T Q C T X R D
```

ATTACH	ENGINE	IRON	MOVE	STEAM
BASKET	FREIGHT	JIB	OPERATOR	TALL
BOOM	HEAVY	LEVER	PLATFORM	TELESCOPIC
BRIDGE	HEIGHT	LIFT	PULLEY	TOOL
BUILD	HOIST	LOAD	RIGGER	TOWER
CAB	HOOK	LOWER	ROPES	TRANSPORT
CHAIN	HUGE	MACHINE	SAFETY	WINCH
CONTROL	HYDRAULIC	MOBILE	SKYSCRAPER	WIRE
DRIVER	INDUSTRIAL	MOTOR	STABILITY	WORKER

Have a Beer

```
S Y T A E M A M B E L G I A N H D A R K K P D B M
P S H G P L A L I I P A M E R I C A N E W A C G T
I N G R E P A L T Y S W E E T N E S S D E W E R B
C R I Z E R E D T B O Q E L A D L O H H A T L A C
E E L C S G M A E U I B L A G E R S B L I E S V I
D E T S T K A A R R T E A R O M A R C U E S R I D
U B K N R Y Q L N A R Y R E V U O O R F Y C E T E
N E Z I E W E F E H N E B B T W H F H R E K N Y R
K Y Z A N V N H S L Q C T M N O Y T I S O C S I V
E R S R G S W M S P A L E A L E U A A F R O L O C
L T X G T A R E T R O P L C W O N A L A M B I C X
X D V C H A M P A G N E L A M A E R C Z E S P O H
```

ALCOHOL	BOCK	FRUIT	LAMBIC	RED ALE
ALTBIER	BREWED	GERMAN	LIGHT	RYE BEER
AMBER ALE	BROWN ALE	GRAINS	MALT	SPICED
AMERICAN	CHAMPAGNE	GRAVITY	MOUTHFEEL	STRENGTH
APPEARANCE	CIDER	HEAD	OLD ALE	SWEETNESS
AROMA	COLOR	HEFEWEIZEN	PALE ALE	VISCOSITY
ASSYRIAN	CREAM ALE	HOPS	PALE LAGER	WATER
BELGIAN	DARK	IPA	PILSNER	WHEAT BEER
BITTERNESS	DUNKEL	LAGERS	PORTER	YEAST

Spicy

```
Z R H H T N R B F E Y R T O K N O R F F A S W S W
N G O K U G T R A D E O A O R E G A N O P X Y M A
V T S O S C N U P R O Q S V E H G I N G E R C R C
J V U F U P E I T R K R T X K C I L A N T R O P P
N A O R N C I V N U T M E G A T W E N E O M O A A
D O R I M E D C I O P G R R H I E E E V A P K R W
D Y M O C E E G Y T S L D E S K Y W A F I I I S M
K U A A K D R I E D I A L H P A S L K N R V N L O
C D M W N O G I Q N M D E D C P F T C P I U G E T
A N B W U N N O C O H A D S B R E H A Y Y S I Y E
R R Z N L L I D M T T N B A S I L P C L O V E T Q
W J D I L I H C U L I N A R Y E H R J T L J P J B
```

ADDITIVE	CINNAMON	FOOD	KITCHEN	ROOT
ANISE	CLOVE	FRUIT	MACE	SAFFRON
AROMA	COOKING	GINGER	NUTMEG	SEASONING
BARK	CULINARY	GROUND	OREGANO	SHAKER
BASIL	CUMIN	HEAT	PAPRIKA	SPICY
CARDAMOM	CURRY	HERB	PARSLEY	SWEET
CAYENNE	DILL	HOT	PEPPER	TASTE
CHILI	DRIED	INGREDIENT	PINCH	TRADE
CILANTRO	FLAVOR	JAR	RACK	TURMERIC

World Capitals

```
E S N I A M E Y I Q B W B U C H A R E S T Y O B P
O O E V B N U P W P A R I S O D I R D A M B J U A
T G N C H E O S O M U A S E P N U X E N M A B J I
U A O U A N L B C S R N I L E H Z B W O S Z A U V
P L R D V I M M S A A G U L N K N O L U L C G M O
A O O N A C R E O I T O O I H P T O N I C T H B R
M N B A N O L O M P L O L V A E C C M R N U D U N
A D A M A S C U S O A N T E G F I A A P F L A R O
N O G H J I T A B A R N R R E O A M S T E R D A M
A N A T R A K A J L B Z O B N G H E L S I N K I N
M H D A B A M A L S I E P I X J M U O T R A H K H
A R A K N A K A H D G C T L U A N D A W A T T O U
```

ACCRA	CAIRO	HAVANA	LISBON	NIAMEY
AMSTERDAM	COLOMBO	HELSINKI	LONDON	NICOSIA
ANKARA	COPENHAGEN	ISLAMABAD	LUANDA	OTTAWA
ASUNCION	DAMASCUS	JAKARTA	MADRID	PARIS
BAGHDAD	DHAKA	KATHMANDU	MANAMA	PHNOM PENH
BELMOPAN	DUBLIN	KHARTOUM	MAPUTO	PORT LOUIS
BRUSSELS	GABORONE	LAGOS	MONROVIA	RABAT
BUCHAREST	GEORGETOWN	LIBREVILLE	MOSCOW	RANGOON
BUJUMBURA	GIBRALTAR	LIMA	MUSCAT	ROME

Audible

```
O I D A R J B M U S I C C N G T E L E P H O N E S
R R Q G P E E B K X C C G K E L C L A M O R O A R
A S U C N P L T J E H R E L B B A B B U Z Z N C V
P P P M V O L G N I R E E H C T S E L G G I G Q R
D O A E O F S A M G L V L A F G Y H R I J H C O X
I R G K T R J E U O I R S C M N C I F F A R T G B
P D N N C S S V T S S E L F F I N S Q W U O N E A
M N I E I O T A I S E D A O U P N A O N M I E C R
M I Y W T G L O K I C N M H R P N G C U G A R I K
P A R S A K N C O P I U I C R A S H W N N Z I V I
K R C L T M N I R F O H N E E L K N I R C D S D N
F X H C S G I Z R T V T A V A C H S E V A E L A G
```

ADVICE	CHIMES	FOOTSTEPS	RADIO	SONG
ANIMALS	CLAMOR	GIGGLES	RAINDROPS	SOUND
APPLAUSE	CLAPPING	GOSSIP	RINGING	STATIC
BABBLE	CLOCK	JET	ROAR	TALK
BARKING	CRASH	LAUGHTER	RUMORS	TELEPHONE
BEEP	CRINKLE	LEAVES	SCREAMING	TELEVISION
BELLS	CRUNCH	MOTOR	SINGING	THUNDER
BUZZ	CRYING	MUSIC	SIREN	TRAFFIC
CHEERING	ECHO	NEWS	SNIFFLES	VOICES

Heroes

```
Y E K S T O R Y E S H D J H T G N E R T S V R L I
Q L G S W O R D C P C C O U R A G E T U B I R T H
B B N U I T L Z I E H F D X M V N R V H E L P R S
S O O R R Y A J F C A T B R A V E O A A X L R A U
L N R O E S N P I I M D E Z T D P Z I T S A E G P
S A T L L A O D R A P D V K N I G H T T S I U I E
W M S E I T I Y C L I X R E T C A R A H C N C C R
E T E M A N T D A P O C F Y R A T I L I M A S O T
I A U O B A C Q S U N E W O R S H I P L E G E N D
V B Q D L F I O K T D I E P A C I T N A M O R A L
O S G E E H F O L K L O R E E M U T S O C R E V A
M Z P L U F R E W O P R O T E C T M Y T H A C K J
```

ACTION	DEFENDER	MILITARY	RESCUER	STRENGTH
ADVERSITY	FAIRY TALE	MORAL	ROLE MODEL	STRONG
BATMAN	FANTASY	MOVIE	ROMANTIC	SUPER
BRAVE	FICTIONAL	MYTH	SACRIFICE	SWORD
CAPE	FOLKLORE	NOBLE	SAVE	TRAGIC
CHAMPION	HELP	POWERFUL	SPECIAL	TRIBUTE
CHARACTER	ICON	PROTECT	SPIDERMAN	VILLAIN
COSTUME	KNIGHT	QUEST	STAR	WARRIOR
COURAGE	LEGEND	RELIABLE	STORY	WORSHIP

Photographs

```
M M D V N O I T C A T E D I T N Z V H I A Z X M S
J Q J S L V S O I T L N O I T A C A V S E L F I E
M L I F L A S H K L O W E D D I N G C O L O R T P
Z F R I E N D S H I O X X M T N I R P K I C I Y I
C S S C E N E P T H H A P U E P A C S D N A L F A
P C H O L I D A Y S C U O B D G M C S S R T R R U
N O C A R T U N K C S V S L I Y A D H T R I B A S
E N Y O M D T S A A V F U A G B U G R J A O C M P
G T M S A M T S I R H C R D I A S O N O I N U E R
A E R R A E U O C O N C E R T B P O L E V E D D O
M S G A E A S T E R L G S H A D O W S T R O P S P
I T Q U L E V A R T F A M I L Y B B O H R P E T S
```

ACTION	CONCERT	FILM	LOCATION	SELFIE
ALBUM	CONTEST	FLASH	MEMORIES	SEPIA
ART	DEVELOP	FRAMED	PETS	SHADOWS
BABY	DIGITAL	FRIENDS	PORTRAIT	SNAPSHOT
BIRTHDAY	EASTER	GRADUATION	PRINT	SPORTS
CANDID	EDIT	HOBBY	PROPS	STAND
CASUAL	ENGAGEMENT	HOLIDAYS	REUNION	TRAVEL
CHRISTMAS	EXPOSURE	IMAGE	SCENE	VACATION
COLOR	FAMILY	LANDSCAPE	SCHOOL	WEDDING

Industrial Chemistry

```
R T A R K C Q G G N I X I M J A A L N G I S A G R
U I P E B S T D O E A D M U O Y R O T A R E P O A
G D S O Z B K B F U M E S E X R I R O N U Y T P Y
E V T R O P S N A R T G P L B T D T X E A C O R F
Y P R O D U C T A S N R E O A S N N I Z A L E E F
B T A V V F K H Y T E C E R T I U O C E L N P E W
U U B L L I P S E S M P T T C M O C R U I K B N O
N S L U R R I E S M P L I E H E P N T F L O W I R
I H I Y R T S U D N I D J P Y H M I E T S A W G K
T D T O W E R S O F U C I I E C O R R O S I O N E
S S O L V E N T W O Q Q A C F N C H C R A E S E R
L I Q U I D E S A F E T Y L A I R E T A M M U T A
```

ACID	ENGINEER	LIQUID	PRODUCT	SYSTEM
BASE	EPA	MATERIAL	REACTOR	TANK
BATCH	EQUIPMENT	MIXING	REFINERY	TOWERS
CHEMICAL	FILTRATION	OPERATOR	RESEARCH	TOXIC
CHEMISTRY	FLOW	PETROLEUM	SAFETY	TRANSPORT
COMPOUND	FLUIDS	PIPE	SIGN	UNITS
CONTROL	FUMES	PLANT	SLURRIES	VAT
CORROSION	GAS	POLLUTION	SOLVENT	WASTE
DOW	INDUSTRY	PRESSURE	SPILL	WORKER

In Love

```
S D A T E N A M O R E D L L I R H T R A E H M E L
U N I T Y H A T V X S B T O M I G F M Z F N I D S
T M E T N R A H T E T F N N A N R S G N I L E E F
S P M T R A D P I R B A E G E G N O Z C U M L W O
U U B I T E W V P S A S M I R M J O M G R B K U N
R P A S S I O N D Y U C E N D O H G I A I U S X D
T G K I V M M N T D G I T G Y B I C H T N R S H N
E I R O B S E S S I O N I E A D O C A F O C L H E
S E M O C I E K F N T A C L D U K P Z T L M E E S
C B Y M R N L T K N Z T X Y R J M Q X N T I E Y S
U N U F O A S Q Q E H E E T P O I E N D E A R E A
A K X H W C S P A R K S K L C A P T I V A T E T T
```

ATTACHMENT	DATE	FEELINGS	HEART	RING
ATTRACTED	DAYDREAM	FLIRT	HONESTY	ROMANCE
BOY	DESIRE	FONDNESS	JOY	SMITTEN
CAPTIVATE	DINNER	FRIENDS	LONGING	SPARKS
CHARMED	EMOTION	FUN	MARRIAGE	THRILL
COMMIT	ENAMORED	GIDDY	MEET	TRUST
COMPATIBLE	ENDEAR	GIFTS	MOVIES	UNITY
COURT	EXCITEMENT	GIRL	OBSESSION	WALKS
CRUSH	FASCINATE	HAPPY	PASSION	WANT

Caves

```
F S H E L T E R C T U N N E L N A T U R E D W D T
B T U R M S G C L F Q E Q M T D O F E D H Q A E T
L O N E D G R O N I A A O E V I T I M I R P T N Y
A N E T T N O O F A V O Q E R R M H S S Z K E E K
R E P I T I T L X F R I N U C U G O L O R G R R C
G G A M A W T C G N I T N I A P T A L A R U E O O
E E M G E A O C S G U L N G V T R C D O S E I L R
E S O A E R C O A R Y B C E I E I W A A D X C P V
M E P L E D S P E L U N K I N G H C E R M D A X E
N A O A O R S U R F A C E I G C T R H S F P L E W
T H Q T C G T S H A F T M O U N T A I N S G G O Y
M W C S R E Y S P P A S S A G E K W B N T N N H C
```

ADVENTURE	DARK	GLACIER	PASSAGE	SPELUNKING
AQUATIC	DEN	GROTTO	PIT	STALACTITE
BAT	DOLOMITE	HOLE	PRIMITIVE	STALAGMITE
CAVING	DRAWINGS	LARGE	ROCK	STONE
CLIFF	ENTRANCE	LIVING	ROOM	STREAM
COLD	EROSION	MINERALS	SEA	SURFACE
COOL	EXPLORE	MOUNTAIN	SHAFT	TREASURE
DAMP	FRACTURE	NATURE	SHELTER	TUNNEL
DANK	GEOLOGY	PAINTING	SPACE	WATER

Halloween Costumes

```
C Y E R I P M A V C H X T N A M E C I L O P B P J
H K S A M U C L A W S G A U S L O E C X S O D J Q
B I R M U M M Y M U M E H I A W F L P P R S Z A Z
U D U F Q P N I H W P A V O B N R E F E R E E A G
R K N L P K O S I E O L K O S H O B H O O D R R O
Q P M A H I G N K R E G Y E L T D R T C A E A A D
X A E P K N A M R E P U S I U G E I T R T V J N I
X I R P G M R O O W L S N K C P F T M S G I N G V
F N M E E B D U L O A E J A U T P Y N Y A L I E N
E T A R I P E S A L R P T S U J M O P V L W N L I
Y R I A F H Z E G F N B B O R A M S S K D T Y L C
F F D P J D C J Q B A T M A N W Y W T C D U I S E
```

ALIEN	CHEF	FIREMAN	MERMAID	POLICEMAN
ANGEL	CLAWS	FLAPPER	MONSTER	PUMPKIN
ARMY MAN	COWBOY	GHOST	MOUSE	REFEREE
ASTRONAUT	DEVIL	GLASSES	MUMMY	SKELETON
BATMAN	DOG	GLOVES	NINJA	SUPERHERO
BEE	DRAGON	GYPSY	NURSE	SUPERMAN
BROOM	DRESS	HAT	OUTFIT	VAMPIRE
CAT	ELVIS	MAKEUP	PAINT	WEREWOLF
CELEBRITY	FAIRY	MASK	PIRATE	WIG

Dora the Explorer

```
D G O I P A P V L E V A R T P B L E R R I U Q S G
A F E F N X B A S E B A L L X A O M O U N T A I N
I B T A R R T D S A T L A I H C O C I T L Z M L I
E T U L F I A V C K S Y O T Z K H Z P E N G U I N
Q G C E N P E E R S E L Z Z U P C N U M B E R S R
I C H A L L E N G E S U N G L A S S E S M G S A A
G N I H C A E T D V C Z L L S C E R E R O L P X E
D O R A C I S U M S U C F U E K R Z O P D B A V L
M G I P E T A R I P H U O H I S P A N I C L N P E
W G T O D D L E R S F I G S B B X C E N G L I S H
J I S P O R T S E R O F P F A M I L Y U N I S H U
T N H S W I P E R A Y N N E B N U W K F P H H T C
```

ABUELA	CUTE	HILL	NUMBERS	SPORTS
ADVENTURES	DORA	HISPANIC	PAPI	SQUIRREL
BABIES	ENGLISH	IGUANA	PENGUIN	SUNGLASSES
BACKPACK	EXPLORER	ISA	PIRATE PIG	SWIPER
BASEBALL	FAMILY	LATINA	PLAY	TEACHING
BENNY	FLUTE	LEARNING	PRESCHOOL	TICO
CHALLENGES	FOREST	MOUNTAIN	PUZZLES	TODDLERS
CHIALTAS	FRIENDSHIP	MUSIC	SOCCER	TOYS
CHILDREN	FUN	NOGGIN	SPANISH	TRAVEL

Electrical Technician

```
D W B P P D E V I C E S S E L E R I W I R I N G E
A U Y D Y A E R E P A I R A G O S A E O C O T R C
O R E V O C L L I G H T M O T H T N C U I U R C I
L P O W E R N T L Q D P E C T T W U N T R T M A L
Y R E T T A B E E I E N U T N I R V A A C L U B P
R S E R V I C E U R K D U U U R C P I G U E N L S
E V I T A G E N E Q N S P O E O U A L E I T I E G
K P O S I T I V E O E A K N R C K G P I T E M T U
A Z I A S W I T C H S R T W C G B C P A R Z U R L
E N E R G Y N O I S S E F O R P S Q A S C V L O P
R A F I M T D E N I A R T R R E I F I L P M A H E
B F V T O O L S P A R K H B S T L O V D B E K S L
```

ALTERNATOR	CABLE	FREQUENCY	PLIERS	SPARK
ALUMINUM	CAPACITOR	GROUND	PLUGS	SPLICE
AMPERE	CIRCUIT	LIGHT	POSITIVE	SWITCH
AMPLIFIER	CONDUCTOR	LOAD	POWER	TOOLS
APPLIANCE	COVER	NEGATIVE	PROFESSION	TRAINED
BATTERY	CURRENT	OCCUPATION	REPAIR	VOLTS
BLACKOUT	DEVICES	OPERATION	SERVICE	WATT
BREAKER	ENERGY	OUTAGE	SHORT	WIRELESS
BROWNOUT	FAN	OUTLET	SKILLED	WIRING

Cheerleading

```
Q I G G D B L H E C N A R E B U X E C O L L E G E
S F O O T B A L L S P O R T A G N I M O C E M O H
T R I K S E X C S T L U A V P T E A M R I A I F K
N E C C H A N T T M H T W M H T Y H R G T D S A I
M T Z T G S O O E I O G G U Y J F P C A E E P N C
K A Z S N E A V H V V O S N S D U O L N G R L S K
Q E A E I T S O I P E I E E I C N M N I R S I Q X
Q W P T T E U P J C A N T M C L H P P Z E H T U R
M S E N I L E D I S T G T Y A N B O B E N I S A R
Z K P O C H M Q M L C O E S L G A M O D E P L D Q
Z R P C X T P U N I F O R M S Q V D U L E L I M S
L R Y T E A S P I R I T Z Y V A R S I T Y E L L O
```

ACTIVITY	EXCITING	KICK	RALLY	SQUAD
ATHLETES	EXUBERANCE	LEADERSHIP	RHYTHM	SWEATER
CHANT	FANS	LOUD	SCHOOL	TEAM
COLLEGE	FLIPS	MEGAPHONE	SIDELINES	TUMBLING
CONTEST	FOOTBALL	ORGANIZED	SKIRT	UNIFORMS
DANCE	FUN	OUTGOING	SMILE	VARSITY
ENERGETIC	GAME	PEPPY	SPIRIT	VAULTS
ENTHUSIASM	HOMECOMING	PHYSICAL	SPLITS	VICTORY
EVENTS	JUMP	POMPOM	SPORT	YELL

Coney Island

```
K Y M M T I C K E T S T N E V E L P O E P A R K A
L I T H S O R S P N U S E I L I M A F O O D E G Z
S C D I A S O T H K O R A R D F T I A R N H I A H
S D I S C E W S D L M H S N X T C M Q M E R P M C
O H T T P A D I R A A R A C R E P M U B P T L E P
V E N O N G Z R E W F S K A C M E S A R T P A S A
R P E R A A Q U A D S K C R E D I R R O U Z Y W W
E K W I E T L O M R T T E V A C A T I O N U F I J
S J Y C C E G T L A I A H C A E B Y U K E P F M U
O X O G O A Q X A O M E R O H S G V M L X P A M B
R B R I G H T O N B K A S L H E E X S Y H O T E L
T X K F U N E R D L I H C Z D I S L A N D M A R K
```

AQUARIUM	CHILDREN	FUN	NEPTUNE	SEA GATE
ARCADE	CITY	GAMES	NEW YORK	SHORE
ATLANTIC	COASTER	HISTORIC	OCEAN	SUN
ATTRACTION	CROWD	HOTEL	PARK	SWIMMER
BEACH	DREAMLAND	ICE CREAM	PEOPLE	TAFFY
BOARDWALK	EVENTS	ISLAND	PIER	TICKETS
BRIGHTON	FAMILIES	KIDS	RESORT	TOURISTS
BROOKLYN	FAMOUS	LANDMARK	RIDE	VACATION
BUMPER CAR	FOOD	MUSIC	SAND	WATER

California Missions

```
O S J E H I S T O R Y R A T I L I M D A E R P S J
S E F P S A G E U R O P E B O D A J H T G F T E R
P T Y R N O I T A C U D E L Y N S X S C R L S V P
M T S B O G J N P E H C R U H C E A S A A U O I R
W L F E U N O N R F A T H E R T O W N E I E P T I
E E A J R I T C A O G Y L R Y C C C W T S L T A E
T R R N S D L I I S F I D H I C I O S O A R U N S
I S M S G N A D E X A I P R S S A M N R R C O X T
F A I T H U G P I R E O L K C O T S E V I L R H U
G M N L V O A T T N E M N A I D N I L L E B D U N
X R G F D F G G F N G U N I C F R I A R S R W H Z
M D N O I G I L E R U T L U C O R N U N O I T A P
```

ADOBE	CULTURE	FRONTIER	MEXICO	PATIO
BELL	EDUCATION	GOD	MILITARY	PRIEST
BUILDING	EUROPE	HISTORY	MISSIONARY	RELIGION
CALIFORNIA	FAITH	HORSES	NATIVES	SAN JOSE
CHRISTIAN	FARMING	INDIAN	NEOPHYTE	SANTA CRUZ
CHURCH	FATHER	JESUITS	NEW WORLD	SETTLERS
COAST	FOUNDING	LANGUAGE	NUN	SPREAD
CONVERT	FRANCISCAN	LIVESTOCK	OUTPOST	TEACH
CORN	FRIARS	MASS	PADRES	TRAIL

Legs

```
E U V H Z O T M K R O I K W X G B K J V B H L H U
W B V I F J U M P E D S N O R O N W P L L U R S K
O L N T L M S C R A W N Y R U J N I S S N S V P R
P W R G A U I J L S T R A I N S H H D S K I P E P
L F T P P I Y U M O N E P T S L E E H C L E D C P
F S O P Y O B R E R E L L F S S N C A M X E I I B
W T O E K I H I T E M K G L A N X L T E P F D R M
V R F V F R S A T U G N A H A M S T R I N G L D I
T O Z R E O B H S O E A I T Q G J C T H O B M A L
S N A E J L U C A C S F D A N C I N G R F N I U C
Q G N N E S L R C V R C T O M S E P F K L A W Q E
H K N N T E N D O N E P L W E C X T U O Y I S H R
```

ANKLE	FROG	KNEE	SCRAWNY	STRONG
CALF	HAMSTRING	LAMB	SECTION	SUPPORT
CENTIPEDE	HEEL	LIMB	SEGMENT	SWIM
CHAIR	HIP	LONG	SHAVE	TABLE
DANCING	HOP	MUSCLE	SKIP	TANNED
EXERCISE	INJURY	NERVE	SLACKS	TENDON
FIBULA	JEANS	PATELLA	SORE	TIBIA
FOOT	JOG	QUADRICEPS	STAND	TWO
FOUR	JUMP	RUN	STRAIN	WALK

Send a Card

```
H S K N A H T Y M H F J C F P I C T U R E S H P L
I T O R E P A P A N O I T O M E G H Z W I E E A L
U M R C W D T K W D N O I T A U D A R G N R C O A
E G N I D D E W K O I X Y R T S U D N I S I T N N
G B O R B R I E R U L L A M S B V A T O S O O O O
A D E C O R A T I O N R O M U H T N N U H T S C S
S S T A M P C S Y M P A T H Y U E A M P E P M C A
S E X P R E S S I O N L H Y R L L E W T E G E A E
E M A I L G E P O L E V N E A S T E R C P D V S S
M H R E T T I L G A T N E V E I N G I S E D O I H
O Q J R K I X F G N U B A B Y P P A H D E D L O F
W A A U Y I Y G T F F V R K N A L B D F B S E N D
```

ADDRESS	ELECTRONIC	GLITTER	MESSAGE	SEND
ART	EMOTION	GRADUATION	MUSICAL	SIGNATURE
BABY	ENVELOPE	HANUKKAH	NOTE	SMALL
BIRTH	EVENT	HAPPY	OCCASION	SPECIAL
BLANK	EXPRESSION	HOLIDAY	PAPER	STAMP
CHRISTMAS	FOLDED	HUMOR	PERSONAL	SYMPATHY
DECORATION	FUNNY	INDUSTRY	PHOTO	THANKS
DESIGN	GET WELL	LOVE	PICTURE	VALENTINE
EASTER	GIFT	MAIL	SEASONAL	WEDDING

Science Lab

```
K R D R O P P E R E T L I F F S S D I U Q I L G K
W S P C E Y U E V G T T M D R O T A B U C N I S R
X O C P E S C X H A P V I O E L U N B E A K E R S
T S Q A H N N P R E L N C O E I R G M B X R S T Z
F H A U L Y T E T E J C R H Z D I E U E U W A C F
G O G G L E S R D A P R O N E S B R D T D N B B U
L W R G M E I I I N O Q S T R M N O L N D I G A N
O E C A A D L M C F O C C A U E I U T T I A C L N
V R L R I S Z E P S U C O U R A C S D T S L M A E
E F C S C I E N C E K G P P I P E T T E L M Y N L
S H H S A F E T Y W C H E M I C A L S R T E Q C I
R S G N O T V I A L S I N K B I O L O G Y R S E A
```

ACID	CENTRIFUGE	EXPERIMENT	INCUBATOR	SCALE
APRON	CHEMICALS	FILTER	LIQUIDS	SCIENCE
AUTOCLAVE	CHEMISTRY	FLAME	MEDICAL	SHOWER
BALANCE	COAT	FREEZER	MICROSCOPE	SINK
BASE	CONDENSER	FUNNEL	PETRI DISH	SLIDE
BEAKER	CULTURES	GASES	PHYSICS	SOLIDS
BIOLOGY	CYLINDER	GLOVES	PIPETTE	STAND
BOTTLE	DANGEROUS	GOGGLES	RESEARCH	TONGS
BURNER	DROPPER	HOOD	SAFETY	VIALS

Barbecue

```
Y W V B H W B E C H A I R S J L J P R X K W D S U
G L U L V S R H W M Y M O Y S E I G G E V I M N M
R N Z W W T A E M W U S P Z L E P F N F M O E R N
I T I J Y R T U T E N S I L S W A C S I K M Z O G
L G P T C L W L S B L S T F B N T F U E R P U A H
L N S O A T U O E A E K R A I Z I B O P R P S S Y
U Y A U R E R O B H G I E N R R O K S O S V S T Y
H L L T K K S P C E E E R T I D M P P T D E E T V
J I A S B M T T G N U O S P C L I A S A E D R A Y
I M D I G U A M D P C I O M E H N E Z S N A C K S
K A S D G M H S I L E R D P C E U W W K P T K N V
S F K E B A B P N N T Z A E E G A P R O N B L O X
```

APRON	FRIENDS	MENU	PROPANE	SMOKE
BRATWURST	GAS	MUSTARD	RELISH	SNACKS
BUN	GRILL	NAPKINS	RIBS	SODA
CHAIRS	GUESTS	NEIGHBOR	ROAST	SPRING
CHARCOAL	ICE	OUTSIDE	SALADS	STEAK
CHIPS	KEBAB	PARTY	SAUSAGES	SUMMER
CORN	KETCHUP	PATIO	SEAFOOD	UTENSILS
CUPS	MATCHES	POOL	SEATING	VEGGIES
FAMILY	MEAT	PORK	SERVE	YARD

Shoveling Snow

```
X N M E X Y N S C A R F H X F S B L Z D V R G F F
M R O T S S L E V O H S C R T E T S R J Z J N N B
S U V G Z I N S Q J W N R O E Z B A C K P A I N F
A J E O P W C E C L E Q O H E T Z R I Y D C R B P
F S S P B O O R T X A B P S F Z N M U R D K I L I
E T E V O R P M E T R M I G I A S I I A S E T J R
T R V P J K A R U X I D R L E C N F W U R T E E H
Y E O S C N T D E C E M B E R C T E S N X Y G P W
S E L L H I H J O W Z T W A H O T R G A S L B L T
U T G M O E I L A P F O P E A T B F F J N A T O C
A K E N R C D L P I L E S W R C E A M I P D D W Q
M G D P E I K C L S Q M I N D N A S L I G H T K X
```

BACK PAIN	EXERTION	LABOR	SAFETY	STAIRS
BLIZZARD	FEBRUARY	LIFT	SAND	STEP
BOOTS	FEET	LIGHT	SCARF	STORM
CHORE	GLOVES	MITTENS	SCOOP	STREET
COLD	HARD	MOVE	SCRAPE	THERMAL
DECEMBER	ICE	PATH	SHOVEL	TIRING
DEEP	INCHES	PILES	SIDEWALK	WET
DRIFT	JACKET	PLOW	SLIPPERY	WINTER
EXERCISE	JANUARY	PORCH	SLOW	WORK

Candy Shop

```
V S M R K O H T T S P R I N K L E S P T O O N G V
Q T W G C X A T H G T T A P C N U E C X A N O L G
B A K E R W R T J O R O Z L Q O O A I V S S I L U
H E J G E E D S F U I H U J I Z N M X Y I O T H M
E P S G A T M F F R E S D C B E Y F A D B O A E M
Y N D T M L E F N M T C I N S R L D E N G C P A Y
F U S T Y E L D S E S L I U E A I C V C N K U T W
F T I S H E L I R T E M G R V L O T Q P T I C H E
A S D E R O T S N D F A N O O R B N T E O I C C H
T J G L M A J Q I A R I R H A C E T A L O C O H C
O K T X S M B P N A V S G T Y T I U R F E O X N Y
P A E R I T S R U O S R E K C U S L H R K M D T E
```

BAKE	CLUSTERS	FUDGE	MIX	SUCKERS
BARS	CONFECTION	GIFTS	MOLD	SUGAR
BLEND	COOK	GOURMET	NUTS	SWEET
BOIL	CREAMY	GUMMY	OCCUPATION	TAFFY
BRITTLE	DECORATE	HARD	POT	TASTE
CANES	DELICIOUS	HEAT	SOURS	TOFFEE
CHEWY	DIP	HOLIDAYS	SPRINKLES	TREATS
CHOCOLATE	FLAVORS	LICORICE	STIR	TRUFFLE
CINNAMON	FRUITY	MELT	STORE	VANILLA

225

Fancy Restaurants

```
N Q U I E T S I L E N I W I X N A P K I N C Q D F
W E A T E M R U O G T X S I L V E R W A R E U A J
P H H D N Y A D H T R I B J H T O L C E L B A T F
M H U R V A E C H E F G Q U S F A C E L I I L E Y
I I V K A R R P H O S T L U D G W O L A N R I R P
R Q I P U T M U S I C J O A E U A U E C E E T E R
H D O T I M S R A R N I L R S T I R B S N L Y V I
S T L U D A E E T C A F R V S T S R P S E K R C
L U I L Q N N E V I S N E P X E E E A U D G J E E
C B N P N P P O L I T E N E S S R S T C L A S S Y
G Y C A C I L E D F F E R X P A M P E R I N G P S
L A M R O F D F A N C Y R O V A S N I G H T S O C
```

ADULTS	DATE	FORMAL	PAMPERING	SAVOR
BIRTHDAY	DELICACY	GLASSES	PIANO	SERVER
CELEBRATE	DELICIOUS	GOURMET	POLITENESS	SHRIMP
CHEF	EAT	HOST	PRICEY	SILVERWARE
CHINA	ELEGANT	LINENS	QUALITY	TABLECLOTH
CLASSY	ETIQUETTE	MANNERS	QUIET	UPSCALE
COST	EXPENSIVE	MUSIC	REGAL	VIOLIN
COURSES	FANCY	NAPKIN	RESTAURANT	WAITER
CULTURED	FIVE STAR	NIGHT	SALAD FORK	WINE LIST

Green Things

```
U E W M W Y J Z S L K T P O S T N A L P O L I V E
I K K B X C H E M E R A L D E A N C R A Y O N E N
O N A B N H I C I S I T R A C T O R S S O M C G W
U O B L U B N U N N S A S C M V E P S T I M R E K
R E E Y E S I T T I Z A R O W H A G H P T V D T E
W Y D B M U H T X I R P L V C R O T A G I L L A L
L P V N T R C E L M Y G S A A H A R M B I X G B P
S E J N Y B C L O T H I N G D O S O R M B L Y L P
C T R E E E U D I H I I U C A L F R O G A A G E A
Q O B D N A Z L D M P S A C E L P I C K L E C S J
L E A F O N I O N S E H I Y B Y F Y K B M A O T H
H J Y F M S T M S O P E B A L I E N S E A W E E D
```

ALGAE	CLOTHING	JADE	MOLD	SALAD
ALIENS	CRAYON	KALE	MONEY	SEAWEED
ALLIGATOR	EMERALD	KERMIT	MOSS	SHAMROCKS
APPLE	ENVY	LEAF	OLIVE	SPINACH
ASPARAGUS	EYES	LETTUCE	ONIONS	THUMB
AVOCADO	FLAGS	LIME	PAINT	TRACTORS
BEANS	FROG	LIZARDS	PARSLEY	TREE
BUSH	GRINCH	MILDEW	PICKLE	VEGETABLES
CABBAGE	HOLLY	MINT	PLANTS	ZUCCHINI

Job Interview

```
W F B R E F F O I L O F T R O P Y T I R E C N I S
S Y M E K A H S D N A H C R A E S E R A P E R P P
J R E S R H O N E S T Y A H E X P E R I E N C E U
G A E D E G R E E C A R E E R U N V Z B E E N S N
N L T C P G T I U S N P O L I T E I V U D L O T C
I A I R E T N U H D A E H D H M E T S S O B I R T
N S N O I T S E U Q R M R U U C A N D I D A T E U
E Y G M E T A U L A V E S E S C G E C N S R I N A
E I M P R E S S S L L I K S F R E T T E L I S G L
R O F I R M E D U C A T I O N E R T Q S A S O T L
C O R P O R A T E S U H U T O U R A L S O E P H A
S Z R E Y O L P M E B A C K G R O U N D G D U S C
```

ATTENTIVE	CORPORATE	FIRM	MEETING	RESEARCH
BACKGROUND	DEGREE	GOALS	OFFER	SALARY
BOSS	DESIRABLE	HANDSHAKE	POLITE	SCREENING
BUSINESS	EAGER	HEADHUNTER	PORTFOLIO	SINCERITY
CALL	EDUCATION	HIRE	POSITION	SKILLS
CANDIDATE	EMPLOYER	HONESTY	PREPARE	STRENGTHS
CAREER	ENTHUSIASM	IMPRESS	PUNCTUAL	SUIT
CHALLENGES	EVALUATE	INTRODUCE	QUESTIONS	TEAM
COMMITTEE	EXPERIENCE	LETTER	REFERENCES	TOUR

National Forests

```
E H N K O S I S K I Y O U M A T I L L A M O D O C
E O I A R C H R A T N I U G R A N D M E S A C E T
G T C A U A O R E N N Q A L O B I C Q G E S D N E
I N C O W J Z N A T I H C A U O A P N H T Y O O G
B O H N H A N O E N A S U P E R I O R A N M D H D
M T E E H C T A N E W W A T I S S E N E E A E S O
O E R Y D C O H S S T G R B G R V I H R N L L O L
T T O C S E R P A S K K B A E A S G F O O I T H R
T E K A N I K S U A R E H F E L E P R L F G A S E
U E E G E K S U T L A B F B A L K O O T E N A I E
O D E S O T O J X N M E T U L F C L E V E L A N D
R R G E E H G R A T J D S A R A P A H O T T A W A
```

ALLEGHENY	DE SOTO	KOOTENAI	OZARK	STANISLAUS
ARAPAHO	DEERLODGE	LASSEN	PISGAH	SUPERIOR
BEAVERHEAD	DELTA	LOLO	PRESCOTT	TARGHEE
CARIBBEAN	FREMONT	MARK TWAIN	ROUTT	TOMBIGEE
CHEROKEE	GILA	MODOC	SAN ISABEL	TONTO
CIBOLA	GRAND MESA	OCHOCO	SAN JUAN	TUSKEGEE
CLEARWATER	HIAWATHA	OCONEE	SHAWNEE	UINTA
CLEVELAND	JEFFERSON	OTTAWA	SHOSHONE	UMATILLA
CORONADO	KANIKSU	OUACHITA	SISKIYOU	WENATCHEE

Measure It

```
T L S N O R C I M E T R I C K N O T S T R A U Q U
H E C T A R E S O C A L O R I E S E M S E L U O J
V A E P T T E A S P O O N U N M M N A I D A R U P
E G P F B A G R M U B X K O A S M O H T A F M N I
V U S F U X W P A A J H O R S E P O W E R G S C N
C E E U S S T A R A C P G P S M O R T S G N A E T
A S H R H P T R G V S I F A H R E N H E I T P S S
D Y C L E X E M O E L Y A R D R U O H T T A W T P
A S N O L L A G L L M T E S U K E L V I N Q S N I
N K I N S C Z B I A O T R E T E M I T N E C L I K
O Y C G H O A M K T I J A C S U I S L E C P P O S
T O N S T T A W O L I K A S D Y N E S D N U O P B
```

ANGSTROMS	DYNES	HORSEPOWER	LITER	POINTS
BARRELS	EMS	INCHES	MACH	POUNDS
BUSHELS	ERGS	JOULES	MEGAWATTS	QUARTS
CALORIES	FAHRENHEIT	KELVIN	METRIC	RADIAN
CARATS	FATHOMS	KILOGRAMS	MICRONS	TABLESPOON
CELSIUS	FEET	KILOWATTS	MILLIGRAMS	TEASPOON
CENTIGRADE	FURLONGS	KIPS	OUNCES	TONS
CENTIMETER	GALLONS	KNOTS	PARSECS	WATT HOUR
CUP	HECTARES	LEAGUES	PINTS	YARD

Basements

```
C O Y P R M T E P R A C R A W L S P A C E S S B B
J S Y P E S E S O H T E L E V I S I O N Y Q H M A
P H R A H E T Q U S D N O I T A D N U O F C S N H
A Q O I S M D R U P A U L I G H T U T V R E F L P
N J O N A Z A M S I M C D E L A E S N V E G O J Q
T U M T W T P Q R D P U O D I R S L F G Z A O L W
R N F D R P S N I B G M R N A R I I U E E R T Q Z
Y K E O U R H E A T E R E L C S C A R N E O I M W
H A M M E R L W H F I R L N E R R N N K R T N J L
H S P Y E B R I C K S E I X T S E M A G F S G D L
O S R M A C C V A K C T O O L S X T C O U C H V Y
G D S T B N U G F I V B B W I N E S E V L E H S I
```

BINS	CONTAINERS	FOOTING	LIGHT	STAIRS
BOILER	COUCH	FOUNDATION	MORTAR	STORAGE
BOXES	CRAWLSPACE	FREEZER	NAILS	SUMP PUMP
BRICKS	DAMP	FURNACE	PAINT	TABLE
CARPET	DEEP	GAMES	PANTRY	TELEVISION
CELLAR	DRYER	HAMMER	ROOM	TOOLS
CEMENT	DUNGEON	HEATER	RUMPUS	TOYS
CHAIRS	EQUIPMENT	HOSES	SEALED	WASHER
CONCRETE	EXERCISE	JUNK	SHELVES	WINE

Schools

```
M A T H Y L O O H C S F F E D E R A L W D R R R J
C R N C R E A D I N G H W T G Q E M U R E E E E H
O T E U O P U B L I C R U A R L C O G O G Q H M S
M S M R T F U N D I N G T J O E L T S R U C M I
P S N R A I T U I T I O N S M A S P Y S E I A U L
U V R I D V R Q I V Q E X P E N S I V E E R E S G
L S E C N A D N E T T A U T E S T D C F G E T N N
S T V U A T G R D I S T R I C T S N L O E D B O E
O U O L M E S C I M E D A C A Z E A R R L W O I X
R D G U A I X N E R D L I H C I W P L P L I O N A
Y Y K M T B E D S E D A R G C Y Z L A C O L K U M
K Z R Y R O T S I H Y H D S H T L A E H C F S D S
```

ACADEMICS	CURRICULUM	FUNDING	PRIVATE	STATE
ART	DEBT	GOVERNMENT	PROFESSOR	STUDY
ATTENDANCE	DEGREE	GRADES	PROGRAMS	SUMMER
BOOKS	DIPLOMA	HEALTH	PUBLIC	TEACHER
CHILDREN	DISTRICTS	HISTORY	READING	TEST
CLASSES	ENGLISH	LOANS	RECESS	TUITION
COLLEGE	EXAMS	LOCAL	REQUIRED	UNIONS
COMPULSORY	EXPENSIVE	MANDATORY	SCHOOL	UNIVERSITY
COMPUTERS	FEDERAL	MATH	SCIENCE	WRITING

Medical Help

```
O H T W O U N D D O O L B C C S L L I P N D E B Y
C A R E S W P F L I N J U R Y Y U F F H O H N L P
I F X I S S E N L L I W C U O C P H Y S I C I A N
D A A G P E E U S U O D I A G N O S I S T E C T E
M J E H U H G Z V X O F F I C E C Z C R C G I I U
E P K T K C A E N O T S L L A G R H E O E N D P M
S F L N C T D R M B L O B H O R C A I U F I E S O
R E W E E I N A M E S Y H P M E T L V T N R M O N
U V M G H T A N I A R P S S S M E J I I I Y H H I
N E E R C S B D Z Z C E L D E E N E E N S S U Q A
T R C U R E Q Y U V P Y G N A M E Z C E I I R T P
N F K C W T F S Y R R O T I N O M T X D O C T O R
```

BANDAGE	DOCTOR	HOSPITAL	OFFICE	SPRAIN
BED	ECZEMA	HURT	PAIN	STITCHES
BLOOD	EMERGENCY	ILLNESS	PHARMACY	SYRINGE
BRONCHITIS	EMPHYSEMA	INFECTION	PHYSICIAN	TEST
CARE	EXAM	INJURY	PILLS	TREATMENT
CHECKUP	FEVER	MEDICINE	PNEUMONIA	URGENT
CLINIC	FLU	MONITOR	ROUTINE	VISIT
CURE	GALLSTONE	NEEDLE	SCREEN	WEIGHT
DIAGNOSIS	HELP	NURSE	SHOT	WOUND

Haircuts

```
D S T Y L E P E G C S G K M M B M O C M U E Z I Z
E O Q U E A V R E B R A B B B O P A C T P G E I P
V V O D M I Y A U A O H M D L R S N I P R E I X B
F E A T H E R E D N S S M P N U U T X T A I Q G E
S F X E U H Z H R G S M I F A X N S R L R A M P O
Q S E Y W C N D T S I L F L E N G T H X T O K H S
S B E O R E E B K L C E P A C C J B T L O X Z S H
C A O N K D S I I W S G A T Z S H E A R S Z E A O
P U P B I O K T X F A H F T H W L A G L U W K W R
W O W A L S A K Z I G H R O M L O R I B D J E R T
H H R C R R U O D A P M O P U J N W E R C C U E O
P B K C Y T Q B V A C U U M N F G N H O Z B E N P
```

AFRO	BURR	CROP	MILITARY	SHEARS
BALD	BUSINESS	DRY	MOHAWK	SHORT
BANGS	BUZZ	FADE	MULLET	SNIP
BARBER	CAPE	FEATHERED	PART	STYLE
BEEHIVE	CASUAL	FLATTOP	PIXIE CUT	SWEEP
BLUNT	CHAIR	GROOM	POMPADOUR	TRIM
BOB	CLIP	LAYER	RAZOR	VACUUM
BRAIDED	COMB	LENGTH	SCISSORS	WASH
BRUSH	CREW	LONG	SHAG	WEAVE

Bridges

```
R R H K T C N X P E A C E N O T S T N E M E C T X
P H E K C A B L E Q T W F O H C P L A A P D N O B
Z F M V P O A T L A N D A D L I N K E M S B C W C
R E O S I T T L B R O O K L Y N I B L Y P O G E M
V W P D F R I E N D S H I P K E T W O B N I A R M
J Y M O A Q K B G N O R T S O C R C G D R C C Y M
B V R N R O E T E R C N O C N S E U U D B H A O S
D M S C K O R A N F V L E A T E S I E D C W R R Q
H I E S U S P E N S I O N R C P T R T R A V E L S
T L B E N T A R W O O D E N B Z L X A T H I G H R
A W A S H I N G T O N E S S T E E L E U P C V A D
P D R Q K L Y D E O T R U S S B J R E V O W J L M
```

ARCH	CONDUIT	OVER	SCENIC	TRANSIT
BAR	EXTENSION	PATH	SPAN	TRAVEL
BEAM	FRIENDSHIP	PEACE	STEEL	TRESTLE
BOND	GIRDER	PIERS	STONE	TRUSS
BROOKLYN	GREAT BELT	PLATFORM	STREET	VIADUCT
CABLE	HIGH	RAINBOW	STRONG	WALK
CARS	LAND	RIVER	SUSPENSION	WASHINGTON
CEMENT	LINK	ROAD	TAMPICO	WATER
CONCRETE	LOG	ROPE	TOWER	WOODEN

Desks

```
O H K Q V G K G V L S T E E L D C L O C K N P G F
D M A R K E R A I P G K G K E E F Y I S W O M F H
O U B E O E X N S N H W C V F N R M R R R I A H C
O C S T X W V T O S E O R A M A O U E E I D L H T
W A S T U D Y I N G T A N R T N N G T Z T R T C U
I L L O M A T Q T E C O E E O S T T U I I E N P H
D E E L L P R U U U E H R G E H D I P N N N E N Q
L N C B E E N E B A C C R A T O E S M A G R D M A
R D T C W E L I F A E E I Y G M S S O G T O U P Q
E A E A P E C P E S Z R X F O E K A C R Z C T F J
Q R R L A L A T E M P V U E F G N L O O H C S I R
D D N J E L B A T R A Y K B J O B G I N B O X I Q
```

ANTIQUE	CUBICLE	HOME	ORGANIZER	STORAGE
BLOTTER	DRAWER	HUTCH	PEN	STUDENT
BUREAU	DUST	INBOX	PHONE	STUDYING
CALENDAR	ERGONOMIC	JOB	RECEPTION	TABLE
CARVED	EXECUTIVE	LAMP	SCHOOL	TEACHER
CHAIR	FILE	LECTERN	SECRETARY	TRAY
CLOCK	FRONT DESK	MARKER	SIT	WOOD
COMPUTER	FURNITURE	METAL	STACKS	WORK
CORNER	GLASS	OFFICE	STEEL	WRITING

Around the Zoo

```
R S B I R D S D A S E K A N S M Q G S Y E K N O M
S P E C I E S A A S B R O N X M S N T G S E A L S
R F S P A D Q W L T L I O N S C R I I I S E G A C
E N R N A U O E L L T W W A K P E T B U N S D F M
G A E E A C M G S C I R F R C A P T I V I T Y I T
I B N R S A R B E Z Q R A F H H E E H F U N M S R
T R I D C T D L F I I P O C S W E P X E G A A H E
U U A L L I L L F C D O X G T W K E E S N H M R E
M L R I E O I Z A B D N Y D K I O Y T R E P M O S
F U T H C N W C R J Y R A I V A O H Z A P E A V Z
R A Y C P I G N I K L A W S I A Z N S B H L L E M
C L H S T U D Y G O L O O Z Q R E P T I L E S A W
```

AFRICA	CAMEL	FOOD	PETTING	TIGERS
APES	CAPTIVITY	FUN	REPTILES	TRAINERS
AQUARIUM	CHEETAH	GIRAFFES	RIDES	TREES
ATTRACTION	CHILDREN	GORILLAS	SAN DIEGO	URBAN
AVIARY	COLLECTION	LIONS	SEALS	WALKING
BARS	EDUCATION	MAMMALS	SHOWS	WILD
BIRDS	ELEPHANTS	MONKEYS	SNAKES	ZEBRAS
BRONX	EXHIBITS	PARK	SPECIES	ZOOKEEPERS
CAGES	FISH	PENGUINS	STUDY	ZOOLOGY

How's the Weather?

```
D Q F M I S T O R N A D O V E R C A S T L V E X D
E L N I N O J W H N D R I Z Z L E K L S L E E T R
E L M R O T S E C I N V E R S I O N X O A M H C O
V I S I B I L I T Y D O W N B U R S T R F M U G C
A H H K L T U O P S R E T A W H H A U F W T R N E
W C T C I F O G U S T I D A L W A V E N O V R I R
T D Y O Z T S R U B O R C I M A G I T H N K I N A
A N G S Z Y X N O I T C E V N O C E L L S Y C T I
E I G D A A F L O O D S E A B R E E Z E O D A H N
H W U N R G N I L I E C S M M A C I D R A I N G B
H U M I D I T Y D R O U G H T J C Y C L O N E I O
A U K W B H A Z E L A G C L E A R A I N F A L L W
```

ACID RAIN	DRIZZLE	HAZE	MICROBURST	SNOWFALL
AIR MASS	DROUGHT	HEAT WAVE	MIST	SUNNY
BLIZZARD	EL NINO	HOT	MUGGY	TIDAL WAVE
CEILING	FLOODS	HUMIDITY	OVERCAST	TORNADO
CELL	FOG	HURRICANE	RAINBOW	VISIBILITY
CLEAR	FROST	ICE STORM	RAINFALL	WATERSPOUT
CONVECTION	GALE	INVERSION	RECORD	WIND CHILL
CYCLONE	GUST	JET STREAM	SEA BREEZE	WIND SHEAR
DOWNBURST	HAIL	LIGHTNING	SLEET	WINDSOCK

Myths

```
H P X L I R R R Y Z M T B J S V M F S I N J P S H
K D E G U S E G P W F S A E R O B A O H Y G E I A
Z A R B O C T F N O M N Z N R J R U N P S M S F D
M R B W S L I N O I S S I S E M E N P F R Z D V E
R O S U M A D F N R C E O K U H S S Y E I V I R S
H R R A C E O E E Q T L I R E E T U H T L F P W G
J U P I T E R E N R F U A D O B Z A N A C L U V S
E A F T D V H C R A X C N Y O M N D P C G O C E W
K Y L S A B P P U O G R A A E N U T P E N R R E F
S I M E T R A L T R S E I A P O L L O H A A H A I
M O I H B S U N A J Y H D L B U P L U T O N U J N
G Q E J E I R I S F K U K M A R S E S S Y L U N A
```

APHRODITE	DIANA	HECATE	JUPITER	NIKE
APOLLO	EOS	HERCULES	LUCIFER	PLUTO
ARES	EROS	HERMES	LUNA	POSEIDON
ARTEMIS	EURUS	HESTIA	MARS	ROMULUS
ATHENA	FAUNS	HYGEIA	MERCURY	SATURN
AURORA	FLORA	HYPNOS	MINERVA	SOL
BOREAS	FORTUNA	IRIS	MORS	ULYSSES
CUBA	GOLDEN AGE	JANUS	NEMESIS	VULCAN
CUPID	HADES	JUNO	NEPTUNE	ZEUS

Communicating

```
T E F G M M T E L E P A T H Y D F B C A E C F U M
O N R R E C N E I D U A M X S V S N O O I D A R O
E I E A K L A T L C R E S Y R M L N O O I D O M R
C L V M F A X A E E A U E Q A H O R E I K H E C O
I N I M U N G L C N V V Z R E G B Z O W S S Y M S
O O E A S G L S I L N I G T U M M P R G S E I Y A
V T C R S U R N L O Y E S G P T Y P H A R A S G L
I E E D L A G A C A L W R I T E S F G U L T E I N
Q N R A O G C R R E T U P M O C L E T T E R S D S
F O R B R E G T T E N R E T N I C G M W T Q E I
W H L I A M R U X C K I A H U W I V S R E D N E S
D P K N L L V H U M A N E K O P S O U N D C A A T
```

ARGUMENT	FAX	MAIL	PICTURE	TALK
AUDIENCE	GESTURE	MEANING	RADIO	TELEGRAM
BOOKS	GRAMMAR	MEDIA	RECEIVER	TELEPATHY
CALL	HUMAN	MESSAGE	SENDER	TELEVISION
CELLULAR	IDEAS	NEWS	SIGN	TRANSLATE
CODE	INTERNET	NOISE	SOUND	VERBAL
COMPUTER	LANGUAGE	ONLINE	SPOKEN	VOICE
CONVEY	LETTERS	ORAL	SYMBOLS	WORDS
EARS	LISTEN	PHONE	SYSTEMS	WRITE

Geological Features

```
R M N M O K N P Q L G Z K B E Z S U M H T S I S B
E K U V Y H R G B U T T E D A B B A S I N O O S I
V Q L F Y F P U A R U A E T A L P Y F O E U H S I
A E F X W F F F I L C S O Y O A P E I P N M W S A
C S L B O E S V G H E L O O W A M T N D I A L R W
R A E Q D E E M S R L U L E N N A H C I T A C E C
V E P M E R A R T O N A C L O V W L Y E N H J I N
D U N E G N A R N O I S O R E A S E R D O S D C O
R A V P D M L U A V F I E L D E L F O X C R U A Y
O O O O I Y L L U G W O E L Y L A T S A O C N L N
C K D L R L M L I H D E L T A L I O S J M C V G A
K C I S A Q F X G H I B C V L N Z J F R E T A R C
```

ARCH	CHANNEL	ELEVATION	ISTHMUS	ROCK
ATOLL	CLIFF	EROSION	MARSH	SEA
BASIN	COASTAL	FIELD	MESA	SLOPE
BAYOU	CONTINENT	FJORD	PENINSULA	SOIL
BEACH	COVE	FLUVIAL	PLATEAU	SOUND
BUTTE	CRATER	GLACIER	RANGE	SWAMP
CANYON	DELTA	GULLY	REEF	VALLEY
CAPE	DESERT	HILL	RIDGE	VOLCANO
CAVE	DUNE	ISLAND	RIVER	WATERFALL

First Dates

```
Q E T N A R U A T S E R E I V O M D R I N K I S S
K M T F S P L A N Y X C Q S E L E K O C B I U B S
R L G N I L W O B F C M N R T A E M M O L U N C H
Z F A M I L I A R O I L O E A N T G A U S E U U Y
Z T E T K T J I N S T E I G D O L N N R S T M R K
S E L P S C E T M W E N S N D I Y I C A E L E I P
L I A E A N A A L F M S S A E T F N E G R T C O T
O U U D D C T O F Z E U E R E O M N H E T R N S A
C Q T G T C S O V T N C R T P M B I O I S K A I E
Q R U Y H T C E U T T O P S S E C G J C D D D T C
G P M E S I R P R U S F M C O C H E M I S T R Y S
V Q D W N W C O M P A N I O N R E B M U N Q F Q O
```

ARRANGE
BEGINNING
BOWLING
CHEMISTRY
COFFEE
COMPANION
CONFIDENCE
CONTACT
COURAGE

CURIOSITY
CUTE
DANCE
DRINK
EAT
EDGY
EMOTIONAL
ESCAPE
EXCITEMENT

FAMILIAR
FOCUS
FRIEND
IMPRESSION
JITTERY
KISS
LOST
LUNCH
MEET

MISMATCHED
MOVIE
MUTUAL
NEW
NUMBER
PLAN
QUESTIONS
QUIET
RESTAURANT

ROMANCE
SET UP
SHY
SPEED DATE
STRANGERS
STRESS
SURPRISE
TALK
TIME

Clean House

```
R M I L D E W I N D O W S W E E P I W N G M O B R
Z G Z X S O V I E R X T B S D Q K T Q W R F B R N
Z F H T L I F S G J O E E N E H C T I K E Z D U G
Y B O E N I H S A R F L W N O N M O O R D E B X X
M L W E M I R G B N U I B U D A I E Z I N A G R O
O E G L A U N D R Y I O O M O E P D S E L B B U B
O A T K A G S O A P K T C D R L T I I V H M T U I
R C G R D T L S G W S A I S I C N Y S T A I N E D
B H A A E B H O R A A S E Z Z F L H T O L C O W Q
V G S P R A Y E V T H S Y U E G N O P S H S U R B
S U D S F L O O R E B F H C Q C C L J T N T S U D
G C F T O W E L S R S Q T L H S I N R A V X P O M
```

BEDROOM
BLEACH
BROOM
BRUSH
BUBBLES
CLEAN
CLOTH
COBWEBS
DEODORIZE

DISHES
DISINFECT
DUST
FILTH
FLOOR
GARBAGE
GLOVES
GRIME
KITCHEN

LATHER
LAUNDRY
MILDEW
MOP
ORGANIZE
RAGS
SANITIZE
SCOUR
SHINE

SOAP
SPARKLE
SPONGE
SPRAY
SQUEAKY
STAINED
SUDS
SWEEP
TIDINESS

TOILET
TOWELS
VACUUM
VARNISH
VINEGAR
WASH
WATER
WINDOWS
WIPE

Organically Grown

```
Q W L M I L K T J E L B A T E G E V P N S E E D S
S O A T U S E H S E R F I Q H M A R K E T N I A R
K D C T L L T C L O D G F O O D I E X G S O T O Q
S U O Q E A C A O A P E R M L C E Z F O E I M R S
U T L H U R C H N L D M T E E O A I P R P T A G K
S H S D T B C I I D O Y O A E X G L F T A A N A U
T T N E M E V O M N A G B C L N O I T I R T U N H
A L C F V D M P E E G R Y U U U Q T C N T O R I Z
I A D E R R A S Y D H G D Q G Q G R J A W R E C X
N E M N S U A S J R E C O S Y S T E M O L C E T L
C H L V A N I H N A T U R E F A S F R N A E L C R
S V Q U A L I T Y G R A S S O I L G S C R I D U U
```

BIOLOGICAL	FRESH	INSECTS	MULCHING	REGULATED
CERTIFIED	FRUIT	LADYBUGS	NATURE	ROTATION
CHEMICAL	GARDEN	LAND	NITROGEN	SAFE
CLEAN	GRASS	LOCAL	NUTRITION	SEEDS
COMPOST	GREEN	MANURE	ORGANIC	SOIL
ECOLOGY	GROW	MARKET	PESTS	STANDARDS
ECOSYSTEM	HARVEST	METHODS	PRICE	SUSTAIN
FERTILIZER	HEALTH	MILK	QUALITY	VEGETABLE
FOOD	HORMONES	MOVEMENT	RAIN	WATER

Currency

```
S N X Y N D P F Q Q N E G N A H C Q D B V G D R H
K T Q R E N I S D E P O S I T L Y Y N N E P O W H
D Z E T O N R M S V V D E J Y Q L J T I U F W L R
U X B S A C O P E E Y E R M K U E E N C S O R A D
C O U N T R Y M R H T R O W M A B M S K I A P C A
A P C S R H P N N S A N T J I R N A D E L M B O X
F E X N E D M N B A O T S R U T F I O L V I C L E
Z S F O V E S A H C R U P P G E I Q O T E N D E R
F O A I N T N O E A O O E M U R A D G C R T P G O
C D E T O K N L D O R E A L D W T W E A L T H A F
Y A W A C U X E Q T U P A Y X X V Y P R I N T L H
R C Y N J V X W C K E V K B L C O Z R T C E S L A
```

AIRPORT	CREDIT	GOLD	NICKEL	RUPEE
BANK	DEPOSIT	GOODS	NOTE	SELL
BUY	DIME	GOVERNMENT	PAY	SILVER
CASH	DOLLAR	LEGAL	PENNY	STORE
CENT	ECONOMY	LOAN	PESO	TENDER
CHANGE	EURO	LOCAL	POUND	TRADE
COIN	FIAT	MINT	PRINT	VALUE
CONVERT	FINANCE	MONEY	PURCHASE	WEALTH
COUNTRY	FOREX	NATIONS	QUARTER	WORTH

Our Feet

```
Y X P G C F L B W D B B S B Q W A R T S S O R E Y
F A Y F O R E F O O T U S J E C V T P L Q S L U E
K H A O Y I G M T R L N N E H W C O A I P K H T B
M P H P A W S S P L W I E Y K H D D T P E C I M E
Q X B F T T M A R G O A M G I N I A P T O V C C
I Q H C R A I C E W F N K K A A H F E E S S J E K
S K Y O R S N R O L K D E T S G Q D R R N O U Z E
L K L G E O K K A R L C R K Q E I T S S I B M U A
H L I O D H Y T L J N Y S X A C S L T N Q O P B X
U E H N N X Y R I A H S R P U E L O T A I N P A O
Y S E S A E O B D B W A Z R O A O A W I M E E Z T
R T A L W J L T J Z X X E T B B J R O L J O V L G
```

ARCH	FOREFOOT	LEG	SHOES	STROLL
BALL	HAIRY	LIGAMENT	SKIN	TAP
BONE	HEEL	NAIL	SLIPPERS	TENDON
BOOTS	HIKE	PAIN	SMELLY	TOES
BUNION	HOOF	PAWS	SNEAKERS	TWO
CALLUS	INSTEP	PEDICURE	SOCKS	VEINS
CORNS	JOINT	PODIATRY	SORE	WALK
DANCE	JUMP	RUB	STINKY	WANDER
FLAT	KICK	SANDALS	STRETCH	WARTS

Unidentified Flying Objects

```
A B D U C T H S A L F M L P S V C P R C S B U P Y
E R A D A R T W S H L H B K F M H V U A A L O W N
H E I X Z R A H U D L G Y L A E E R T L N C U E I
Y V A Z O E U M O H R C O R N F I E L D O C I Y H
T O M B O T A S Y U A A T O K O L O L M M L G J S
H H E O T N T A B R T I M A S L O L E A A O N G I
G O G L O U A S I I A E E I I N E T N E L U I N G
I I E I D O K P N N R T T S W S T H O Y D N I N
N L D Y L C S G S A T Y E L S U E Z F U S S V Y S
N G G A E N C R A S H S O O I L H U N U S U A L F
M R N K O E N M Y S T E R Y L F D F N M A Q D F A
W D I C U R V P I L O T S A U C E R T E R C E S C
```

ABDUCT	CRASH	INVADE	NIGHT	SHINY
ALIEN	CURIOSITY	KECKSBURG	PHENOMENA	SHUTTLE
ANOMALY	ENCOUNTER	LAND	PILOTS	SIGNS
ARIZONA	FLASH	LIFE	RADAR	SKY
BALLOONS	FLOATING	LIGHT	ROSWELL	STREAK
CLOUDS	FLYING	MANTELL	SATELLITE	STROBE
COMETS	HOAX	MARTIANS	SAUCER	STUDY
CONSPIRACY	HOVER	METEORS	SECRET	UFOLOGY
CORNFIELD	HUMANOID	MYSTERY	SETI	UNUSUAL

Made of Metal

```
L N H T B S U L W X A S K W L H F T M V U I S Y P
G A A T Y K R O F Y C G V I D F Y O Y Y R K T J R
J C M U H X H I T R E A A W A G Z O R H I R E A Q
H R M P X U L I E F I N K E E M L E A R I E M Y V
X O E U L L I E N W T O O L L L R E E X V O B S
U B R L I U N Z I N C U I M A T D T J D W L R R W
L O K N O S E R M U I N A R U W W I O R P I H A V
L T G V F I E R A W K O O C A E L O N I D S C S H
U S A U T C O N D U C T O R P N R E F G N P S S A
K Y Y V N H A N G E R S E Y I S L L E B N O A A P
J X V K R B N K C A R T L T P D T G A T E O R N L
H U M A Y R U C R E M M Z P E R S P O T S N R I S
```

ALLOY	DOOR	HARDWARE	MONEY	SPOON
BELLS	FILLINGS	HULL	NAIL	STEEL
BRASS	FOIL	IRON	PANS	TIN
BRIDGE	FORK	KEYS	PEWTER	TOOL
CAN	GATE	KNIFE	PIPE	TRACK
CHROME	GIRDER	LAMP	POTS	URANIUM
CONDUCTOR	GUN	LEAD	ROBOTS	WELDING
COOKWARE	HAMMER	MAGNESIUM	SCREENS	WIRE
CUTLERY	HANGERS	MERCURY	SILVER	ZINC

Snowstorm

```
F T R F E R E V E S H O V E L L A U Q S K C U R T
W A R N I N G A T T C H I L L Y R A U R B E F R D
C O L D S N O W Y F L E V A R T O N V N M G A L E
N C E M A W T T L I U Q P D D I G I R F R O S T C
J I L I I L H E A R I P A V A L A N C H E H H L E
I P D T A B L I N D I N G S J I T S A C E R O F M
A L D T B L A S T S G T T A G B F D I L Y S N D B
M M U E F R E E Z E E O N G N I R E T S U L B E E
O R H N H A Z A R D O U S P O S N E Y R R U L F R
B N O S C H O O L B A U Y Y R I R W E A T H E R E
F W W D K C U T S R C X T T T V T S E P M E T C H
T I L P S S U X Y N M R O T S C A R F O U L Y H I
```

AVALANCHE	COLD	FROST	NO SCHOOL	STORM
BLAST	DANGEROUS	GALE	NO TRAVEL	STRONG
BLINDING	DECEMBER	HAZARDOUS	QUILT	STUCK
BLUSTERING	DRIFTS	HOWL	SCARF	TEMPEST
BOOTS	FEBRUARY	HUDDLE	SEVERE	TRUCKS
BRUTAL	FLURRY	ICE	SHELTER	VISIBILITY
CHILLY	FORECAST	INTENSE	SHOVEL	WARNING
CLOSURES	FREEZE	JANUARY	SNOW	WEATHER
COAT	FRIGID	MITTENS	SQUALL	WHITEOUT

Mountain Climbing

```
S K I I N G U P Y A L E B R P A T H L E T I C H W
A F Y S T I M M U S A L A N E P A L C X G D S O T
D L W G N I K I H T V Q S O S M S N H P L D T B N
R E H T A E W M A H A J E I U H E Y I E G E E B E
O V I R P C B O Z G L N C S O I S A L D L S E Y C
C A T A E O S U A I A E A S R M S T L I A C P A S
K R E I V L K N R E N G M E E A A R A T C E R I A
Y T O N E D A T D H C Y P F G L V O R I I N A G L
G N U I R G E A O K H X P O N A E P Y O E T K U P
E E T N E M P I U Q E O Z R A Y R S T N R A U I I
A T S G S W O N S E P O R P D A C A V E S G V D N
R B O O T S E S I C R E X E X S N O P M A R C E E
```

ALPINE	COLD	EXPERIENCE	HOBBY	SNOW
ALTITUDE	CRAMPONS	GEAR	MOUNTAINS	SPORT
ASCENT	CREVASSES	GLACIERS	NEPAL	STEEP
ATHLETIC	DANGEROUS	GUIDE	OXYGEN	SUMMITS
AVALANCHE	DESCENT	HAZARDOUS	PEAKS	TENT
BASE CAMP	EQUIPMENT	HEIGHTS	PROFESSION	TRAINING
BELAY	EVEREST	HIKING	ROCKY	TRAVEL
BOOTS	EXERCISE	HILLARY	ROPES	WEATHER
CAVES	EXPEDITION	HIMALAYAS	SKIING	WHITEOUTS

Small Words

```
X J U K K U V P J R V I X Z O Z Y L L P N G H K Y
F D S U N V S F T Y D Y K W A O G B E T E H P C O
M N D C E U E C H I M O O I K P H T A G Z E X R S
F I T N B T J F G R J H O Z U C B Y G G R A W Q S
Y T A J A Z Z U I I Y H H Y L Y B O E E Q V B X P
F L E O O I X G M L G A I X M N G V Y C K Q D W T
P V B O O K Y O A P I V D U W O O T O D C I G Z B
G K I T H I Y T N A W N F O I O L W V E B P E Y Y
S F G E N T E R S P A E K P G I F Y V G D W W K M
Y Y R X W E A O W S L E V D I V H O G Z Y S L T Q
W K P T U T R O C K L D L Y J G W U G C T I A B N
L O H M Q W W F V X J P X Z I F F T E M L G N G M
```

BEAT	FOG	KITE	PLANE	TOO
BIG	GOO	LIFE	RENT	VIEW
BOAT	HER	LINK	RIG	VOW
BOOK	HIM	LOG	ROCK	WALL
BUS	HOG	MIGHT	ROOF	WANT
DAY	JAZZ	MOO	SAND	WIG
DIG	JIG	NEED	STY	WOW
DOG	JUMP	NOW	SUN	YEAR
FIG	JUNK	PIG	TEXT	YOU

Chocolate Lovers

```
H F O U N T A I N U T S C L U F L P F H E G D U F
P P T B S E U D N O F H Y N N U B Y T M U F E Y X
B O E I T C A M C C I R P I J I R O Q Y R I P O Z
A W E Z N C O T A P R T D U B M O V G O K L P I E
R D W G J B I T T E R B C E D M W B S O P L I A K
M E S S U O M R H U R J T E S D N T O T L I D D A
D R T M M D O C F G Y C L N F S I C T C A N E E H
F T A S I V O F W P D W E H R N E N P A U G H T S
M O C H A C L H X D N R M C G M O R G S E Q U A G
Q H I L O E I F D S A M T S I R H C T E M R U O G
C I F A Q T O N H D C R F L I O D Q E K A C T C N
F J P M E C R A G U S M K W W E O N X H E T V V S
```

BAR	COATED	FLAVOR	MELT	SAUCE
BITTER	COCOA	FONDUE	MILK	SHAKE
BROWNIE	CONFECTION	FOUNTAIN	MOCHA	SMOOTH
BUNNY	COOKIE	FROSTING	MOUSSE	SUGAR
CAKE	DARK	FUDGE	NOUGAT	SUNDAE
CANDY	DESSERT	GOURMET	NUTS	SWEET
CHERRY	DIPPED	HOT	PIE	TREAT
CHIP	EASTER	ICE CREAM	POWDER	TRUFFLE
CHRISTMAS	FILLING	ICING	PUDDING	WHITE

Sporting Goods

```
V E H B P A D D I N G N I X O B I K E S E R U L W
Y O G A U M Z C O N E S H O E S F F P W Y C C Q Z
M G S E T A K S I E S L L I M D A E R T E M L E H
U B K V Y S P T N R R S Y S E L G G O G K Y R E O
R X I W R G N P E L E Q U I P M E N T E N N I S C
E Z I E E U U N A V K U B H Q S L L E B B M U D K
C U N I H K I N O R A S K C U P U R C H A S E P E
C P G G C A E L S S E N T I F C L O T H I N G S Y
O S O H R Y G W A V N L M A B I L L I A R D S T B
S L G T A A G N I H S I F X B A R R O W S R A E G
F V A S Q K C L E A T S E S S A L G N U S T T N U
F B J K D L S E E T P O L L X C B H I W B H R T R
```

APPAREL	CLOTHING	GOLF	NETS	SNEAKERS
ARCHERY	CONES	GUNS	PADDING	SOCCER
ARROWS	DUMBBELLS	HATS	PROTECTION	SUNGLASSES
BAT	EQUIPMENT	HELMET	PUCKS	TEES
BIKES	FISHING	HOCKEY	PURCHASE	TENNIS
BILLIARDS	FITNESS	HUNTING	RUGBY	TRAINERS
BOXING	GEAR	KAYAK	SHOES	TREADMILL
BUY	GLOVES	LURES	SKATES	WEIGHTS
CLEATS	GOGGLES	MITT	SKIING	YOGA

Whale Watching

```
M E Y B A B S B E A U T Y O Y S D M J W Y W B L U
J O E A R E P I J A C K E T B S T A T I B A H U U
K R R R A E L N Z M N D A E G I A N T L O T R A N
B L U N V D A O H T I I H N C N G J M D A E C P V
D O T A I G S C E V L A I S K N I C D L T R E G S
T R A C E N H U H S V T G P I I E T A I O A N N M
B S N L W I G L L I H D M U L O C I S F C I M I S
J S Z E I T Y A O G N U P O L C C E T E Z B S G D
X W V H N I P R I F J G L R E E V E F A R P L N E
C I V K G A I S R E D I U G R A B U M Q P C K U I
D M F Z O W H N H E R D Z Y W N L A R E M A C L E
Q H J M W Q S U U D F Z V F P W Z Y U Q E H C L C
```

AMAZING	BREACHING	HABITAT	OCEAN	SWIM
BABY	CAMERA	HERD	ORCA	TAIL SLAP
BARNACLE	CRESTING	ICE	PATIENCE	TOUR
BEAUTY	DIVE	JACKET	PEACEFUL	VIDEO
BEHAVIOR	FEED	JUMP	SEA	VIEWING
BELUGA	FERRY	KILLER	SHIP	WAITING
BINOCULARS	GIANT	LUNGING	SIGHTINGS	WATER
BLUE	GROUPS	MORNING	SPLASH	WAVES
BOAT	GUIDE	NATURE	SPRAY	WILDLIFE

Royal

```
Y M O N E Y T R E G A L D O L O R D X H F A T Q L
T L R K L T N O D N O L O A L A I L V D O I B H R
S O U E B S U N E E U Q D E N W O N E R A L I T E
E D X M O A O O G D Y Y N O I T A N O R O C R L C
J M M P N N C H O I Y T I R O H T U A O B W T A N
A C P E R Y S M O H E S T E P R A C D E R S H E I
M R T R A D I T I O N R K J E W E L S O A K R W R
N E H O E N V S R E M I M P E R I A L C V J I G P
I W R R I S T V C I L B U P W N E C A L A P G N K
R O O O U O S S V A L E A D E R S H I P D O H I G
U P N R R L A H I G H N E S S E H C U D O S T U N
S A E Y C R E V E R E D F A M E Z F Q C H H K O S
```

ASCENSION	DUCHESS	IMPERIAL	NOBLE	REIGN
AUTHORITY	DUKE	JEWELS	PALACE	RENOWNED
BIRTHRIGHT	DYNASTY	KING	POSH	REVERED
BLOODLINES	EMPEROR	LADY	POWER	RULE
BRAVADO	EMPRESS	LEADERSHIP	PRINCE	THRONE
CASTLE	FAME	LONDON	PUBLIC	TIARA
CORONATION	HIGHNESS	LORD	QUEEN	TRADITION
CROWN	HISTORY	MAJESTY	RED CARPET	VISCOUNT
DOMINION	HONOR	MONEY	REGAL	WEALTH

Purses

```
P H C C O R T C A P M O C D P F J D N I F F R L Q
U S E I Y E N O M K A Q L E G A U W M A K E U P W
M M W R G G S L L C T M Y U Y K L U B R X W W Z Z
M W P R M N A I C A C B C S L E J R E H T A E L L
U Y A E I E P E T P H C O A L A I N T C Y L Z P V
P L N Q C S S O F K I K W T A C G H S T Y L I S H
E B S O T S T N B C N E V C M I I T P U I E P U L
N U A I O E E L A A G S A H S N O O N L S T P E Z
O C C R F M U N E B U R B E R R Y L F C A T E D S
H K Y D O S V I O T R U D L A T H C Z Z E I R E N
P E A W H A W K E Y S P I G O H Y S E K A N N A E
L T M O S K C E H C E T E K C O P S A L C B R X P
```

ACCESSORY	CLASP	HERMES	PENS	STRAP
BACKPACK	CLOTH	KEYS	PHONE	STYLISH
BLUSH	CLUTCH	LARGE	PLAIN	SUEDE
BUCKET	COACH	LEATHER	POCKET	THIN
BULKY	COMPACT	LIPSTICK	PURSE	TOTE
BURBERRY	DESIGNER	MAKEUP	SATCHEL	WALLET
CANVAS	FABRIC	MATCHING	SMALL	WOMEN
CARRY	FAKE	MESSENGER	SNAP	WRISTLET
CHECKS	GUCCI	MONEY	STORAGE	ZIPPER

Research

```
R W R E S U L T S S Y S G N J P U B L I S H E H B
M D E D A T A E I R D C O C O R I G X G D I L C O
M A X D Z E L S I C I I V Y U I N A H N R N G R O
M E P O R C E U U E S T E R R M T N R I L T O A K
Q R L H I H Q R G U C S R A N A E A A D A E O E V
W U O T T N I D L S O I N M A R R L C N C R G S P
E S R E I O E C E S V T M M L Y N Y A U I P R O A
I A E M S L N L A E E A E U A R E Z D F D R A L P
V E O I W O A I R C R T N S B O T E E A E E N V E
E M T O C G W Q N O X S T S A E D I M C M T T E R
R Y N C B Y T I S R E V I N U H N O I T S E U Q S
T K S C I E N C E P R O J E C T S T C E J B U S D
```

ACADEMIC	EXPLORE	INTERPRET	PRIMARY	SEARCH
ANALYZE	FACT	JOURNAL	PROCESS	SOLVE
ARTICLES	FUNDING	KNOWLEDGE	PROJECT	STATISTICS
BOOK	GOOGLE	LAB	PUBLISH	SUBJECTS
CONCLUSION	GOVERNMENT	LEARN	QUESTION	SUMMARY
CURIOSITY	GRANT	MEASURE	READ	TECHNOLOGY
DATA	IDEAS	MEDICAL	RESULTS	THEORY
DISCOVER	INQUIRY	METHOD	REVIEW	THESIS
EDUCATION	INTERNET	PAPERS	SCIENCE	UNIVERSITY

The Lion King

```
D R Y A F R I C A S A F U M R A C S T A M P E D E
B E S L X B S E S N O I L H K S O S I M B A S F G
Y T H D I G J C E T I L A E D U M T E F F S B P A
Q A O M N M J I K V V M L N N Q S I A Z A Z U L A
S E W O V U A F R C L T A D V E N T U R E M C A P
I H S D N L C F G E O L T T E D H O A V B U L Y C
D T E G A P M O T N T R A B I E C B O A N S A X F
M P L N R O H X J U A K E S R O I L A T H I S G T
O E I I Z T R O O C R D N D S A N E Y H R C S Q Y
V P N K R I H B K E L E C H I L D R E N P A I O H
I C V A T N U N E I Y R O T S R A F I K I L C L H
E G W S G F K M W M K H N U Q S P N O M I T D V P
```

ADVENTURE	DISNEY	LIONS	PRIDE ROCK	SONGS
AFRICA	ELTON JOHN	LOVE	PRINCE	SOUNDTRACK
ANIMATION	FAMILY	MEERKAT	PUMBAA	STAMPEDE
BOX OFFICE	FATHER	MOVIE	RAFIKI	STORY
BROADWAY	FILM	MUFASA	SARABI	THEATER
CARTOON	HAMLET	MUSICAL	SCAR	TIMON
CHILDREN	HYENAS	NALA	SHENZI	WARTHOG
CLASSIC	JUNGLE	OUTLANDS	SHOW	WILDEBEEST
CUB	KINGDOM	PLAY	SIMBA	ZAZU

Wine Descriptions

```
A S M A H E L P P U S M O O T H H M E V X D Q Y O
G Q W O O D Y T I U R F L E S H Y W E H C B R J K
K D R E J C C E D R S E R I C H G J Y A A K H Y I
K V K A E P Q L O X Y X Y T S E Z I Y R R A E P X
M V I D S T A V E O L X R I B V D C R D O U A P D
Y W Y T I R A L C A X L N O W U I L E B M L V I V
L K K H O L P C Q M N I U O B P T W P A A G Y Z B
V G T L F M R Q I W F Q D F S U D T P T R Y D O B
C V F S O I Z E A L U S C I O U S B E A Y T T U N
Z F O C S O U R E E E Y B D Z A J T P R I A H X N
J V S P V W M G T C I D I C A E F E P J Y E X Y L
P C A B A C S P W E S L G S Y F D E P T H M N U B
```

ACIDIC	CLEAN	FLESHY	MEATY	SOFT
AROMA	COMPLEX	FLORAL	NUTTY	SOUR
BIG	CRISP	FRUIT	OXIDIZED	SPICY
BODY	DELICATE	FULL	PALATE	SUPPLE
BOUQUET	DEPTH	GRAPE	PEAK	SWEET
BRIGHT	DRY	HARD	PEPPERY	WARM
BUTTERY	EARTHY	HEAVY	RICH	WOODY
CHEWY	FINISH	LEGS	ROBUST	ZESTY
CLARITY	FLAVOR	LUSCIOUS	SMOOTH	ZIPPY

Elevator Ride

```
E O X N K C U T S I O H N L Q M U S I C U R H B B
D T E H Q G P S O P T G Y R E P A R C S Y K S Q K
L I L M B X A E M P O E N Y N R B K D W D U K Q
A S P R A L N R I U K T H I E B O P H O R T E O P
C H O I G T O V I G Q A S R L C B H F O A T S C U
I A E D N F T I D N N D Q T L L A O P N S A B R T
T F P E T I T C E I O E N C U M A L L E E B M I R
R T P A T L U E C O N I M E P V S F M R L I S H L
E O L B C W B A G G A G D L C T N E P E L E G E H
V P O E C I L U A R D Y H E R S S X W C R Y T H X
M X V L A S T H G I L B I J K A E C I F F O N Q T
L K M L F A S Y T E F A S Z B F W D L O H I R W Y
```

BASEMENT	DROP	GRAIN	MECHANICAL	RISE
BELL	ELECTRIC	HOIST	MUSIC	SAFETY
BUTTON	EXPRESS	HOLD	OFFICE	SERVICE
CABLE	FALLING	HOTEL	OPEN	SHAFT
CAPACITY	FAST	HYDRAULIC	OTIS	SKYSCRAPER
CLIMB	FLOOR	LIFT	PEOPLE	STOPS
DESCEND	FREIGHT	LIGHTS	PLATFORM	STUCK
DING	GLASS	LOBBY	PULLEY	TELEPHONE
DOOR	GOING UP	MALL	RIDE	VERTICAL

Interesting Colors

```
Q M O E S A P P H I R E T W E P B R K S N G O L D
C O G R P H W O L G N U S R N A I L E N R A C L V
D A Q U S E A I P E S T E I C R I M S O N H A P E
M Z N Z R U R M G K L H N C O P P E R T A R L P T
F A Z A L L P I R E C U P E E U S O R R E L E S A
P P H A R B L N W O V G N Q C L Q E T M L L U E L
O O E O S Y A D M I C G O S P S B R E N U R O A S
S T E U G V T I U T N K D I C M E A U A R V R I F
E T A V M A I G M N S K A L A U U V S T E O S H V
Z G T W U N N O B I A I L V S Q J G A H C A E P U
V S A D J A U Y E A O Y E E A E G G P L A N T I C
Z X E S O R M I R P J H C R D X O S A F F R O N Y
```

AMBER	CORAL	MAUVE	PUCE	SLATE
AQUA	CRIMSON	NAVY BLUE	RUST	SORREL
AZURE	CYAN	OCHER	SABLE	SUNGLOW
CANARY	EGGPLANT	PAINT	SAFFRON	TAN
CARNELIAN	EMERALD	PEACH	SAGE	TEAL
CELADON	FLAVESCENT	PERIWINKLE	SAPPHIRE	TOPAZ
CERULEAN	GOLD	PEWTER	SEPIA	TURQUOISE
CHARTREUSE	INDIGO	PLATINUM	SHAMROCK	UMBER
COPPER	MAHOGANY	PRIMROSE	SILVER	VIOLET

Radar

```
F D R H S N J S H G B Y M E T S Y S O O I D I S H
P R E H T A E W R D O P P L E R J F O R E C A S T
I Y Q V M D T E A N N E T N A Y M R O T S I E E L
C V R M N R C E A P I N G T V G M T J D L N R N A
S A I U O E H U L V I N I V C R C D Z I I O U A E
I N O P I Q L Y G L I L Y C N E U Q E R F R S L T
G S R V T F A R C R I A B Y L N Y C A E F T A P S
N I E B A T S J A M X T T F D E I M C C D C E D C
A R S E C W D E T E C T E I G L B H N T P E M S R
L E L I O O B J E C T R N N O U O S H I P L W K E
T X U E L I S S I M P G A P S N A C S O A E U D E
D Y P S U I O W C X B R M T R A C K I N G R A W N
```

AIRCRAFT
AIRPORT
ANTENNA
AVIATION
BATS
BEARING
BLIP
DETECT
DIRECTION

DISH
DOPPLER
ECHO
ELECTRONIC
ENERGY
FORECAST
FREQUENCY
JAMMING
LOCATION

MEASURE
MILITARY
MISSILE
NAVY
OBJECT
PING
PLANES
POLICE
PULSE

RAIN
RANGE
RECEIVER
REFLECTOR
SATELLITE
SCAN
SCREEN
SHIP
SIGNAL

SOUND
SPY
STEALTH
STORM
SUBMARINES
SYSTEM
TRACKING
WAR
WEATHER

Diamonds

```
O C M O N E Y I S A V D S J F B I U C L N N L U X
Q S E W A T C H C B T E L E C A R B E M H T V E T
C D O F N A T U R A L R H C I R R E T S U L X N C
J R E V E R O F H B G E M S T O N E C S E P A G L
C E Y R N O B R A C T D R F E C R G M A E I N A E
I R W S O C O U R L P E P L H K G A O N L I F G A
B O O E T L L X D M E R I A T I L O S L N K A E R
U T M T L A O T N B N R G W N L E I I I D S C M R
C S E T V R L C E K D L Y L Y Z V R M L O V E E I
S G N I R I Y D S H A R P E S E B M A R A I T N N
F L I N X T U E S S N E E S U O I C E R P A S T G
R X R G M Y Y L S B T I A S T A R A C O A L O R G
```

BRACELET
BRILLIANT
CARATS
CARBON
CLARITY
CLEAR
COAL
COLORED
CROWN

CRYSTAL
CUBIC
DE BEERS
EARRING
ENGAGEMENT
EXPENSIVE
FACETS
FLAWLESS
FOREVER

GEMSTONE
GLASS
GOLD
HARDNESS
JEWELRY
LOVE
LUSTER
MINING
MONEY

NATURAL
NECKLACE
PENDANT
PRECIOUS
RARE
RICH
RINGS
ROCK
SETTING

SHARP
SMALL
SOLITAIRE
STORE
SYNTHETIC
TIARA
VALUABLE
WATCH
WOMEN

Watching Football

```
P W C L Y S U G T D V H N L Z G G N Q J O F I C C
O A I C M H C T A W U A W N L E A G U E K A O T I
P S S C U P G O T G B L O U D N M L M R J N A R Z
W D H S I R E Y A L P R D K A R E I F S V A N O C
P R W C D W R N X C E C L O N L O O K E R T N P E
E A A O A Y I A N F H R E C E I V E R Y U I O P N
Y Y C R T K L J E A A S I D B O O S T E R C U U T
C T W E S G L R N J N N F K K C I K D E F E N S E
P R F G M A E T X E Z T T S H O U T I D A B C C R
U A I J A E Y N F O T L H A N O I S I V E L E T G
S P U N T E R F D S T R O P S P E C T A T O R T N
M K S T N I O P A P E N A L T Y L L A R O O T J F
```

ANNOUNCER	DOWN	LOUD	POINTS	SPECTATOR
BET	FANATIC	OFFENSE	PUNTER	SPORTS
BOOSTER	FANTASY	ONLOOKER	RALLY	STADIUM
CAP	FIELD	PARTY	RECEIVER	SUPPORT
CENTER	FLAG	PASS	REFEREE	TEAM
CHANT	GAME	PENALTY	ROOT	TELEVISION
COACH	JERSEY	PENNANT	SAFETY	WATCH
CONVERSION	KICK	PIGSKIN	SCORE	YARDS
DEFENSE	LEAGUE	PLAYER	SHOUT	YELL

Martin Luther King Jr.

```
Z S I X T I E S H C R U H C E E P S Z F T R U K L
P C A A N G G C H I L D R E N D O L E G A C Y I E
Q E Q U A L I T Y E S R S R E T S I N I M T X L A
S E V R R M N C O R S T O O T S I V I T C A H L D
E P U F S E A O L H E K O T U G S T R U G G L E E
H O R F M I V B I E S M R R A T T E R O C R A D R
C H S E G O A E A G R K O A Y R H R N K C A L B P
R W V R A P D M R L I G P G P R O M I N E N T V A
A O O O T C J E L E A L Y N T A P E A C E F U L S
M E L I A J H D E E N P E M O N S O P R O T E S T
G H S I H P M E M R S D V R A C O O R A C I S M O
H T S P E A K E R V F M A H G N I M R I B B B V R
```

ACTIVIST	COURAGE	KILLED	ORATOR	ROSA PARKS
ALABAMA	EQUALITY	LEADER	PASTOR	SELMA
BAPTIST	FATHER	LEGACY	PEACEFUL	SHOT
BIRMINGHAM	FREEDOM	MARCHES	PREACHER	SIXTIES
BLACK	GEORGIA	MEMPHIS	PROMINENT	SOUTH
CHILDREN	HISTORY	MINISTER	PROTEST	SPEAKER
CHURCH	HOPE	MONTGOMERY	RACISM	SPEECH
CLERGYMAN	ICON	MOVEMENT	RELIGION	STRUGGLE
CORETTA	JAIL	NAACP	REVEREND	TENNESSEE

Chairs

```
N C P E F X G E S U A P D D W L C H C U O L S U X
P O K Q V A D Y U M G D E N W A L O U N G E B T Q
A L S F Y E O C W J Y F I Q R T I S T R A I G H T
B L S F U U Z L K A F P B R D E N T I S T S B Y X
W R F S B G E R E U D A A P O M K A D P E U F Y P
K O F E R R A N T V N V V N C N P C A R V R L T L
K B R R E P O S E C I F F O O Q D K I A I E O R D
E H G K V P M U L S W W C I R C Y A Y W S R P O A
Q Z C A I D L E T M N T S H N I F B C L I A O F M
H O A R V W L C T V U Q D S E S T L X K T W H M M
R X A L E R O W E C E D U U R V P E M I T N W O D
H M Q S U P L V S Y A R E C O V E R O J D P C C N
```

ADIRONDACK	IDLE	OFFICE	REVIVE	STUFFED
COMFORT	LAWN	PARK	ROCKER	SUEDE
CORNER	LAZE	PATIO	SAG	SWIVEL
CUSHION	LEISURE	PAUSE	SETTLE	UNWIND
DENTIST	LOAF	PERCH	SLOUCH	VISIT
DOWNTIME	LOLL	RECOVER	SLUMP	WAIT
DOZE	LOUNGE	RELAX	SPRAWL	WICKER
FAVORITE	METAL	REPOSE	STACKABLE	WOOD
FLOP	NAP	REST	STRAIGHT	WORK

Horses

```
E R I H S D R O J F N D P I N T O N X W I O M U D
Y N O N A R D I G C H I L E A N A F D A C L D R F
B A L A A T U O F H U N G A R I A N G L S D O I S
M I L I P I Z Z A N E R S S S C A S Y K H E N K I
U N O G I W N N L Q A E E E O L H D X A F N I H O
R I I L M H O A A M N I I V T R E E C L H B F S X
B S R E G V C T B N O R L U U S R K R O D U O A U
R S C B E E G U E L F R J O D E N A R O Q R S B A
E Y W R T A Y D L J A T G A G E L S I S N G A Z W
T B I Z N O R D L A N D L A Y N E F B A R B P F P
O A A I C A Z O A F B E V Y N N O Y D U B I R O T
N I K S K C U B N O M A R A S S E M U R G E S E T
```

ABYSSINIAN	BRETON	FINNHORSE	IOMUD	OLDENBURG
ALBANIAN	BRUMBY	FJORD	JUTLAND	PASO FINO
ARDENNES	BUCKSKIN	FLEUVE	LIPIZZANER	PERCHERON
AUXOIS	BUDYONNY	FOUTA	MESSARA	PINTO
AZTECA	CHILEAN	FRIESIAN	MONGOLIAN	QATGANI
BALUCHI	CLYDESDALE	GIDRAN	MORGAN	SHIRE
BARB	CRIOLLO	HACKNEY	MURGESE	SORRAIA
BASHKIR	DRAFT	HANOVERIAN	NOMA	TORI
BELGIAN	FALABELLA	HUNGARIAN	NORDLAND	WALKALOOSA

Professional Golf

```
R A E U Y M W W Q Z D Q I E T W Y K Y B B Z L K R
P S E V O L G P B U L C V Z H O L E C I L S T E O
J R B E S R U O C E J O R G A N I Z E R H T Q R L
E L G A E R D L L N N P R U O T A G P B M R S O S
G R W O O D R O Y F O H U A M L A P L A Y O F F S
D A R C L F I S M O S R O C U B F G K M N K T L R
E L E U X F V H D U T H I G X V R T O Y E E R A O
W U K N E D E I D R A G O I A E F L O R I D A G J
S G N I K N A R K S W U Q E E N D P H U D P C I A
U E U Q A A D T S O M O O N S L E E I N R E E V M
T R B U R S E R L M O R E L G N A E F P I H C J H
N L G E K E L C O E T T U P B L Y T R J B A Z W V
```

AIM	COURSE	GLOVES	ORGANIZER	SAND
ANGLE	DRIVE	GOLF SHOES	PGA TOUR	SLICE
BAG	EAGLE	GOLF TOUR	PLAYOFFS	SONY OPEN
BEN HOGAN	ERNIE ELS	GOLFERS	POLO SHIRT	STROKE
BIRDIE	FEDEX CUP	GREEN	PUTT	TEE
BUNKER	FLAG	HOLE	RAKE	TOM WATSON
CART	FLORIDA	HOOK	RANKINGS	UNIQUE
CHIP	FORE	IRON	REGULAR	WEDGE
CLUB	FOURSOME	MAJORS	ROUGH	WOOD

Toothpaste

```
I F W H E M Y P D H E S A R E B W H I T E Q R W J
R O P A C N M H O E T A I M N E A D A D F V I U F
E A E A T U A S R T N E R T O L F C I B L O N H V
Z M C V P E E E A R E T E A I Q P X T V U M S H K
U O O I I G R R L I R O A T T V O D Y E O U E E T
C U L R N S C F T C D W O L N R I M O O R H T A B
A T G J N N A R Q L L S I U E I A G U B I I S L H
C H A S O I A R E O I G O P V K M T N G D T A T T
S S T S Z V N M B S H E Z E E U Q S T I E B F H A
F I E O E W A G O A C L C J R O X Q H Y G I E N E
S M I L E N X E V N S T R I P E D Q G F L A V O R
V Y T F E B U T R F E V L O A A Z Z U Q G G O J B
```

ABRASIVE	CINNAMON	FOAM	MORNING	STRIPED
ADA	CLEAN	FRESH	MOUTH	TARTAR
AIM	COLGATE	GEL	ORAL	TASTE
BACTERIA	CREAM	GINGIVITIS	PEROXIDE	TEETH
BATHROOM	DENTAL	GUM	PREVENTION	TRAVEL
BREATH	ENAMEL	HALITOSIS	PUMP	TRICLOSAN
BRUSH	FLAVOR	HEALTH	RINSE	TUBE
CAP	FLOSS	HYGIENE	SMILE	WATER
CHILDREN	FLUORIDE	MINT	SQUEEZE	WHITE

Rich

```
T R U S T C A P I T A L R E S O U R C E S I J E T
H T W O R G D P R E I S E S U O H O Y A C H T X R
T R A V E L C Y C O N N P F K P N M C Y E N O M E
L R E V L I S N A O S B V Y U T E C N E U L F F A
A I N P X H E L I C O P T E R N O I S N A M A B S
E C U R S L S L A U Q I E I S U O R E N E G U D U
H H T O U L D N N R U B R N T S E R E T N I L R
T Y R P U I O T N U O U I T I P M B O N D S D O E
R Z O E B N Y C C U T S S R L T V E S A V I N G S
O D F R A X H E K E F Z R D E V Y S N O I L L I M
W W G T A S S E T S I N H E R I T C E T A T S E E
I Y E Y R U X U L A I C O S P K E G A T N A V D A
```

ABUNDANCE	CAPITAL	HEALTH	MILLIONS	SECURITY
ACCOUNTS	CONTRIBUTE	HELICOPTER	MONEY	SILVER
ACQUIRE	DONATE	HOUSES	OPULENCE	SOCIAL
ADVANTAGE	ESTATE	INHERIT	PERSONAL	STOCKS
AFFLUENCE	FORTUNE	INTEREST	PROPERTY	TRAVEL
ASSETS	FUNDS	INVESTMENT	PROSPERITY	TREASURE
BILLIONS	GENEROUS	JET	RESOURCES	TRUST
BONDS	GOLD	LUXURY	RICH	WORTH
BOUNTY	GROWTH	MANSION	SAVINGS	YACHT

Nice and Soft

```
D F X K R J N V J F G W U Z G N K Q O B M W S Y Y
I L L K J R H Y Y M S O C G P E T A L S E E A S Q
E N I T G C E O A A V O D K F V N I E B Y D B T H
H I P B U R D T T E V L E V I P O T T E P E Y H E
A K S O I G T I S I E E N R O T U W L K R U B X E
I S C R N R N W S M C A Y P E P T P R E P S I H W
R E T S E Y L O P C A T H I E T C E P N C T B I F
N I Z S A H W N D I F H S L G C T A N Y I E R R L
M N S M P B T S J R R E I L B A I U T B V P E M U
F N Z S I L K A C B U R U O E D I O B S H T A L F
E U W T G S H O E A S S Q W I U U A V Y A O D O F
Q B R M U G N I F F U T S C G U R P W W F H A K Y
```

BED	FABRIC	HAMSTER	RABBIT	SUEDE
BREAD	FEATHERS	KITTEN	RUG	SURFACE
BUNNIES	FLEECE	LEATHER	SATIN	SWEATER
BUTTER	FLUFFY	LIPS	SHOE	TOY
CAT	FOAM	MATTRESS	SILK	VELVET
COUCH	FUR	PETALS	SKIN	VOICE
DIAPER	GENTLE	PILLOW	SNOW	WATER
DOG	GUINEA PIG	POLYESTER	SQUISHY	WHISPER
EYES	HAIR	PUPPY	STUFFING	WOOL

248

Rivers

```
H J M P O A E N I L E G N A R O Y Q M P D S G T P
M P E J J G M R F S N A K E E S S E N N E T F A R
T E K G X O N Y I Q S N I T N A C O T O B H S X T
D A O O D A R O L O C G Y C V O L G A I L E V E E
F L N E P I L D C O L E I H M Y M C O T T G V P R
Y D G N N O R L A C K S T H A M E S B A P N O U O
R A Q I O E P B U N H U X W E D N A R G O I R R H
N N R H S N E M E V O A R N R S N H E I T W I U S
N Q X R D Y J W I M I E N I T K P A V R O O N S O
V C S O U R C E L L T U U N S U V E I R M L O O M
E I M J H M J G T A O B M A E T S M R I A F C C M
P X I N G U A O W P S S H A L L O W S H C H O R E
```

ALDAN	EUPHRATES	LOIRE	RAFT	SOURCE
ALLUVIUM	FLOWING	MEKONG	RHINE	STEAMBOAT
BANK	GANGES	MOUTH	RIO GRANDE	STREAM
BED	HUDSON	MURRAY	RIVERBOAT	TENNESSEE
BRIDGE	IRRIGATION	NILE	SALWEEN	THAMES
CHANNEL	JORDAN	ORANGE	SHALLOW	TOCANTINS
COLORADO	KOLYMA	ORINOCO	SHORE	VOLGA
CONGO	LEVEE	POTOMAC	SNAKE	WATERWAY
DEEP	LIMPOPO	PURUS	SOMME	XINGU

Bar Scene

```
H Z U O H B Z B M S P O R T S C S G W U Q L K W T
R E T I A W O X I U R E L B M U T O A S T G M F G
O L I G H T S O T E G N U O L I V E N I W X W U I
W I F P T H M P T A B M R U M D S T R O B E Y D H
D Q F L O H C O R H R U S N B E V E R A G E S R Y
Y U E T I H Y G S E E M H C C A G A R N I S H E T
N O S P E S U R X P T O A E F I L T H G I N K S R
A R W E E K E N D P H Z K R I C E C A D I S K S A
R F R M V L O O T S G E E F T N I L O K I N Q Y P
Q S A N O O L A S B U P R L D I Y U U H I S S J U
A G K O W G N I C N A D I E S G N B W R O P C I H
Q Y C T D W I T Q J L E R E E B U I D S R L K O G
```

ALCOHOL	CLUB	GIN	PARTY	STOOL
ATMOSPHERE	COOLERS	ICE	PRETZELS	STROBE
BARTENDER	DANCING	LAUGHTER	PUBS	TAB
BEER	DISCO	LIGHTS	ROWDY	TOAST
BEVERAGES	DRESSY	LIQUOR	RUM	TUMBLER
BOOTH	DRINKS	LOUNGE	SALOON	WAITER
BOTTLE	FUN	MARTINI	SHAKER	WEEKEND
BOUNCER	GAMES	NIGHTLIFE	SHOTS	WHISKEY
CHEERS	GARNISH	OLIVE	SPORTS	WINE

Air Travel

```
D P W M L T U A B T N J X S Y X U A U J K P V R P
G T R O P R I A O D A R O G T A E S E G A G G U L
B R E V W S G L K D O R D U I A E I H C L A I M A
O O G I L S I L T S K C M G R D I V E R T T V L N
O P A E N P T G S N B C U A U N G N I T I C X E D
K S Y R E G N E S S A P A M C R E S T C T Z E L P
M S O F D I N A W G P D L N E J O Y K U U T T U L
H A V K D I M A G A Z I N E S N S E T A D P U D Q
P P J N S E N I L T R U R E R U T R A P E D O E B
Y I A U A W X G P E F D O T T M U S I C P R R H L
T L B L M S T S O C O N N E C T I O N B X R A C Y
W H Z X K P A Z H M R M R E K R A B M E S I D S P
```

AIRPORT	CONNECTION	HOP	MUSIC	SECURITY
AISLE	COST	JOURNEY	PASSENGER	SNACK
ALTITUDE	DEPARTURE	JUMP	PASSPORT	STEWARD
ATTENDANT	DISEMBARK	LANDING	PILOT	TARMAC
BAGS	DIVERT	LINES	PLAN	TICKET
BOARDING	DOCUMENTS	LUGGAGE	REST	TRIP
BOOK	EXCITING	MAGAZINE	ROUTE	UPDATE
BUSINESS	FUN	MEAL	SCHEDULE	VISA
CLAIM	GATE	MOVIE	SEAT	VOYAGE

Dry Cleaner

```
K C D S Y T R I D W L P H H N N F S F L U I D H G
V N R M U S T N N A J S R R E D N U A L X F E E U
L T Y X I B N X I S A G X E C H E M I C A L L A S
T P E L Y L E N I H C A M E S C Y T T E K C I T S
S D K W N O V L M O K R M E V S R H E N P Q V S E
O A E S U O L B A M E M H N O I T C A R T X E T C
C M N R K W O T S H T E I L S O S O I L G N R N O
O A A P A I S C T K T N U H L N U N Y Q I E Y A R
S G E S P C R A E Q R T I C I H D A E S H W N P P
A E L I T X E T A C I R B A F V N Q U P Q O I T E
U N C F O L D V M O T V T L C Q I B W I X H M R A
I Y X V S I R O N J I S O A P Q E C I V R E S G L
```

BLOUSE	DELIVERY	GARMENT	PANTS	SOLUTION
BUSINESS	DETERGENT	HEAT	PRESS	SOLVENT
CARE	DIRTY	INDUSTRY	PROCESS	STAIN
CHEMICAL	DRY	IRON	SERVICE	STEAM
CLEAN	EXPENSIVE	JACKET	SHIRT	TEXTILE
CLOTH	EXTRACTION	LAUNDER	SILK	TICKET
COATS	FABRIC	LEATHER	SKIRT	TUXEDO
COST	FLUID	MACHINE	SOAP	WASH
DAMAGE	FOLD	ONLY	SOIL	WOOL

Sail Away

```
K P E Q S E A H N L A N N L D W Z N Y S R E T A W
E C P C Y L R A O D O S D F L E P R L W U O D K T
E B G C L G P U I I X B F B G C D O A D D E K A L
L D U B L A C I T U A N L D I I O V W C D J C N W
N L I O F R I A C N W Z O J N P E B R E E Z E Y Q
B J X L E Y C O E R E K A N N I P S K E R R D F K
K I U W G A A W R T O V T P O O W O B C H O E O O
G T M J V C V P I F A E D S U C L E V A R T G R R
E D O Z U H Y P D A E R Y A T S E R O F O O A C H
F B J R U T V R N H S A I L S E H A F R P R Y E K
J J M L I P A I S T O R M P G W E I N U E P O S W
R Z L K D G N F J W V Y Q S M L V R P S N H V E A
```

ADVENTURE	FLOAT	NAUTICAL	RUDDER	SURFACE
AFT	FORCES	NAVY	SAILS	TRAVEL
AIRFOIL	FORESTAY	OCEAN	SEA	VACATION
BOW	FUN	PIRATE	SHEET	VOYAGE
BREEZE	GLIDE	POWER	SHIP	WATER
CREW	HULL	RACE	SLOOP	WAVE
DECK	JIB	RIG	SPINNAKER	WEATHER
DIRECTION	KEEL	ROPE	STEER	WIND
DRAG	LAKE	ROTOR	STORM	YACHT

Food Trucks

```
D K I V R J H N O I T C E L E S P E C I A L T Y H
T D S S F C V M O T O R I Z E D B U X L L I R G A
H R P L A T E S N N Y E A Z Z I P R E N T A A U U
V W O I S Y B S C A T E R E R C E B O E H C N U L
E E O L T R C E D I B L E B A G L U E I F R S G R
N W N H L T S N V F Y L U K A S K R O F L F P U J
X E S D C S P I I E E R E S O X T G S H M E O K G
R F V O I A S S R L R S U Z N S D E L I V E R C B
E H O O R P H U I I T A F O M A V R G E L A T O J
L K N K I V G B T Y S N G N E I C P Y P W C T C B
S Y V H P Y O O U W R A P E N R N K N I R D V A S
V P C C J M V O O O W F D K U A D O S B X G G T E
```

BEVERAGE	CONCESSION	FORKS	MOTORIZED	SNACKS
BROILER	COOK	FRY	OVEN	SODA
BURGER	CUPCAKES	GELATO	PARK	SPECIALTY
BURRITO	DELIVER	GRILL	PASTRY	SPOONS
BUSINESS	DRINK	HAUL	PIZZA	STREET
CATERER	EAT	KNIVES	PLATES	TACO
CHIPS	EDIBLE	LUNCH	ROLL	TRANSPORT
CHOW	FAST	MENU	SAUSAGE	WAGON
COFFEE	FISH	MOBILE	SELECTION	WRAP

Ad Messages

```
C O U P O N S S P A M Z H Y X C L O T H I N G P L
R O S N O P S O F S M T S U O B R N I P M O X I O
J I N G L E S E L A S T S S I O N P E N S I R C I
E T C T R T Y E G G O E T L W O B R E P U S Z T D
N B A P E L U A N R G N L M I B S E C N E I D U A
I A R R I N Z I E A I B S T C U D O R P K V P R R
L N S A E I T S S R O Z N S A N Y T I R B E L E C
N N M V N E W S P A P E R S E L L I N G U L W S O
O E E K D E T R U T H I N T E R N E T M E D I A
G R S R N M I D Z T M O N E Y H P R O M O T I O N
O S A D S P S N A S N G I A P M A C O M P A N Y C
L M N N A S N A G O L S R E Y L F Z Y B B M P X V
```

ADS	CLOTHING	MAGAZINES	PERSUASION	SALES
ATTENTION	COMPANY	MAIL	PICTURES	SELLING
AUDIENCE	CONTENT	MARKETING	POSTERS	SLOGANS
BANNERS	COST	MEDIA	PRESS	SPAM
BILLBOARDS	COUPONS	MESSAGES	PRINT	SPONSOR
BRANDING	FLYERS	MONEY	PRODUCTS	STORES
CAMPAIGNS	INTERNET	NEWSPAPERS	PROMOTION	SUPER BOWL
CARS	JINGLE	ONLINE	RADIO	TELEVISION
CELEBRITY	LOGO	PENS	REVENUE	TRUTH

U.S. Architecture

```
S N G I S E D J C I T I E S A D O B E N G L I S H
T A N M O N U M E N T S T R U C T U R E N V C P O
E I I O X M Y O E V I T A E R C O L O N I A L A U
E G B N O T G N I H S A W D O C E P A C D O A N S
L R A T R E I T N O R F E D E R A L T Q L G S I E
Y O C I N O S R E F F E J C I H T O G A I A S S S
T E G C L U F I T U A E B V H C R U H C U C I H W
S G O E K E V I T A V O N N I I R O O F B I C C R
Z R L L V S C O L U M N C P A R T D E C O H F N I
H E G L A S S E P A C S D N A L O T I P A C X A G
R E W O T R E P A R C S Y K S O U T H W E S T R H
Q K S E N I L S N A L P U R P O S E S R E V I D T
```

ADOBE	CITIES	FRONTIER	LINES	SOUTHWEST
ART DECO	CLASSIC	GEORGIAN	LOG CABIN	SPANISH
BEAUTIFUL	COLONIAL	GLASS	MONTICELLO	STEEL
BUILDING	COLUMN	GOTHIC	MONUMENTS	STRUCTURE
CALIFORNIA	CREATIVE	GREEK	PLANS	STYLE
CAPE COD	DESIGN	HOUSES	PURPOSE	TOWER
CAPITOL	DIVERSE	INNOVATIVE	RANCH	VICTORIAN
CHICAGO	ENGLISH	JEFFERSON	ROOF	WASHINGTON
CHURCH	FEDERAL	LANDSCAPE	SKYSCRAPER	WRIGHT

Opera

```
M R I D R E V E J P M T Y I J S H A C T I N G A E
K U L N Y W A G N E R H D T N A S M T S Z H N S G
V J S O I K O Z Z E M M E A X I T A R C N T I A A
H C B I Z C S S C O R E G L R R S E B E E N G I T
X O I T C E C N E I D U A I A A B S M N G R N T S
P S N I O I O U I T T O R A V A P R O E T J I R G
V O I D S C A B P V H W T N I L A R R H S S A N
H U L A T C O N T R A L T O D C S S D Y E T H Z O
A T L R U N P O S B A R T S E H C R O N A R P O S
L R E T M Q Y L U S C I T A M A R D A W T J E M W
L I B R E T T O A O L O S S U A R T S T E L L A B
U V P W S O X U F Y R O T S E G U W A F R E N C H
```

ACTING	COSTUMES	MOZART	SHOW	STRAVINSKY
ARIAS	DIVA	MUSICIANS	SINGERS	TENORS
AUDIENCE	DRAMATIC	ORCHESTRA	SINGING	THE MET
BALLET	FAUST	PAVAROTTI	SOLO	THEATER
BASS	FRENCH	PLAY	SONGS	TRADITION
BELLINI	HALL	PUCCINI	SOPRANO	TRAGEDY
CARMEN	ITALIAN	ROSSINI	STAGE	VERDI
CONCERT	LIBRETTO	SCENERY	STORY	VIRTUOSO
CONTRALTO	MEZZO	SCORE	STRAUSS	WAGNER

Inspirational

```
D C S Z R E Y A R P H M R E S C U E P T R A V E L
S S M E O P C I P E P B J C B T H R R E E K Q G V
G J Q V S E H C A O C H W B M E E U L Y L I M A F
N S S C K U R E I P B A D H I A M I R A C L E S L
O L U S O I M U N L R P O Q C B G T T C F R N W X
S A N C U U N S T E H P G H A I L P E A H I A O M
U V S M C H R D I A E I I B O K E E S A A A T B S
N I E I D E I A N P R N I N S P T H S T C M U N T
R V T X D R S B G E G E C N E D I F N O C H R I O
I E S A O O E S Y E S S T G I O Q U O T E S E A R
S R E T T E L A L X S S Q I N K O O B R A V E R Y
E L O V E S C Z M O V I E L L M T R A N I M A L S
```

ANIMALS	COURAGE	LEADERS	PAINTING	RESCUE
ART	DREAM	LETTERS	PEOPLE	REVIVAL
BABIES	FAMILY	LITERATURE	PEP TALK	SONGS
BIBLE	FASHION	LOVE	POEMS	STORY
BOOK	GOD	MIRACLES	PRAYER	SUCCESS
BRAVERY	HAPPINESS	MOUNTAINS	PREACHING	SUNRISE
CHURCH	HEROES	MOVIE	QUOTES	SUNSETS
COACHES	HOPE	MUSES	RAINBOWS	TEACHERS
CONFIDENCE	KINDNESS	NATURE	RELIGION	TRAVEL

Paperbacks

```
Y S M I L F K L I B R A R Y P O C B M D I Y U T V
P W L I G H T Y Y R X S P E L A S L I T E R A R Y
B G S A C M H R R J E U A U L G L C N N A S B A L
T C L O A C E O O M T D R L C L T H O S D E P D L
O H V T L H S S M H V O A G E I I A R N H I E E A
G E N R E A A E A E T K G E O S A R F R W R N T M
R A O N V P U T N S H U R N R M A L H E R O G G S
B P I O O T R T C E L B A L C Y C E R T I T U R C
X V T I N E U I E M C R P R I N T Q L S T S I P I
Q N C T A R S N Q I Y S H S I L B U P E E P N R M
W P I C E S H G C R H I S T O R Y I L W R V J B O
A R F A N T A S Y C T E D I T I O N E R D L I H C
```

ACTION	COPY	GLUE	PENGUIN	SETTINGS
ADVENTURE	COVER	HARLEQUIN	PRINT	SMALL
AUTHOR	CRIMES	HISTORY	PUBLISH	STORIES
BANTAM	DICTIONARY	LIBRARY	READER	SUDOKU
BINDING	EDITION	LIGHT	RECYCLABLE	THESAURUS
CHAPTERS	FANTASY	LITERARY	RELEASE	THRILLER
CHEAP	FICTION	MINOR	ROMANCE	TRADE
CHILDREN	FLIMSY	NOVEL	SALE	WESTERNS
COMICS	GENRE	PARAGRAPHS	SCENE	WRITER

Teachers

```
M U S I C R E D P C D E D I C A T E D E I I T Y E
S W R I T I N G H A L G E B R A D V N C G K S T L
E H G R G I G A C H E A L T H I P I E N L N Y I U
T P N O K C L H R M F U Q E U E L T I A E O L R D
O A I T P K I O A S E G C G N P A R H D S W A E E
N R D A F S S T U D E N T S I C U O S N S L T C H
A I A R T I H B A C E A L C O T M P A E O E A N C
L E E O V P J R N I Y L S V R E E P L T N D C I S
P H R D F E G E T F E I D U W A P U Z T S G O S K
K Y A H C H I A W B D A N O K L C S I A L E A D S
K S Y T J C P M E N T O R E E G E O M E T R Y L E
N Q S U S K O O B T Q K R T K B N E R D L I H C D
```

ADVISOR	CHALK	GUIDE	MATH	READING
ADVOCATE	CHILDREN	HEALTH	MENTOR	SCHEDULE
ALGEBRA	DEDICATED	HISTORY	MUSIC	SCIENCE
APPLE	DESKS	HOMEWORK	NOTES	SINCERITY
ART	DETENTION	KIND	NURTURING	SPEAKER
ATTENDANCE	DISCIPLINE	KNOWLEDGE	ORATOR	STUDENTS
BELL	ENGLISH	LANGUAGE	PATIENCE	SUBJECTS
BOOKS	GEOMETRY	LEAD	PENS	SUPPORTIVE
CATALYST	GRADE	LESSONS	PLAN	WRITING

Thanks!

I hope you enjoyed this book.

Visit us at funster.com to discover more books that will exercise your brain while you have fun. It's a relaxing way to spend some quality time!

Sincerely,

Charles Timmerman

Charles Timmerman
Email me: games@funster.com

PS- Amazon reviews are extremely important and really help me. Could you leave one now? This link will take you to the Amazon.com review page for this book:

funster.com/review23

Want more word search puzzles?

Try these large-print books
available at Amazon.com

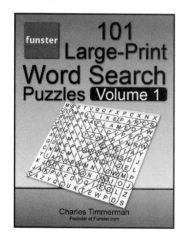

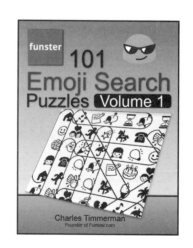

Find all of our books at Amazon.com